オーナーのための
自社株の税務&実務〔十訂版〕

―― 売買・保有・評価 ――

【編】辻・本郷 税理士法人

税務経理協会

十訂版によせて

　前回の改訂（九訂版）は平成27年3月です。経営承継円滑化法が制定され，合わせて平成21年度税制改正により事業承継税制も制定されました。

　事業承継税制では相続・贈与により取得した自社株にかかる相続税・贈与税が猶予されるという内容でしたが，雇用確保要件（毎年8割以上の雇用確保）や利子税の負担などハードルがあり，実際に利用されているケースが非常に少ないという状況でした。そこで平成25年度税制改正により，この事業承継税制の見直しが行われ，要件の緩和や負担の軽減が図られました。具体的には，雇用確保要件が，「毎年8割以上」から「5年平均で8割以上」になり，利子税の負担も軽減されました。また，親族以外の後継者にも制度が適用されるなど，制度の大幅な見直しがありました。

　平成29年度税制改正においても，従業員が5名未満の会社でも制度が使いやすくなるように雇用確保要件が緩和されております。利用件数も要件緩和により増えておりますが，より使いやすい制度になるための見直しが今後も続くものと思われます。

　平成29年度税制改正において，自社株の評価が大幅に見直されました。改正後は，配当を多額に出している，純資産が多い会社の株価は高くなり，社歴が浅く純資産は少ないが利益を毎期多額に出している会社の株価は下がる可能性があります。自社の株価については，このタイミングで改めて計算をして，事業承継のプランを計画する必要があると考えられます。

　平成27年から相続税が増税となっております。自社株を保有する会社のオーナーにとっては，より負担の重い改正です。何もしないと株価も上昇，相続税も増税となります。今まで以上に株価対策や相続税対策が必要です。

　本書が，そのような対策が必要な方にとってお役に立てれば，これ以上の喜びはありません。

　最後になりましたが，税務経理協会の吉冨智子氏，松本修氏には，本書の刊行にあたり多大なるご尽力を頂きました。この場を借りて御礼申し上げます。

　　平成29年6月　　　　　　　　　　　　　　　　　　　　　　　編者

はしがき

　「論語読みの論語しらず」という言葉があります。これをもじって，「税法読みの税法知らず」という人もいます。

　一方，実務を長年やってきますと，ついつい理論武装がおろそかになり勝ちです。

　私も，実務を長年やっていますと，ついつい勉強が正直いって不足ぎみとなってきます。

　むずかしいことですが，理論もある程度でき，実務も堪能というのが，実務家として一流なのでしょうが……。

　とまれ，自社株に挑戦してみました。

　ねらいは，

　① 辞書がわりに使える本

　② わかりやすく，やさしく

　③ 理論もあって，実務事例も多く，

と，欲ばりました。

　忌憚のない御意見と御批判が頂戴できれば，幸甚です。

　最後になりますが，税務経理協会の堀井さん，佐藤さん，岡本さんには，大変お世話になりました。

　この場を借りまして，深く御礼申し上げます。

　売れそうもない本をよく出版させて戴きました？

　　平成7年11月

編著代表　本　郷　孔　洋

活用方法

1 基礎編

各章ごとにできるだけ平易に簡潔に内容をまとめておりますので，必要に応じてどこからでも読み進んでいただくことができます。自社株に関する基本的な理解に重点を置いておりますので，基本的知識の確認等に役立てることができます。

2 実践編

ここでは，自社株に関し，よく取り上げられる実践項目をＱ＆Ａの形式でお答えしています。基礎編では解決できない実務上の課題に対して解決への糸口を見い出すことに重点を置いています。個別性が強い問題が多く，両断とはいかないケースもありますが，参考事例としてお読みください。

3 実践マニュアル

実践マニュアルは，実務を進めるに際し，必要となる資料をまとめたものです。全てを網羅することはできませんが，そのままコピー等して使用していただくことができますので，ご活用ください。

本書の内容は，平成29年4月1日現在の法令・通達等によっています。したがって，「評価差額に対する法人税額等の税率」が37％として解説されておりますが，今後の税制改正等の影響を受け，変更になる可能性があります。実務においては，最新の法令をご確認ください。

目　　次

十訂版によせて

はしがき

活用方法

基礎編

I　売　買

1　個人と個人の売買 … 3

(1) 子供へ売却したいが適正価格はいくらか … 3

(2) 友人・従業員への売却の場合の適正価格はいくらか … 4

(3) 贈与と売買どちらが有利か … 5

① 贈与の場合の課税関係 …… 5

② 売買の場合の課税関係 …… 5

③ 贈与と売買のどちらが有利か …… 6

④ 同族間の行為又は計算の否認 …… 7

(4) 相続税評価方法を採れると聞いたが … 7

2　個人と法人の売買 … 9

(1) 法人取引はナゼ時価なのか … 9

① 時価課税の根拠 …… 9

② 法人税法第22条第2項の立法趣旨 …… 9

(2) 安く買ったらどうなる … 10

① 法人が個人から株式を買い受ける場合 …… 10

② 個人が法人から株式を買い受ける場合 …… 11

(3) 高く買ったらどうなる──経済的合理性の観点から── … 12

① 個人から法人への譲渡 …… *12*

　　② 法人から個人への譲渡 …… *13*

　(4) 適正価格をどのように把握したらよいか ……………………………… *14*

　　① 一　物　万　価 …… *14*

　　② 加味すべき諸要因 …… *14*

　　③ 法人税法上の考え方 …… *15*

　　④ 具体的なフローチャート …… *15*

3　自己株式の売買 …………………………………………………………… *16*

　(1) 自己株式の取得売買 ……………………………………………………… *16*

　(2) 課税上の取扱い …………………………………………………………… *17*

　(3) 法人株主にかかるみなし配当課税 ……………………………………… *18*

II　保　　　有

1　会社設立と税務 …………………………………………………………… *20*

　(1) 金　銭　出　資 …………………………………………………………… *20*

　　① 設立の際の出資者数 …… *20*

　　② 資本金と交際費 …… *20*

　(2) 現　物　出　資 …………………………………………………………… *21*

　　① 検査役の調査 …… *21*

　　② 譲渡所得税の課税 …… *21*

　(3) 適格現物出資 ……………………………………………………………… *21*

2　出資割合による権利の違い ……………………………………………… *22*

3　株主の配当 ………………………………………………………………… *23*

　(1) 個　人　株　主 …………………………………………………………… *23*

① 少額配当の確定申告 …… *23*

　　　② 配当控除 …… *23*

　　(2) 法人株主 …………………………………………………………… *23*

　　　① 取扱い …… *23*

　　　② 受取配当等の益金不算入 …… *23*

4　増資と税務 …………………………………………………………… *24*

　　(1) 増資の方法 ………………………………………………………… *24*

　　　① 払込金の有無による増資方法 …… *24*

　　　② 増資の引受者による増資方法 …… *25*

　　(2) 株主割当 …………………………………………………………… *25*

　　　① 内容 …… *25*

　　　② 税務 …… *26*

　　(3) 第三者割当増資 …………………………………………………… *26*

　　　① 内容 …… *26*

　　　② 第三者割当増資の税務 …… *27*

　　(4) 準備金又は剰余金の資本組入れ ………………………………… *28*

　　　① 準備金の減少による資本金の増加 …… *28*

　　　② 剰余金の減少による資本金の増加 …… *29*

5　減資と税務 …………………………………………………………… *31*

　　(1) 減資の方法 ………………………………………………………… *31*

　　　① 減資の手続 …… *31*

　　(2) 減資の税務 ………………………………………………………… *31*

6　組織変更 ……………………………………………………………… *32*

　　(1) 会社組織 …………………………………………………………… *32*

　　(2) 組織変更とは ……………………………………………………… *32*

(3)　組織変更手続 …………………………………………………… 33

❼　合併・分割による税務 …………………………………… 34

　(1)　合併の税務 ……………………………………………………… 34
　　①　グループ内再編の場合 …… *35*
　　②　グループ外で共同事業のための再編 …… *36*
　　③　被合併法人への課税 …… *37*
　　④　被合併法人の株主に対する課税 …… *38*
　(2)　会社分割の税務 ………………………………………………… 39
　　①　グループ内再編の場合 …… *39*
　　②　グループ外で共同事業のための再編 …… *40*
　　③　適格分割の税務 …… *41*
　　④　非適格分割の税務 …… *42*
　(3)　現物出資の税務 ………………………………………………… 43

❽　解散，清算に必要なこと ………………………………… 44

　(1)　通　常　清　算 ………………………………………………… 44
　(2)　特　別　清　算 ………………………………………………… 44
　　①　意　　　義 …… *44*
　　②　清　算　事　務 …… *45*

❾　清算に伴う税務 …………………………………………… 46

　(1)　清算時の所得計算 ……………………………………………… 46
　　①　最後事業年度の事業税 …… *46*
　　②　期限切れ欠損金の損金算入 …… *46*
　　③　残余財産確定後の繰越欠損金の引継ぎ …… *46*
　(2)　配　当　課　税 ………………………………………………… 46
　　①　法　人　株　主 …… *46*

② 個 人 株 主 …… *47*

Ⅲ 相　　続

❶ 相続税の対象となる自社株 …… *48*

(1) 株式及び株式に関する権利 …… *48*

　① 株　　　式 …… *49*

　② 株主の割当てを受ける権利 …… *50*

　③ 株式となる権利 …… *50*

　④ 株式無償交付期待権 …… *50*

　⑤ 配当期待権 …… *50*

　⑥ ストックオプション …… *50*

　⑦ 上場株式予約権 …… *51*

(2) 名 義 株 式 …… *51*

　① 株 主 名 簿 …… *51*

　② 株主名簿と実質上の株主の不一致 …… *52*

　③ 名義株式と相続 …… *52*

(3) 相続開始前3年以内贈与株式 …… *54*

(4) 相続時精算課税贈与に係る株式 …… *54*

❷ 自社株の相続手続 …… *55*

(1) 株式及び株式に関する権利の相続手続 …… *55*

　① 株式の相続手続 …… *55*

　② 株式に関する権利の相続手続 …… *56*

(2) 名義株式の相続手続 …… *57*

(3) 遺産分割前の権利行使と名義書換手続 …… *58*

　① 遺産分割前の共有財産 …… *58*

　② 遺産分割前の株式の権利行使 …… *58*

③　遺産分割前の株式の名義書換手続 …… *59*

　(4)　遺産分割協議後の名義書換手続 ……………………………………… *60*

　(5)　譲渡制限株式と相続 …………………………………………………… *60*

　　　①　株式の譲渡制限規定 …… *60*

　　　②　譲渡制限付株式の譲渡承認手続 …… *60*

　　　③　譲渡制限付株式の相続手続 …… *61*

　(6)　株券不所持制度と相続 ………………………………………………… *65*

　　　①　株券不所持の手続 …… *65*

　　　②　株券不発行の場合の相続 …… *66*

　(7)　配当金と相続 …………………………………………………………… *67*

❸ 自社株による相続税・贈与税の納税 ……………………… *68*

　(1)　自社株に係る相続税の納税猶予制度 ………………………………… *68*

　　　①　創設の趣旨 …… *68*

　　　②　相続税の納税猶予制度の概要 …… *68*

　　　③　全ての株式が適用されるわけではない …… *68*

　　　④　適用要件 …… *69*

　　　⑤　相続後の継続要件 …… *72*

　　　⑥　納税猶予が取り消された場合 …… *73*

　　　⑦　猶予税額が免除となる場合 …… *73*

　(2)　自社株に係る贈与税の納税猶予制度 ………………………………… *74*

　　　①　贈与税の納税猶予制度の概要 …… *74*

　　　②　適用要件等 …… *74*

　　　③　一括贈与とは …… *75*

　　　④　先代経営者である贈与者が死亡した場合 …… *76*

　(3)　「新事業承継税制」の選択適用について …………………………… *77*

　(4)　自社株による相続税の延納 …………………………………………… *80*

　　　①　延納制度の概要 …… *80*

② 自社株は延納担保になるか …… *81*

　　③ 自社株の必要担保額 …… *82*

　　④ 自社株の担保提供手続 …… *82*

　(5) 自社株による相続税の物納 …………………………………… *83*

　　① 物納制度の概要 …… *83*

　　② 自社株は物納できるか …… *85*

　　③ 自社株の収納価額 …… *85*

　　④ 物納手続関係書類の提出 …… *86*

　　⑤ 物納の許可 …… *87*

　　⑥ 管理・収納 …… *87*

　(6) 物納と延納の切替え …………………………………………… *88*

　　① 延納から物納への切替え …… *88*

　　② 物納から延納への切替え …… *88*

　　③ 新事業承継税制から物納・延納への切替え …… *88*

Ⅳ　自己株式

1　金庫株 …………………………………………………………… *90*

2　自己株式の取得手続 …………………………………………… *90*

　(1) 株主総会による普通決議ですむ場合 ………………………… *90*

　(2) 株主総会による特別決議を必要とする場合 ………………… *91*

3　自己株式の処分 ………………………………………………… *91*

　(1) 代替する場合 …………………………………………………… *92*

　(2) 消却する場合 …………………………………………………… *92*

4 自己株式の会計と税務 …………………………………………… 92

(1) 売　却　時 …………………………………………………………… 93
(2) 取得後自己株式を処分する場合 ……………………………………… 95
(3) 取得後株式を消却する場合 …………………………………………… 96

5 売渡請求による取得 ……………………………………………… 97

(1) 相続人等に対する売渡請求株式 ……………………………………… 97
(2) 売渡請求手続 ………………………………………………………… 97
(3) 売渡請求の期間 ……………………………………………………… 98
(4) 売　渡　価　格 ……………………………………………………… 98
(5) 取得価額総額 ………………………………………………………… 98
(6) 取締役の責任 ………………………………………………………… 98
(7) 相続財産に係る株式を発行法人に売却した場合 …………………… 98
(8) 処　　　分 …………………………………………………………… 99

Ⅴ 株式評価

1 上場株式の評価方法 ……………………………………………… 100

(1) 一般的な評価の方法 ………………………………………………… 100
(2) 評価の特例 …………………………………………………………… 103
　① 課税時期の最終価格の特例 …… 104
　② 最終価格の月平均額の特例 …… 105

2 登録銘柄及び店頭管理銘柄の評価方法 …………………… 107

3 公開途上にある株式及び国税局長が指定する株式の評価方法 ………………………………………………………… 109

(1) 公開途上にある株式の評価方法 …………………………………… 109

① 「公開途上にある株式」とは …… *109*

　　② 評 価 方 法 …… *109*

4　取引相場のない株式の評価方法 …… *111*

　(1)　会社規模の判定 …… *111*

　　① 概　　　要 …… *111*

　　② 会社の区分 …… *111*

　　③ ま　と　め …… *113*

　(2)　類似業種比準方式 …… *114*

　　① 概　　　要 …… *114*

　　② 計 算 方 法 …… *115*

　(3)　純資産価額方式 …… *117*

　　① 概　　　要 …… *117*

　　② 計 算 方 法 …… *117*

　(4)　配当還元方式 …… *118*

　　① 概　　　要 …… *118*

　　② 判 定 基 準 …… *119*

　　③ 計 算 方 法 …… *121*

　(5)　具体的な計算の方法（原則的評価方法）…… *122*

　　① 原則的評価方法が適用される場合の評価事例 …… *122*

　　② 評価明細書の具体的記載例 …… *139*

　(6)　具体的な計算の方法（配当還元方式）…… *156*

5　比準要素数1の会社の評価方法 …… *162*

　(1)　説　　　明 …… *162*

　(2)　評 価 方 法 …… *162*

　(3)　根　　　拠 …… *162*

6 土地保有特定会社の評価方法 ································ 164

(1) 説　　　明 ·· 164
　① 概　　　要 …… 164
　② 土地保有特定会社の定義 …… 164
　③ 土地等の範囲 …… 165

(2) 計　算　例 ·· 166
　① 土地保有特定会社となる場合の評価 …… 166
　② 評　価　手　順 …… 174

7 株式保有特定会社株式の評価方法 ···························· 192

(1) 説　　　明 ·· 192
　① 株式保有特定会社の判定 …… 192
　② 簡易評価方式 …… 194
　③ S_1の金額の計算 …… 194
　④ S_2の金額の計算 …… 196

(2) 計　算　例 ·· 197
　株式保有特定会社となる場合の評価 …… 197

8 開業後3年未満等の会社，又は休業中，清算中の会社の評価方法 ·· 209

(1) 開業後3年未満の会社 ·· 209
　① 説　　　明 …… 209
　② 評　価　方　法 …… 209
　③ 根　　　拠 …… 209

(2) 休業中の会社 ·· 210
　① 評　価　方　法 …… 210
　② 根　　　拠 …… 210

(3) 清算中の会社 ·· 210

① 評 価 方 法 …… 210

② 計 算 例 …… 210

❾ 医療法人出資金の評価方法 …… 211

(1) 医療法人規模の決定 …… 211

(2) 評価方式の決定 …… 211

① 小 会 社 …… 211

② 中 会 社 …… 211

③ 大 会 社 …… 212

(3) 類似業種比準価額の算式 …… 212

❿ そ の 他 …… 212

(1) 特例有限会社の株式の評価方法 …… 212

(2) 合名会社，合資会社及び合同会社の出資の評価方法 …… 212

① 無限責任社員の場合 …… 213

② 有限責任社員の場合 …… 213

(3) 農業協同組合等の出資の評価方法 …… 214

(4) 企業組合等の出資の評価方法 …… 214

《参考》 相続税評価額と帳簿価額の計算方法 …… 215

実践編（Q＆A）

Q 1 代表訴訟とその対応 …… 227

Q 2 譲渡承認とその対応策 …… 230

Q 3 社長一族の所有割合を増やしたい …… 232

Q 4 兄弟の所有株式を買い取りたい …… 234

Q 5 第三者割当増資の場合の引受価額 …… 236

Q 6 同族関連会社へ割当増資をしたい …… 239

- Q7 従業員の所有株式を無議決権株式にかえたい ……………………… 241
- Q8 子供の増資資金を親が立て替えたい ………………………………… 243
- Q9 古くからの名義株を子供名義にしたい ……………………………… 245
- Q10 持株会社へ株を移転 …………………………………………………… 247
- Q11 自社株式を現物出資する場合の価額 ………………………………… 249
- Q12 事業の一部を現物出資により分離独立させたい …………………… 251
- Q13 会社に対し，新株を発行 ……………………………………………… 252
- Q14 個人に対し，新株を発行 ……………………………………………… 254
- Q15 同族株主が，株主割当による募集株式引受権を失権した場合 …… 256
- Q16 株式の分散を抑えたい ………………………………………………… 259
- Q17 赤字会社へオーナーの資産を移したい ……………………………… 261
- Q18 転換社債型新株予約権付社債の評価 ………………………………… 263
- Q19 新株予約権付社債の発行 ……………………………………………… 265
- Q20 合併比率の決め方 ……………………………………………………… 267
- Q21 持分会社を株式会社組織にしたい …………………………………… 269
- Q22 自社株式の物納 ………………………………………………………… 271
- Q23 経営参加していない次男の自社株相続を抑えたい ………………… 273
- Q24 株主が亡くなっているケース ………………………………………… 276
- Q25 同族関係役員でも配当還元価額が使える？ ………………………… 278
- Q26 役員退職金制度を用いて，自社株評価を引き下げられるか？ …… 282
- Q27 中小企業投資育成会社の自社株評価引下げ ………………………… 284
- Q28 従業員持株会の利用 …………………………………………………… 288
- Q29 会長の株式の分散 ……………………………………………………… 290
- Q30 売渡請求による自己株式の取得 ……………………………………… 292
- Q31 売渡請求の株主総会決議 ……………………………………………… 294
- Q32 特例有限会社における自己持分の取扱い …………………………… 296
- Q33 合名・合資会社における自己持分の取扱い ………………………… 298
- Q34 配当と株価の関係 ……………………………………………………… 300

Q35 現物出資 ………………………………………………… 302
Q36 孫会社のあるケース …………………………………… 304
Q37 自己株を持っているケース …………………………… 306
Q38 増資の影響 ……………………………………………… 308
Q39 借地権 …………………………………………………… 310
Q40 株式の持ち合いのケース ……………………………… 312
Q41 その他の評価方法 ……………………………………… 314
Q42 過去に自社株に係る10％の減額特例を適用していた場合の
　　自社株の納税猶予制度 ………………………………… 318
Q43 自社株に係る納税猶予制度と小規模宅地等の減額との併用 ……… 320

実践マニュアル編

I 合　　併 ……………………………………………… 325
❶ 合併スケジュール（一般的なもの）………………………………… 325

II 解散・清算 …………………………………………… 329
❶ 解散・清算手続概要 ………………………………………………… 329

III 売買・贈与 …………………………………………… 334

IV 自己株式の取得 ……………………………………… 337
❶ 株主総会議事録 ……………………………………………………… 337

V 従業員持株会設立 …………………………………… 339
❶ 概　　要 ……………………………………………………………… 339
❷ スケジュール・様式 ………………………………………………… 340

基礎編

基礎編 I

売　買

❶ 個人と個人の売買

(1) 子供へ売却したいが適正価格はいくらか

　日本の非上場オーナー企業の多くは，その高い相続税が原因で事業承継に悩んでいるため，社長さんたちの多くは生前に子供に対して自社株を移転して会社や財産を守ろうと試みます。

　自社株移転に際しての最大のポイントはその株式の評価額です。相続税法上の自社株の評価方法は，一定の取り決めによって行われており，業種が同じであっても会社の規模によって評価が高くなったり，低くなったりします。当然，評価額が低ければ低いほど税額は安くなるため，親が子供に売却する場合には，自社株の評価額を下げてから売却するケースがほとんどです。しかし，子供に対する通常の自社株売却における適正価格をどのように考えるべきなのでしょうか。

　自社株を低額で譲渡した場合，譲渡相手が法人であったときに限り，時価と譲渡価額との差額について所得税が課税されます（所法59）。この場合の時価とは，純資産価額等を参酌して通常取引されると認められる価額とされています。しかし，親子間の売買においてはいわゆる「みなし譲渡」に該当することはあり得ないのですが，相続税法には「みなし贈与」に関する規定があり，低額譲渡の場合，時価と譲渡価額との差額について贈与税が課税されます（相法

7）。この場合の時価とは相続税評価額です。したがって，相続税評価額を下回る価額で親子間売買が行われると，「みなし贈与」に該当してしまうので，個人間売買の適正価格は相続税評価額以上ということになります。

　自社株は予想以上に高い評価である場合が多く，バブルの頃と比較するとだいぶ落ち着いてきたとはいえ，そのまま放置しておくとさらに高くなる可能性をもっています。したがって，計画的な株価引下げ対策，移転対策を行うことをおすすめします。

(2) 友人・従業員への売却の場合の適正価格はいくらか

　友人・従業員への自社株の売却を考えてみましょう。

　ここで一番問題となるのは，自社株をいくらで売却するかです。普通，自社株とは，「非上場会社で同族会社の株式」を指します。要するに自社株には市場価格が存在しないのです。そこで通常は，適正価額の売買であれば，税務上問題が起こらないと考えられます。ただし，この自社株の適正価格は，株式の買主の立場で異なることになります。

　では，友人・従業員，つまり同族株主以外の株主等へ売却する場合における適正価格はいくらでしょう。

　この場合の適正価格は，「配当還元価額」が妥当かと思われます。

　買主である友人・従業員の立場，株式を取得する者の属性に着目してみましょう。

　普通これらの者は，持株比率も低く，会社に対する地位・立場から考えて会社に対する影響力はほとんどありません。つまり，これらの者が株式を保有することによるメリットは，配当収入のみと考えられるのです。そこで，これらの者に自社株を売却する場合の適正価格は，「配当還元価額」が適当とされるのです。

〈配当還元価額〉

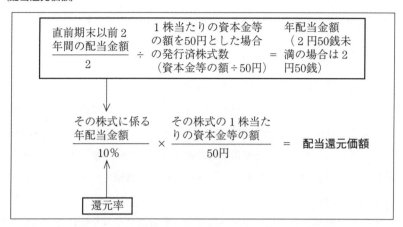

(3) 贈与と売買どちらが有利か

① 贈与の場合の課税関係

　　贈与される個人　　贈与税（原則として，その株式の相続税評価額を課税
　　　　　　　　　　　価額として課税されます）

② 売買の場合の課税関係

イ　適正な時価による売買

　　譲渡する個人

　　(1) 所得税・住民税（株式等にかかる譲渡所得等として課税）

　　　　　申告分離課税方式……譲渡所得の20.315％

　　　　　　　　　　　　（所得税15.315％＋住民税5％）

ロ　時価よりも低い価額による売買
　　　　　　　　　＊
　＊低い価額とは

　○所得税法（所令169）においては，法人に対する譲渡時の時価が2分の1に満たな
　　い金額としています。

しかし，相続税法（相法7）においては，相続税評価額よりも低い価額の売買については，その評価額との差額を贈与によって取得したものとみなされます。

つまり，一方が法人の場合と，双方が個人の場合の「時価」は異なることになります。

| 譲渡する個人 |

所得税法では時価よりも低額での譲渡について，その差額分に所得税を課税するのは原則として譲渡の相手が法人の場合に限られていますので，個人間売買の場合はみなし譲渡課税（時価で売却したとみなして譲渡税が課税）はありません。たとえ，先の相続税評価額よりも低い価額であっても個人間の場合，その取引価額に対し，イと同様の形式で課税されます。

| 譲り受ける個人 |

相続税評価額よりも低い売買→贈与税（実質的に贈与を受けたとみなされる部分の金額について，贈与税が課せられます）

○相続税法（相法7，9）

＊実質的に贈与されたとみなされる部分の金額とは，この場合，

　　（その株式の相続税評価額）−（その売買の価格）

になります。

③ 贈与と売買のどちらが有利か

自社株式の売買，贈与は，主に，その会社の経営者が，その息子等にスムーズな事業承継を考える場合に発生することであり，当然譲渡する者（贈与する者）と譲り受ける者（贈与される者）との両方の資金力，そして税負担総額を比較検討して判定していくことになります。

		譲渡する者	譲り受ける者
贈　　与		な　し	贈与税
売　　買	低額譲渡	所得税・住民税	買受け資金 贈与税
	適正価額	所得税・住民税	買受け資金

ただし，贈与については年110万円の基礎控除を有効に生かすことにより，贈与税額の総額も下がってきますので，各年に分けて贈与するケースもあわせて検討すべきです。

④ 同族間の行為又は計算の否認

　上記のように時価の2分の1以上で譲渡すれば，「みなし譲渡（時価）」課税の適用は受けませんが，2分の1以上より高い価額であれば，問題がないというと，所得税法の「同族会社の行為又は計算の否認」の規定の適用を受けることがありますので注意が必要です。また，個人間においても原則は時価がベースになると考えられますが，結果的に課税上弊害がない限り，相続税評価額で売買することも可能と思われます。

(4) 相続税評価方法を採れると聞いたが

　自社株を個人と法人の間で売買する場合，最も多いのはオーナー経営者が自分の経営している会社の株式を別会社に譲渡するケースだと思います。その場合，譲渡価格はいくらにしたらよいかが大きなポイントとなります。

　前述のとおり，個人間の売買においては，相続税評価額も可能と思われますが，個人と法人の売買においては，個人は時価の2分の1以上で譲渡すれば，原則としてみなし譲渡（所法59①二，所令169）の適用を受けることはないと考えられています。

　この場合の所得税法上の時価については，所得税基本通達23〜35共─9において以下のように規定されています。

　　イ　売買実例のあるもの
　　　最近において売買の行われたもののうち，適正と認められる価額
　　ロ　公開途上にある株式で，当該株式の上場又は登録に際して，株式の公募等が行われるもの（イに該当するものを除く）
　　　金融商品取引所又は日本証券業協会の内規によって行われるブックビルディング方式又は競争入札方式のいずれかの方法により決定される価格等

を参酌して通常取引されると認められる価額
ハ　売買実例のないものでその株式を発行する法人と事業の種類，規模，収益の状況等が類似する他の法人の株式の価額があるもの
　　当該価額に比準して推定した価額
ニ　上記イ，ロ，ハに該当しないもの
　　当該払込みにかかわる期日又は同日に最も近い日におけるその株式等を発行する法人の1株当たりの純資産価額等を参酌して通常取引されると認められる価額

　かつては「純資産価額等を参酌して通常取引させると認められる価額」についての具体的な指針となるものがなく，実務上混乱していた状況にありましたが，平成12年12月22日で（株式等を贈与等した場合の「その時における価額」）（所基通59―6）として，その算定方法が具体化されました。

　みなし譲渡が適用される場合の時価は，次のとおりです。
① 　同族株主に該当するかどうかは，譲渡又は贈与直前の議決権数により判定
② 　株式を譲渡又は贈与した個人が「中心的な同族株主」に該当するときは，財産評価基本通達178に定める「小会社」に該当するものとして評価する。
③ 　株式発行会社が保有する土地（土地の上に存する権利を含む）又は上場有価証券については，純資産価額の計算にあたり，譲渡又は贈与時の時価による。
④ 　純資産価額の算定にあたり，評価差額に対する法人税額等に相当する金額は控除しない。

　要は，個人所有の株式を同族会社に売却する場合の時価は，土地及び上場有価証券などは時価（路線価などの相続税評価額ではありませんし，株価についても，その時点の相場であって前3か月以内の低い価額ではありません）により評価したうえに，含み益に対する法人税等相当額（現行37％）は控除しないで算定した純資産価額と類似業種比準価額との平均価額（純資産価額が低い場合はその価額）ということになります。

なお，この評価方法はあくまでもひとつの例であって，例えば証券会社における新規上場株式の独自の評価方法をはじめとするいくつかの方法も考えられます。

2 個人と法人の売買

(1) 法人取引はナゼ時価なのか

① 時価課税の根拠

　法人取引がナゼ時価で行われなければならないのかといいますと，その根拠は法人税法第22条第2項にあります。そこには，「内国法人の各事業年度の所得の金額の計算上当該事業年度の益金の額に算入すべき金額は，別段の定めがあるものを除き，資産の販売，有償又は無償による資産の譲渡又は役務の提供，無償による資産の譲受けその他の取引で資本等取引以外のものに係る当該事業年度の収益の額とする。」と規定されています。つまり，有償・無償にかかわらず，資産の譲渡及び譲受けにおいても益金が生ずることになります。

　ここに，時価という考え方が出てくるのですが，これは，「法人に対して時価の2分の1に満たない金額（著しく低い金額）で譲渡した場合には，時価で譲渡があったものとみなす」と規定している所得税法第59条に対応する規定です。その趣旨は，時価で資産を譲渡した者とそうでない者との租税負担の公平をはかり，さらにその資産の移転に伴うキャピタルゲインの課税洩れを防止するためといわれています。したがって，例えば，資産の無償譲渡においても，その時の時価により益金を計上することになるわけです。

② 法人税法第22条第2項の立法趣旨

　また，資産を低額譲渡した場合にもこの規定が適用されるかどうかは，明文上明らかではありませんが，過去の判例に，法人税法第22条第2項の規定の性格，趣旨・目的について判断したものがあります。

つまり「……その資産が有償譲渡された場合に顕在化する資産の値上がり益に着目して清算的に課税がされる性質のものであり，無償譲渡の場合には，外部からの経済的な価値の流入はないが，法人は譲渡時で当該資産を保有していたことにより，有償譲渡の場合に値上がり益として顕在化する利益を保有していたものと認められ，外部からの経済的価値の流入がないことのみをもって，値上がり益として顕在化する利益に対して課税されないということは，税負担の公平の見地から認められない。したがって，同項は，正常な対価で取引を行った者との間の負担の公平を維持するために，無償取引からも収益が生ずることを擬制した創設的な規定と解される。……同項の無償譲渡には，時価より低い価額による取引が含まれると解するのが相当であり……」（宮崎地裁平成5年9月17日判決）と判示されています。

したがって，法人税法第22条第2項の解釈においても実務においても，資産の譲渡，譲受け等の取引は時価で行われるべきであり，時価よりも低い価額で株式の譲渡があった場合，また，時価よりも高い譲受けがあった場合の双方において，課税の問題が出てきますので注意が必要です。

(2) 安く買ったらどうなる

通常，株式を譲渡した場合には，その譲渡益に対し，法人であれば法人税，個人であれば所得税が課税されます。しかし，この譲渡益に対する課税を避けるため，適正価格よりも低い価額で株式を譲渡することが考えられます。

ここでは，このような株式の低額譲渡，低額譲受けの取扱いについて考えてみます。

① 法人が個人から株式を買い受ける場合

まず，法人が個人から株式を適正価格未満で譲り受けた場合の取扱いはどうなるでしょう。

この場合，税法では，次のような取扱いがなされます。

イ　法　　人

　　株式を低額で譲り受けた法人側の課税は次のように取り扱われます。

　　この場合，法人で適正価格と譲受価額との差額に受贈益が生じることとなります。ここで，この受贈益に法人税が課税されることとなります。

ロ　個　　人

　　株式を低額で譲渡した個人側の課税は次のように取り扱われます。

　　この場合，譲渡価額により次のように取扱いが異なります。

　　まず，譲渡価額が適正価格の2分の1以上の場合です（7頁参照）。この場合には，税法上の問題はありませんが，同族会社の行為又は計算の否認の規定に抵触するケースがありますので，十分な注意が必要です。

　　次に，譲渡（価額が適正価格の2分の1未満）の場合です。この場合には，「みなし譲渡」の規定により適正価格で譲渡があったものとみなされます。ここで，この適正価格により譲渡所得税が課税されることとなります。

② 個人が法人から株式を買い受ける場合

　逆に，個人が法人から株式を適正価格未満で譲り受けた場合の取扱いはどうなるでしょう。

　この場合，税法では，次のような取扱いがなされます。

イ　法　　人

　　株式を低額で譲渡した法人側の課税は次のように取り扱われます。

　　この場合，法人から個人へ利益の無償移転が生じることとなります。ここで，この利益の無償移転は，相手先に応じ，給与，役員賞与又は寄附金として取り扱われます。この，役員賞与とされる部分については全額，寄附金とされる部分については，損金算入限度額を超える部分の金額について法人税が課税されることとなります。

ロ　個　　人

　　株式を低額で譲り受けた個人側の課税は次のように取り扱われます。

　　この場合，法人との関係により次のように取扱いが異なります。

まず，使用人又は役員として株式を譲り受けた場合です。この場合には，適正価格と譲渡価額との差額が給与又は役員賞与として取り扱われます。ここでこの給与等相当額に給与所得として，所得税が課税されます。

次に，上記以外の譲受けの場合です。この場合には，適正価格と譲渡価額との額が寄附として取り扱われます。ここで，この寄附金相当額に一時所得として，所得税が課税されます。

(3) 高く買ったらどうなる——経済的合理性の観点から——

① 個人から法人への譲渡

イ　時価(1)　所得税法（基本通達23〜35共—9）

　㋑　売買実例のあるもの……最近において売買の行われたもののうち適正と認められる価額

　㋺　公開途上にある株式で，当該株式の上場又は登録に際して，株式の公募等が行われるもの（㋑に該当するものを除く）

　　金融商品取引所又は日本証券業協会の内規によって行われるブックビルディング方式又は競争入札方式のいずれかの方法により決定される価格等を参酌して通常取引されると認められる価額

　㋩　売買実例のないものでその株式等を発行する法人と事業の種類，規模，収益等の状況等が類似する他の法人の株式等の価額があるもの……当該額に比準し推定した価額

　㊁　㋑㋺㋩以外……直近の1株当たりの純資産価額等を参酌して通常取引されると認められる価額

ロ　時価(2)　法人税法

　❷—(1)「法人取引はナゼ時価なのか」（9頁）参照

ハ　課税関係

　│譲渡した個人│……所得税・住民税（その譲渡した対価に対して課税されます）

　│譲り受ける法人│……時価を超える部分の金額については，その相手方に

対する給与，寄附等として取り扱われます。

ですから上記の課税関係で終了せず，以下の課税もされることになります。

	譲渡した者（個人）	譲り受ける者（法人）
その法人の 従業員等の場合	そのまま（＊）	その差額は給与として認識 （給与にかかる源泉課税あり）
その法人の 役員の場合	そのまま（＊）	その差額分を役員に対する賞 与として損金不算入とされる （賞与にかかる源泉課税あり）
その他の場合	そのまま	寄附金として限度額超過の損 金不算入

（＊）　従業員・役員にとっても差額に相当する部分は，給与課税の可能性があります。

　以上より，高価買入れにより，譲渡した者については，売却金額の増収と，譲渡益の増大に伴う税負担増，譲り受ける者については，買入価額の支出増と給与として認識される部分及び寄附金の限度内の金額とされる部分についての損金計上による税負担の減の双方を比較検討していく必要があります。

② 法人から個人への譲渡

　課税関係

　　譲渡した法人 ……時価と譲渡価額の差額分は，受贈益として計上されます。

　　譲り受ける個人 ……なし

　例えば，取得価額55千円の株式を100千円（時価は80千円）で譲渡した場合には，以下のようになります。

　　（借）（現金・預金）　100千円　　（貸）（○　○　株）　　 55千円
　　　　　　　　　　　　　　　　　　　　　（株式譲渡益）　　 25千円
　　　　　　　　　　　　　　　　　　　　　（受　贈　益）　　 20千円

　この場合には，法人の株式譲渡益の一部が受贈益に振り替えられるだけで，あらたな課税関係は生じません。そこで，高価売買により，法人に売却金額の増収と受贈益分の税負担増が生じ，個人には，買入価額（支出）増の双方を比

較検討していくことになります。

(4) 適正価格をどのように把握したらよいか

① 一物万価

　非上場株式を売買する場合の適正額は、いくらでしょうか。一般的には、不特定多数の当事者間の自由な取引で通常成立すると認められる価額（公正な取引価額）といわれています。しかし、非上場株式の売買の場合には、その取引の中心は同族間で行われるので問題をより一層複雑にしています。

　時価純資産のみにより算定される価額が正しいとする意見もあります。この考え方は、その会社の保有している財産的価値という一面においては正しいと思われます。しかし、この場合、株価がかなり高くなることが予想されます。そのような高い株価を一体誰が買うのでしょうか。

　一方、財産評価基本通達に定められている「類似業種比準価額」か「配当還元価額」が正しいとする意見もあります。しかし、この考え方からすると、先ほどの時価純資産価額と比べるとかなり安くなることが予想されます。この価額が果たして、公正な価額といえるでしょうか。

　正解は、どちらも正しい場合がありうるということです。つまり、非上場株式だけでなく、物の価値というのは一つではないということです。一物十価、一物百価、いや、一物万価といえるかもしれません。

② 加味すべき諸要因

　売主が個人甲で、買主が同族法人A社として、同じく同族法人B社の株の売買の例を考えてみましょう。この場合、考慮すべき要因は、例えば、甲が保有している持株割合はいくらか、また、役員かどうか、甲の売却理由はB社からの撤退なのかどうか、B社は通常の営業会社か、土地を多額に保有している不動産保有会社か、A社とB社との資本及び取引関係は等々です。

③ 法人税法上の考え方

　以上のように実務においては，かなり幅があるので，法人税法においては，ひとつの割切りとして，2つの条件付きながら，原則として財産評価基本通達に定める評価方式を採用することを認めています。

　まず「原則として」とは，課税上弊害がない場合であり，課税上弊害があるかどうかは，個々の具体的なケースに応じて判断することになります。その具体的な例として，被評価会社の子会社，つまり孫会社が極めて含み益の大きい土地を有している場合や，昔から不動産保有会社として存続しており，その資産の大部分が含み益の大きい土地等のような場合が考えられます。このようなケースの場合は，時価純資産に近い株価で評価されることが合理的と考えられます。

　次に，先の2つの条件のまず第一番目は，課税上弊害がない限り，どんなに規模が大きい会社でも財産評価基本通達に定められている小会社として評価しなければならないということです。つまり，Lの割合を0.50とする純資産価額と類似業種比準価額の併用を選択することになるわけです。ただし，特定の評価会社の株式については純資産価額のみにより評価します。

　2つの条件の二番目は，評価対象会社が保有する土地等と上場有価証券についてはその時の時価により評価する必要があります。例えば，バブル期に購入した土地等は簿価よりも時価の方が安い（含み損）の場合も考えられます。

　また，これらの含み益については，法人税相当額を控除することはできません。

　同族関係者間における適正価格については「みなし譲渡課税」（7頁参照）に定める時価が基本となります。

④ 具体的なフローチャート

　以上をまとめると，一般の法人にあっては法人税相当額を控除しない時価純資産と類似業種比準価額の併用により評価することになります。

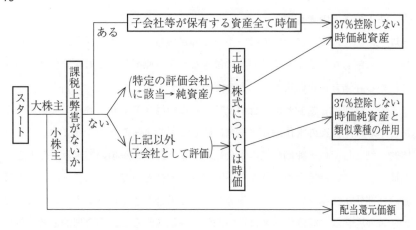

③ 自己株式の売買

(1) 自己株式の取得売買

自己株式取得の取扱いは，以下のとおりです（会社法155）。

取得事由	自己株式の取得は，従来あった取得事由は撤廃され，取得事由の如何にかかわらず可能。
取得限度	取得株数の制限はありません。取得金額は分配可能額が限度です。
取得のための手続	定時株主総会及び臨時株主総会の決議 決議内容 ① 取得する株式の数（株式の種類及び種類ごとの数） ② 株式を取得するのと引換えに交付する金銭等の内容及びその総額 ③ 株式を取得することができる期間
取得方法	株式会社は，株主に対し通知し，相対取引により取得（公開会社は，公告をもってこれにかえることができる）。
処分の時期	処分の時期の定めはなく，保有したままでも可。

つまり，分配可能額の範囲内であれば，定期株主総会及び臨時株主総会の決議を経ていくらでも自己株式を取得できますし，いつまでに処分しなければな

らないという制約もありません。まさにお好きなように，というわけです。

(2) 課税上の取扱い

株主が発行会社へ自己株式として売却した場合には，その売却価額のうち資本金等の額を超える部分については，みなし配当課税として扱われます（相続等により取得した非上場株式の売却を除く）。

つまり，株主側の取扱いとしては，みなし配当課税が行われ，一部について譲渡課税が行われることになります。

譲渡した株主	株式の譲渡
法　人	みなし配当課税 譲渡課税（法人課税）
個　人	みなし配当課税 譲渡課税（申告分離課税）(注1)(注2)

（注1） 市場買付けなどの場合は，譲渡課税のみ適用されます（所法25①かっこ書）。
（注2） みなし配当課税・譲渡課税の場合，みなし配当課税は，売却代金が株式の資本金等の額を上回る場合のその超過分に対して行われます。一方，譲渡課税は，みなし配当以外の部分に対して適用されます。

なお，発行会社が取得した自己株式を将来，売却する場合の課税関係については「資本取引」として扱われ，「自己株式の処分に伴って生ずる譲渡益・譲渡損に相当する金額については，資本金等の額の増加・減少金額」となります。

つまり，株主が自己株式売却時において，原則みなし配当課税が行われている点から考えると，実質は残余財産の払戻しが行われたと同じであり，であれば，再度株式の譲渡による資本調達は，時価発行増資にも類する実体をもつと考えられるため，資本取引としての取扱いが妥当ではないかとの判断によるものです。

この結果，譲渡益が生じるような自己株式の譲渡の場合は，資本金等の額の増加，譲渡損が生じるような自己株式の譲渡の場合は，資本金等の額の減少となり，いずれも資本の部の増減で処理されますので，税務上の益金・損金には

(3) 法人株主に係るみなし配当課税

　株主である法人が発行会社へ自己株式を譲渡した場合，みなし配当課税として取り扱われます。

　株式譲渡により受ける金銭等の額が，当該法人の「資本金等の額のうち譲渡株式に対応する部分の金額を超える」ときは，その超える部分がみなし配当として取り扱われます。つまり，法人株主の帳簿価額の多寡にかかわらずみなし配当が計算されることになります。ただし，法人株主がみなし配当課税を受けた場合においても，そのみなし配当については，受取配当等の益金不算入の取扱いを受けることとなります。

　具体的な事例でみることにしましょう。

　(A) 法人株主の所有株式の内容

　　　所 有 株 数　　1,000株

　　　帳 簿 価 額　　ケース1　　5,000,000円

　　　　　　　　　　ケース2　50,000,000円

　(B) 発行法人の純資産の部

　　　資　　本　　金　　30,000,000円（発行株式総数　5,000株）

　　　資 本 準 備 金　　10,000,000円

　　　利 益 準 備 金　　 5,000,000円

　　　別 途 積 立 金　　50,000,000円

　　　繰越利益剰余金　　15,000,000円

　　　※資本金，資本準備金は税務上の金額と一致

　(C) 譲 渡 内 容

　　　譲 渡 株 式 数　　1,000株

　　　譲 渡 金 額　　20,000,000円（1株　20,000円）

【ケース1（法人の帳簿価額　5,000,000円）】

　みなし配当の金額は法人の帳簿価額とは関係なく算定されます。

つまり，譲渡代金20,000,000円が「資本金等の額のうち，譲渡株式に対応する部分の金額を超える部分」についてみなし配当となります。

「資本金等の額のうち，譲渡株式に対応する部分の金額」とは，上記の場合，資本金と資本準備金の合計額のうち譲渡株式に対応する8,000,000円（(30,000,000＋10,000,000円)×1,000株÷5,000株）となります。

結果として，みなし配当は12,000,000円（20,000,000円－8,000,000円）となります。

このケースの場合，帳簿価額が5,000,000円ですから，株式の譲渡益は15,000,000円となりますが，そのうち12,000,000円が税務上のみなし配当となります。株式の譲渡益は，3,000,000円です。

（仕 訳）

売 却 代 金　17,600,000円　　取 得 価 額　5,000,000円
支 払 源 泉 税　 2,400,000※　　み な し 配 当　12,000,000
　　　　　　　　　　　　　　　譲　渡　益　　3,000,000

【ケース2（法人の帳簿価額　50,000,000円）】

このケースの場合もみなし配当の金額はケース1と同じ12,000,000円です。

このケースだと株式譲渡損が30,000,000円生じますが，一方でみなし配当が12,000,000円のため，結果として，譲渡損は42,000,000円に増加することになります。会計上の利益影響は純額の30,000,000円の損失となりますが，税務上は，みなし配当が受取配当の益金不算入の取扱いを受けるため税務上の損はさらに大きくなります。

（仕 訳）

売 却 代 金　17,600,000円　　取 得 価 額　50,000,000円
支 払 源 泉 税　 2,400,000※　　み な し 配 当　12,000,000
譲　　渡　　損　42,000,000

※復興特別税は考慮していない

基礎編

保　　有

1 会社設立と税務

(1) 金銭出資

会社を設立する場合は，資本金に相当する金額を通常は現金で払い込みます。会社設立の際にはいくつかのポイントがあります。

① 設立の際の出資者数
株式会社の発起人は1人以上で設立できます。

② 資本金と交際費
資本金の額により，交際費の損金不算入額が異なります。

資本金の額	1人当たり5,000円以下の飲食費の特例	定額控除額800万円の特例※	新飲食費の特例（飲食費の50％を損金算入）※
1億円以下の企業	定額控除額内の全額控除と，新飲食費の特例とは別に適用可	新飲食費の特例との選択適用	定額控除額内の全額控除との選択適用
1億円超の企業	新飲食費の特例とは別に適用可	利用不可	利用可（金額の上限ナシ）

※　平成30年3月31日まで（2年間延長）に開始する事業年度において適用
　　（出典）四方田彰「事例でわかる飲食費」税務弘報2014年5月号を一部修正

(2) 現物出資

① 検査役の調査（会社法207）

　現物出資により会社を設立した場合は，その出資資産の評価が問題となるため検査役の調査が必要とされます。しかし，下記のいずれかに該当する場合には省略することができます。

㋑　募集株式の引受人に割り当てる株式の総数が発行済株式の総数の10分の1を超えない場合

㋺　現物出資財産について定められた価額の総額が500万円を超えない場合

㋩　現物出資財産のうち，市場価格のある有価証券について定められた価額が当該有価証券の市場価格として法務省令で定める方法により算定されるものを超えない場合

㋥　現物出資財産について定められた価格が相当であることについて弁護士，弁護士法人，公認会計士，監査法人，税理士又は税理士法人の証明（現物出資財産が不動産である場合にあっては，当該証明及び不動産鑑定士の鑑定評価。以下この号において同じ。）を受けた場合

㋭　現物出資財産が株式会社に対する金銭債権（弁済期が到来しているものに限る。）であって，当該金銭債権について定められた価額が当該金銭債権に係る負債の帳簿価額を超えない場合

② 譲渡所得税の課税

　現物出資をした個人は税務上は譲渡として取り扱われ，不動産等の現物出資の場合,出資財産を会社に時価で譲渡したものとして譲渡所得税が課税されます。

(3) 適格現物出資

　法人の現物出資については,「適格現物出資」「非適格現物出資」に分けられます。

　内容の解説については，43頁を参照してください。

2 出資割合による権利の違い

株主の権利をその目的で分類すると自益権と共益権とに分類されます。
① 自益権（株主が会社から経済的利益を受けることを目的とする権利）
② 共益権（会社の経営に参加することを目的とする権利）

自益権及び共益権の一部については1株を有する株主でも行使できますが，共益権のうち権力が強力で濫用の危険の大きいものについては，一定割合以上の所有が要件となっています。

議決権要件	株式数要件	保有期間要件	内　容
3％(注1)	—	行使前6か月継続保有(注2, 3)	株主総会の招集請求及び招集
3％(注1)	3％(注1)	行使前6か月継続保有(注2, 3)	役員の解任の訴えの提起
			清算人解任請求
3％(注1)	3％(注1)	なし	会計帳簿・資料の閲覧権
			業務・財産調査検査役選任請求権
10％(注1)	10％(注1)	なし	解散の訴えの提起
1％(注1)	—	行使前6か月継続保有(注2, 3)	総会の検査役選任請求権
1％又は300個(注1)	—	行使前6か月継続保有(注2, 3, 4)	議題の提案権
			議案の要領の通知請求

議決権要件（総株主の議決権に占める割合）と株式数要件（発行済株式総数に占める割合）は，いずれか一方を満たせばよい。
(注1) 定款の定めにより引下げ可
(注2) 定款の定めにより短縮可
(注3) 公開会社以外の会社の場合は保有期間要件不要
(注4) 取締役会設置会社以外の会社では単独株主権

3 株主の配当

(1) 個 人 株 主

① 少額配当の確定申告
一銘柄につき1回に受ける配当が10万円に配当計算期間の月数を乗じてこれを12で除した金額以下の場合は申告は不要です。

② 配 当 控 除
配当は通常その支払う法人の段階で法人税を既に課税されているため，二重課税を排除するため，個人株主は申告により5％～10％の配当控除が受けられます。

(2) 法 人 株 主

① 取 扱 い
配当は通常の収益と同様に益金とされます。

② 受取配当等の益金不算入
個人株主の配当控除と同様に，二重課税を排除するため，法人税法上受取配当等の益金不算入が規定されています。配当等を受け取った法人は，一定の申告手続を条件に下記の金額を益金の額に算入しないこととされています。

非支配目的株式等 (注1) に係る配当等	配当等の20％相当額
その他の株式等 (注2) に係る配当等	配当等の50％相当額
関連法人株式等 (注3) に係る配当等	配当等の全額

(注1) 非支配目的株式等とは，発行済株式等の5％以下を配当等の確定する日において保有している株式等をいいます。
(注2) その他の株式等とは，非支配目的株式等及び関連法人株式等以外の株式等をいいます。
(注3) 関連法人株式等とは，発行済株式等の3分の1超を配当等の確定する日以前6か月以上継続して保有している株式等をいいます。

4 増資と税務

(1) 増資の方法

増資方法は次のいろいろなものがあります。

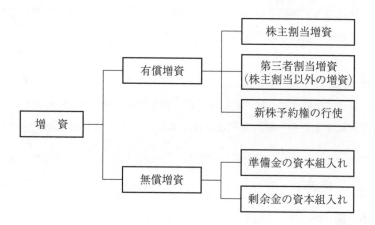

また,増資には,引受者による分類,払込金による分類をすることができます。

① 払込金の有無による増資方法

払込金の要,不要により,有償増資,無償増資の2つに分けられます。

イ 有償増資

新株引受人が新株の発行価額の金額を払い込む方法です。株主割当発行,時価による第三者割当発行については課税関係は生じませんが,第三者割当てで有利発行については,課税問題が生じます。

ロ 無償増資

無償増資は,払込金がなく,法定準備金や剰余金の資本組入れによる増資です。

② 増資の引受者による増資方法

有償増資は,発行する株式の引受先により,株主割当発行,第三者割当発行に分類できます。

項　目	株主割当	第三者割当
引受先	現株主	特定の第三者 (株主割当によらない現株主を含む)
割当株数	現持分と同割合	—
発行価額	原則時価,等価によらない場合あり	原則時価
決議方法	株主総会特別決議 (取締役会決議によって定めることができる旨の定款の定めがある場合は,取締役会決議)	有利発行 　株式譲渡制限のある会社 　→株主総会特別決議 その他 　株式譲渡制限のある会社 　→株主総会特別決議(株主総会の特別決議により取締役会に委任可)

(2) 株主割当

① 内　容

株主割当増資とは,割当日現在の株主に対してそれぞれの持分に比例して,新株引受権を与えて株式を発行するものです。

株主割当増資とすれば,増資の前後で株主の構成が変わらず,引受価額が一定である限り課税関係は生じません。非上場会社においての株主割当増資では従来の額面(現行,額面株式の制度はありません)での発行が一般的になっています。

株主割当増資は,旧商法では,定款に定めがなくても取締役会で発行できました。しかし,会社法では,引受けに応じられない株主のことを考慮し,株主総会の特別決議が必要とされました。ただし,発行しない場合には,定款で定めることも可能です。

なお,既存の譲渡制限会社については,取締役会で決定する旨の定款の定めがあるものとみなされます。

また,株主割当増資による長所・短所は次のようなものがあげられます。

長　　所	短　　所
・資金調達ができる ・株主割合が変わらないため経営支配権を維持できる ・原則として課税関係なし ・取締役会の決議で決定できる	・株主全員が増資資金が必要 ・失権株が生ずる場合，課税関係あり

② 税　　務

　増資した会社については，増資は資本等取引であるため課税なし，また個人株主，法人株主は，発行価額が同じであれば課税は生じません。ただし，株主のうちに新株を引き受けないものがある場合（これを失権株といいます），その失権株を他者が引き受けたり，失権株については増資しない場合には，第三者割当と同様の課税となります。

(3)　第三者割当増資

① 内　　容

　第三者割当とは，株主以外の第三者（株主であっても株主割当によらなければ第三者となります）に対して新株引受権を与えて新株を発行する方法です。現株主に増資する資金負担力がない場合，現オーナーの株式保有割合を減少させたい場合等，会社の財務内容の改善や業務提携，株主構成の見直し等を目的として行われることが多くなっています。

　株主構成が変化し，会社の支配権の関係，割当価額により贈与課税の問題等が生じることになります。

　第三者割当増資は，株主総会の特別決議が必要とされます。ただし，株主総会では，発行株式数の上限および払込金額の下限のみを定め，具体的な内容は，取締役会に委任することも可能です。

　また，第三者割当増資の長所・短所には，次のようなものがあげられます。

長　　所	短　　所
・資金調達ができる ・株主構成を変えられる	・増資資金が必要となる ・払込金額により，贈与税，所得税課税が生ずる ・払込金額は原則時価のため，通常資金負担が大きい ・株式の譲渡制限がある会社は，株主総会の特別決議による

② 第三者割当増資の税務

　株主割当が株主構成を変化させないのに対して，第三者割当は株主構成に影響を与えるため，株式の発行価額が問題となってきます。

　発行価額により，次のような課税問題が生じます。

発　行　価　額	課　税　関　係
新株発行価額≒新株の時価	課税なし
新株発行価額＜新株の時価	新株取得者について所得税または贈与税
新株発行価額＞新株の時価	旧株保有者について贈与税

(イ) 所得税が課税される場合……有利発行

　・所得の種類……一時所得

　　　　　　　　給与所得，退職所得（給与，退職金の支払に充てられた場合）

　・所得金額＝時価－有利な発行価額

(ロ) 贈与税が課税される場合……次の要件に該当するとき

　・新株の発行会社が同族会社

　・新株の引受人が株主の親族

　・時価より著しく低い（又は高い）価額で発行

　・新株発行前後で持株比率が変動

　　上記の要件を満たし，著しく低い価額で発行のときは，その新株取得者に

対して，著しく高い価額のときは旧株の所有者に対して贈与税が課税されます。

(ハ) 法人税が課税される場合……法人株主

　　有利発行……新株の時価と発行価額の差額について受贈益として課税

　　不利発行……差額について寄附金課税の可能性あり

(ニ) 株式の時価

　　売買実例のない気配相場のない会社の場合は，時価による純資産価額を参酌した通常取引される価額とされていますが，ケースによっては相続税評価額によることもあります。

(4) 準備金又は剰余金の資本組入れ

株主に資金負担のない増資の方法で，次のいずれかの手続によります。

・準備金の減少（資本準備金・利益準備金の減少）

・剰余金の減少（その他資本剰余金・その他利益準備金の減少）

なお，以前の会社法においては資本と利益の振替禁止を規定していたので，利益準備金やその他利益剰余金を資本に組み入れることはできませんでしたが，平成21年度4月1日以後の株主総会分からできるようになりました。すなわち，旧商法における配当可能利益や利益準備金の資本組入れに相当する手続が復活しました。

① 準備金の減少による資本金の増加

イ 資本準備金の場合

㋐ 内　　容

資本準備金を減少して，資本金に組み入れる手続となり，株主総会の普通決議による承認が必要であるとともに，債権者異議申述べの手続を行わなければなりませんが，減少する資本準備金の全額を資本金とする（その他の資本剰余金としない）場合には，債権者異議申述べの手続は不要となります。

この方法による長所・短所には次のようなものがあります。

長　　　所	短　　　所
・株主に資金負担がない ・新株の発行が不要	・資本準備金がなければならない ・新たな資金調達がない

㊁　税　　務

　会社の資本等の金額の内部での増減として認識されますが，会社への課税及び株主に対するみなし配当や株式取得価額の付替計算の問題は生じません。

ロ　利益準備金の場合

㋐　内　　容

　利益準備金を減少して，資本金に組み入れる手続となり，その手順は資本準備金の場合と同様です。

㊁　税　　務

　会計上，資本金に組み入れられた利益準備金は，税務上は，資本金等の減算項目となります。会社への課税及び株主に対するみなし配当や株式取得価額の付替計算の問題は生じません。

長　　　所	短　　　所
・株主に資本負担がない ・新株の発行が不要	・利益準備金がなければならない ・新たな資金調達がない

②　剰余金の減少による資本金の増加

イ　その他資本剰余金の場合

㋐　内　　容

　その他資本剰余金を減少して，資本金に組み入れる手続となり，株主総会の普通決議による承認が必要です。債権者異議申述べの手続は不要です。

㊁　税　　務

　会社の資本等の金額の内部での増減として認識されますが，会社への課税及び株主に対するみなし配当や株式取得価額の付替計算の問題は生じません。

長　　所	短　　所
・株主に資金負担がない ・新株の発行が不要 ・債権者保護手続が不要	・その他資本剰余金がなければならない ・新たな資金調達がない

ロ　その他利益剰余金の場合

㋑　内　　　容

　その他利益剰余金を減少して，資本金に組み入れる手続となり，その手順はその他資本剰余金の場合と同様です。

㋺　税　　　務

　会計上，資本金に組み入れられたその他利益剰余金は，税務上は，資本金等の減算項目となります。会社への課税及び株主に対するみなし配当や株式取得価額の付替計算の問題は生じません。

長　　所	短　　所
・株主に資金負担がない ・新株の発行が不要 ・債権者保護手続が不要	・その他利益剰余金がなければならない ・新たな資金調達がない

5 減資と税務

(1) 減資の方法

① 減資の手続

資本金の減少は次のいずれかの形をとります。
- ・資本金を減少して資本準備金を増加する
- ・資本金を減少してその他資本剰余金を増加する

会社の信用の基礎となる資本金の減少は，株主，債権者等に多大な影響を与えるため，債権者の異議申述べ手続及び株主総会の特別決議（過半数が出席し，3分の2以上の賛成）が必要とされています。ただし，定時株主総会において欠損填補のための資本金の減少決議をする場合には，普通決議でも実行可能です。

なお，資本金の減少と共に株主に資本の払戻しをする「有償減資」は，別途剰余金の分配として取り扱われます。したがって形式的な資本金の減少により増加する資本剰余金を原資として剰余金の分配を行うことにより有償減資を実行することになります。

(2) 減資の税務

資本等の金額の内部の増減として認識されますが，株主に対するみなし配当や株式の取得価額の付替計算の問題は生じません。

6 組織変更

(1) 会社組織

会社の組織はそのもつ性格から次のように分けられます。

人的会社(＝持分会社)	物的会社
合名会社	株式会社
合資会社	
合同会社	

　いわゆる人的会社のうち合名会社・合資会社は，それを構成する無限責任社員及び有限責任社員（物的会社における出資者ないし株主）からなります。会社の信用の基礎は社員の個人的信用のため，無限責任社員であれば，会社に万一のことがあった場合，個人として責任をとる必要が生じます。一方，物的会社は，出資者ないし株主の拠出した財産額を限度として，出資者等の責任が限定されているものです。会社組織としてみると，いわゆる資本と経営の分離がより進んだ形態として物的会社を把えることができます。現実に，会社組織の大半は株式会社組織となっており，特に合名会社，合資会社は，過去の会社形態となりつつあります。
　合同会社とは，会社法で導入された会社形態です。合同会社は，株式会社のように出資者は有限責任しか負いませんが，利益や損失の配分も定款で自由に決められるなど，広く定款自治が認められています。

(2) 組織変更とは

　組織変更とは，会社が権利義務の主体としての同一性を保ちながら他の種類の組織に変わることをいいます。例えば，合資会社××商店から株式会社××商店といったように，組織の種類は変わるものの，権利義務の主体は従前通り

継続されます。つまり，合資会社の保有する資産及び債務の処分，整理を行う必要はなく，そのまま株式会社として受け継がれることとなるわけです。

従前の組織	新たな組織	変更の可否
人的会社	人的会社	可 (注)
人的会社	物的会社	可
物的会社	人的会社	可

(注) 会社法では，組織変更ではなく定款変更として位置づけられています。すなわち，持分会社間では，定款変更の手続を取れば，会社の種類を変更することが可能です。

(3) 組織変更手続

組織変更にあたり，手続・要点は次のとおりです。

項 目	株式会社から人的会社	人的会社から株式会社
株主総会又は社員総会の決議	総株主の同意	総社員の同意
債権者の異議	公告及び催告	公告及び催告
その他	新株予約権者の買取請求権あり	―

7 合併・分割による税務

合併・分割・現物出資・事後設立の概要は，以下のとおりです。

区　分	形　態	内　容
合　併	新設合併	2社以上の会社が，新たに新会社を設立し合併法人とし，既存法人をそこに吸収
	吸収合併	既存会社が合併後存続法人となり，1社以上の会社を吸収
分　割	新設分割	会社分割に伴い新会社を設立し，その会社の株式を分割前の会社に持たせる
	吸収分割	既存会社に対して分割を行い，その会社の株式を分割前の会社に持たせる
現物出資	新設現物出資	新会社設立に際し現物出資を行い，その株式を既存会社が取得（実体は新設分割と同じ）
	既存会社現物出資	既存会社の増資に際し現物出資を行い，その株式を既存会社が取得（実体は吸収分割と同じ）
事後設立	新設のみ	会社を現金で成立後，当初から予定していた資産を譲渡

(1) 合併の税務

適格合併の要件を満たさない合併は「非適格合併」とされ，合併に伴い移転した資産・負債は，税務上は「譲渡」により移転したものとして取り扱われます。

したがって，税務上は時価で売却したものとされるため，含み益の生じている資産等については課税が生じることとなります。

まず，課税の生じない適格合併に該当する要件についてみていきましょう。適格合併に該当すれば，従来あった清算所得税，被合併法人の株主へのみなし配当課税及び合併法人に対する資産評価益課税のいずれもが行われることはありません。

適格合併の要件は概略以下のとおりです（法法2十二の八）。

① グループ内再編の場合
これは，合併会社相互にすでに支配関係があるケースを前提にしています。
イ 完全支配関係があるケース（法法2十二の八イ）
ここでいう完全支配関係とは，株式を直接又は間接に100％保有していることに加えて，同一の者（個人の場合は，当該個人の同族関係者も含む）が直接又は間接に100％保有しているケースをさします。
以下「適格合併」に共通する要件として，合併に際し現金交付がない（配当見合いの交付は除く）ことが必要です。被合併会社から引き継ぐ資産・負債は税務上の簿価で受け入れなければなりません。従来であれば，合併時において受け入れる資産の価額は時価以下であれば任意に設定できたものが，改正後は，全て簿価で受け入れなければなりません。
したがって，含み損の生じている資産についても「損」を実現させることなく帳簿価額のまま引き継ぐことになりますが，合併後当該資産を売却して損が実現した場合には一定の制約が設けられています（法法57③二，62の7①）。
ロ 支配関係があるケース（法法2十二の八ロ）
このケースの場合も保有関係は株式を直接又は間接に50％超100％未満保有していることが前提ですが，それに加えて以下の要件を満たす必要があります。
1） 被合併法人の従業者のうちおおむね80％以上に相当する数の者が合併法人の業務に従事することが見込まれること
2） 被合併法人の営む主要な事業が合併法人において引き継ぎ営まれることが見込まれること

なお，吸収合併並びに新設合併とも合併後は両社が一体になる場合は，株式の保有関係が消滅するため，保有割合は合併前の関係をいいます。しかし，兄弟会社の場合（同一者が株式を保有している関係）は，合併前も合併後も株式の保有関係が50％超100％未満で維持されていることが必要です。

② グループ外で共同事業のための再編（法法２十二の八ハ）

株式保有関係が50％未満の関係ないし株式保有関係が全くない関係の間で行われる合併が「適格合併」となるための要件は、以下のとおりです。

1) 被合併法人の主要な事業のいずれかと合併法人の事業（主要でなくてもOK）とが相互に関連するものであること

2) 被合併法人の事業と合併法人の事業（被合併法人の事業と関連するものに限る）の売上金額、それぞれの従業者の数、あるいは被合併法人と合併法人の資本の金額もしくはこれらに準ずるものの規模の割合がおおむね5倍を超えないこと又は被合併法人の特定役員（社長、専務等の法人の経営に従事する者）のいずれかと合併法人の特定役員のいずれかが、合併後の法人の特定役員になることが見込まれていること

　　ただし、合併直前に特定役員を就任させるなどの行為は、租税回避と判断される面があり問題になる恐れがあります。

3) 被合併法人の従業者のうちおおむね80％以上に相当する数の者が合併法人の業務に従事することが見込まれること

4) 被合併法人の合併により引き継がれる事業（合併法人の事業と関連する事業に限る）が合併後も合併法人において引き続き営まれることが見込まれること

5) 被合併法人の株主で合併により交付を受ける合併法人の株式の全部を継続して保有することが見込まれる者が有する被合併法人の株式の合計数が被合併法人の発行済株式数（議決権のないもの等は除く）の80％以上であること。なお、被合併法人の株主が50人以上の場合にはこの要件は必要ありません。

以上が適格合併に該当する要件ですが、逆にこの要件に該当しない限り合併による資産移転が税務上は譲渡として（会社法上はあくまで合併ですが）扱われることになります。

次に非適格合併になった場合の課税関係をみていきましょう。

課税関係は、以下のように分けられます。

- 被合併法人の資産売却に伴う譲渡課税
- 合併法人の資産を受け入れることに伴う課税関係
- 被合併法人の株主のみなし配当課税ないし譲渡課税
- 合併法人の株主に対する課税関係

　上記のうち合併法人及び合併法人の株主については，被合併法人の資産を受け入れるため，現物出資による株式発行，つまり資本取引となるため，あらたな課税を生じることはありません。

③　被合併法人への課税

　被合併法人の資産譲渡に伴う譲渡課税は，被合併法人の所有する資産・負債を時価で合併法人に売却したものとして，その見返りとして被合併法人は合併法人の株式及びその他の資産を取得して，直ちに被合併法人の株主に株式及びその他の資産を交付したとして税務の処理をすることになります（法法62①，②）。

　なお，完全支配関係のある法人間の合併で被合併法人の資産売却に伴う譲渡で一定のものについては，譲渡損益が繰り延べられます（法法61の2⑯）。

　簡単な事例でみてみましょう。

〈前提条件〉

　ア　被合併法人のバランスシート

資　　　　産	1,000	負　　　　債	600
（時　　価	1,500）	資　本　金	200
		利益積立金	200

　イ　合併により交付する合併法人の株式の時価650（時価純資産900から譲渡利益に対する税負担を控除した金額）

　非適格合併の場合，被合併法人の資産・負債は時価により合併法人に対して譲渡されたものとされるため，被合併法人の簿価純資産400（1,000－600）と時価純資産900との差額（500）が譲渡利益となり，法人税等の負担が生じることになります。逆に，簿価純資産が時価純資産より高い場合，譲渡損失が生じ

ることになります。

　　税務上の仕訳（被合併法人）
　　　　負　　　　債　　　600　　　資　　　　　産　　1,000
　　　　未払法人税等　　　250　　　譲　渡　利　益　　　500
　　　（被合併法人の法人税，法人住民税）
　　　　合　併　株　式　　　650

④　被合併法人の株主に対する課税

　被合併法人の株主は，合併により被合併法人に対して交付された合併法人の株式及びその他の資産を直ちに受領したとして税務上の取扱いが行われます。この結果，被合併法人の資本金等の額を超える株式等を受領した場合，その超える部分はみなし配当とされます。また，資本金等の額のうち被合併法人の株主に対応する部分と株主の所有する被合併法人の株式の簿価との差額は譲渡益又は譲渡損として計上されることになります（法法24①一，所法25①一）。

　なお，完全支配関係のある法人間で合併した場合は，譲渡損益は計上しません（法法61の13⑦）。

　前にあげたケースで株主に対する課税を，被合併法人の株式の20％相当を所有する株主を前提にしてみましょう（株主の所有する株式の取得価額は，50とします）。
　　ア　資本等のうち株主に対応する部分の金額
　　　　資本金　200×20％＝40
　　イ　合併により取得した合併法人の株式の時価
　　　　合併により交付を受けた株式の時価　650×20％＝130

　よって，みなし配当の金額は，イがアを超える部分90（源泉税が18生じます）と計算されます。

　また，株式の取得金額50と資本等のうち株主に対応する部分の金額（40）との差額10は株式の譲渡損となります。

仕訳では，次のとおりです。

合併株式	130	みなし配当	90
源泉所得税	18	未払金	18
株式譲渡損	10	被合併法人株式	50

法人株主については，受取配当金の益金不算入の制度があります。

(2) 会社分割の税務

会社分割は合併とは逆に，1つの会社がその営業の一部を別会社（新設会社ないし既存会社）に移転させる会社法上の制度です。

分割により交付する株式を分割法人に割当て分割する制度で，新設分割（移転のための会社を新設する）と吸収分割（既存の会社に移転する）の2つがあります。

会社分割に関して税務上は，実質的に合併と同様の取扱いをしています。つまり，適格分割の要件を満たす場合，特段の課税関係を生じることはありませんが，要件を満たさない分割の場合，非適格分割として資産の時価による譲渡として課税が行われることになります（法法62①）。

適格分割となるための要件は，以下のとおりです。合併とほぼ同じですが再度見ておきましょう。前提条件としては，株式以外の資産が交付されないものに限ることになります。

なお，適格分割の要件に該当した場合，引き継ぐ資産・負債の価額は税務上の帳簿価額による金額となります（法法62の2，62の3）。

① グループ内再編の場合

イ 完全支配関係があるケース（法法2十二の十一イ）

ここでいう完全支配関係とは，株式を直接又は間接に100％保有していることに加えて，同一の者（個人の場合は，当該個人の同族関係者も含む）が直接又は間接に100％保有しているケースをさします。

要は分割法人（分割によりその有する資産・負債の移転を行った法人）と

分割承継法人（分割によりその有する資産・負債の移転を受けた法人）との間に直接又は間接で100％の株式保有の関係があることです。

ロ　支配関係があるケース（法法２十二の十一ロ）

　このケースの場合も保有関係は株式を直接又は間接に50％超100％未満保有していることが前提ですが，それに加えて以下の要件を満たす必要があります。

① 分割事業（分割法人の営む事業のうち分割承継法人において営まれることになる事業）に係る主要な資産及び負債が分割承継法人に移転していること

② 分割事業に係る従業者のうちおおむね80％以上に相当する数の者が分割後に分割承継法人の業務に従事することが見込まれること

③ 分割事業が分割承継法人において引き続き営まれることが見込まれること

② 　グループ外で共同事業のための再編（法法２十二の十一ハ）

株式保有関係50％未満の関係ないし株式保有関係が全くない関係の間で行われる分割が「適格分割」となるための要件は，以下のとおりです。

① 分割法人事業（分割法人の営む事業のうち分割承継法人において営まれることになる事業）と分割承継法人の分割承継法人事業（分割承継法人の営む事業のうちのいずれかの事業）とが相互に関連するものであること

　※　「適格合併」の場合は，被合併法人の営む主要な事業のうちのいずれか。

② 分割法人の分割事業と分割承継法人の分割承継事業（分割事業と関連するものに限る）の売上金額，当該分割事業と分割承継事業のそれぞれの従業者の数，もしくはこれに準ずるものの規模の割合がおおむね５倍を超えないこと又は分割法人の役員のいずれかと分割承継法人の特定役員（社長，専務等の法人の経営に従事する者）のいずれかが，分割後の分割承継法人の特定役員になることが見込まれていること。ただし，分割直前に特定役員を就任させるなどの行為は，租税回避と判断される面があり問題になる

恐れがあります。

　※　「適格合併」の場合，資本金額も規模のひとつに加えられている。
　③　分割事業に係る主要な資産及び負債が分割承継法人に移転すること
　④　分割法人の分割事業に係る従業者のうちおおむね80％以上に相当する数の者が分割後，分割承継法人の業務に従事することが見込まれること
　⑤　分割法人の分割事業（分割承継事業と関連する事業に限る）が分割後も分割承継法人において引き続き営まれることが見込まれること
　⑥　分割法人が分割により交付を受ける分割承継法人の株式の全部を継続して保有することが見込まれていること

③　適格分割の税務

　適格分割の場合，分割事業に係る資産及び負債を税務上の簿価により譲渡したものとして処理するため，特段の課税関係を生じることはありません。

　分割により取得する分割承継法人の株式を分割承継法人が取得するにとどまることから分割法人の株主に直接影響することはありません（課税関係もなし）。

　簡単な事例でみてみましょう。

〈前提条件〉

〔分割法人のバランスシート〕

資　　産	1,000	負　　債	400
（時　価	1,500）	資　本　金	200
		利益積立金	400

〔分割事業に係るバランスシート（移転する資産及び負債）〕

資　　産	500	負　　債	100
（時　価	600）		

　適格分割においては，税務上の簿価（帳簿価額と同じとします）により処理することになりますので，分割による仕訳は以下のとおりです。

（分割承継法人）

資　　産	500	負　　債	100
		資　本　金	400

（分割法人）

負　　債	100	資　　産	500
分割承継法人株式	400		

　分割により交付される分割承継法人株式は分割法人に対してのみ行われるため，利益積立金の引継ぎを行うことはありません。

　いずれにしろ，適格分割に該当すれば，分割法人及び分割承継法人の株式を交付される株主に対しても，課税が行われることはありません。

④　非適格分割の税務

　上記の要件を満たさない「非適格分割」は，税務上，譲渡として扱われることになります。

　前述の事例で課税関係を見てみましょう。

（分割法人）

負　　債	100	資　　産	500
分割承継法人	500	譲　渡　益	100

　なお，会社分割の場合，合併と違って，法人税等は分割法人で負担することになりますので，分割承継法人に承継されることはありません。

（分割承継法人）

資　　産	600	負　　債	100
		資　本　金	500

　この結果，分割法人においては，含み益100が実現するため，それに対する法人税等の負担が生じることになります。

　一方，分割承継法人においては，時価により資産及び負債を受け入れることになりますが，現物出資により株式を取得したのと同じことですから，資本取

引として扱われるため課税されることはありません。

(3) 現物出資の税務

　現物出資については，それに伴う資産・負債の移転は原則，時価による移転が行われたとして課税され，一定の要件を満たす場合に限って，譲渡益の圧縮記帳が認められ課税の繰延べが行われていました。

　税制改正により，現物出資についてもその実体は上記で述べた分社型分割と同じであるため，それと同様の取扱いが行われることになりました。

　つまり，原則は譲渡課税が行われますが，適格現物出資の要件を満たせば簿価引継ぎの処理が行われ，課税の繰延べとなります（法法62の４）。

　要件等については，(2)の会社分割と同様ですのでここでは省略します。分割法人を現物出資法人，分割承継法人を被現物出資法人にそれぞれ読み替えていただければ結構です（法法２十二の十四）。

　なお，現物出資の場合，会社分割ということになりますので，適格，非適格にかかわらず，株主に対する課税が生じることはありません。

8 解散,清算に必要なこと

(1) 通常清算

　清算は,株主総会の特別決議（解散,清算人の選任の決議）によりスタートします。清算が開始すると,従来の代表取締役にかわって清算人（従来の代表者でも可）が清算事務を行うことになります。
　清算手続の概略は,次のとおりです。

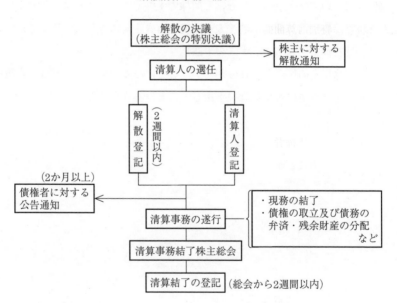

(2) 特別清算

① 意　義

　特別清算とは,清算遂行に著しく支障をきたす事情があったり,債務超過の

疑いがある場合に，裁判所の監督の下に行われる清算手続のことです。

② 清算事務

　特別清算の開始により，通常清算と同様に清算事務が進められるが，次のような特別な措置が講じられます。

イ　特別清算の申立て

　債権者，清算人，監査役及び株主に権利があります。

ロ　裁判所の監督

　裁判所は，検査役により財産や業務の状況を検査し，一定の処分等を行うことができます。

ハ　開始前の財産保全処分等

　裁判所は，特別清算開始前でも，会社財産の保全処分等をすることができます。

ニ　債権者集会

　特別清算人は一定の場合には，債権者集会を招集することができます。

ホ　協定の申出

　特別清算人は，債権者に対し，公平な弁済をするために債権者集会に対して協定の申出をすることができます。

9 清算に伴う税務

(1) 清算時の所得計算

平成22年10月1日以降に解散する法人より,従来の清算所得課税から通常の所得課税に改正されました。その際の留意点は以下のとおりです。

① 最後事業年度の事業税
残余財産確定の日の属する事業年度に係る事業税の額はその事業年度の所得の金額の計算上,損金の額に算入されます(法法62の5⑤)。

② 期限切れ欠損金の損金算入
債務超過の場合など残余財産がないと見込まれる場合には,債務免除益課税を回避するために,その清算中に終了する事業年度前の各事業年度において生じた期限切れ欠損金が損金算入されます(法法59③)。

③ 残余財産確定後の繰越欠損金の引継ぎ
完全支配関係(100%支配関係)のある親子会社間において,その子会社が解散し残余財産が確定した場合において,発生している子会社の繰越欠損金を親会社に引き継ぐことが可能になりました(法法57②)。

(2) 配当課税

① 法人株主
イ みなし配当
現行の法人株主のみなし配当の算定は,法人の帳簿金額にかかわらず行われることになり,個人株主と同じ取扱いとなっています。
ロ 課税上の取扱い

みなし配当の金額を収入に計上（この際，みなし配当の20％が源泉徴収されます）
↓
受取配当等の益金不算入（申告調整）
↓
所得税の税額控除（源泉徴収分）

ハ　清算結了した場合

　法人株主は，分配を受けた金銭等の価額の合計額を収入とし，その金銭等の額から下記により計算した金額を控除した金額がみなし配当となります。

$$その法人の資本金等の額 \times \frac{その法人の株主等が所有していたその法人の株式の数}{その法人の発行済株式等の総数} \times その法人の純資産減少割合※$$

※　「純資産減少割合」とは，次により計算した金額です。

$$純資産減少割合 = \frac{その法人が払戻し等により交付した金銭の額及び金銭以外の資産の価額の合計額}{その法人の資産の帳簿価額 - その法人の負債の帳簿価額}$$

（小数点以下１位未満切上げ）

② 個人株主

イ　残余財産分配金銭等の取扱い

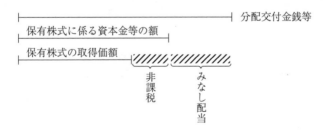

ロ　みなし配当課税

　みなし配当の金額は，個人株主において配当所得として課税され，確定申告によって配当控除や源泉徴収額の控除が受けられます。

相 続

1 相続税の対象となる自社株

　自社の株式を所有している株主が死亡し，相続が発生した場合，その相続財産に含められるのはどのような範囲の株式でしょうか。

　まず，被相続人となった株主が自己の名義で所有していた株式については，もちろん相続財産となります(1)。この他，相続税法上においては，株式について発生する種々の権利(1)，名義株式(2)，相続開始前3年以内に贈与した株式(3)，相続時精算課税制度を選択した年分以後の贈与により取得した株式(4)，といったものが相続財産に含められ，相続税の対象とされます。

```
          相続税の対象となる株式の範囲
    (1)  株式及び株式に関する権利
    (2)  名義株式
    (3)  相続開始前3年以内贈与株式
    (4)  相続時精算課税贈与に係る株式
```

(1) 株式及び株式に関する権利

　相続財産に含められる，被相続人が所有していた株式とその権利としては，以下のものがあります。

① 株式
② 株式の割当てを受ける権利
③ 株主となる権利
④ 株式無償交付期待権
⑤ 配当期待権
⑥ ストックオプション
⑦ 上場新株予約権

① 株　　式

相続税において，株式は次の3種類に分けて把握されています（評基通168）。

ⓐ 上場株式
ⓑ 気配相場等のある株式
ⓒ 取引相場のない株式

ⓐ 上場株式

　上場株式とは，全国6か所にある証券取引所（東京，大阪，名古屋，札幌，福岡，ジャスダック）において，上場，取引が行われている銘柄の株式です。
　株式の上場にあたっては，証券取引所のさまざまな審査基準をクリアしなければなりません。

ⓑ 気配相場のある株式

　気配相場のある株式とは，証券業者の店頭における流通を前提とした日本証券業協会の登録銘柄や店頭管理銘柄あるいは公開途上にある株式です。

ⓒ 取引相場のない株式

　取引相場のない株式とは，上記ⓐ，ⓑ以外の株式です。
　したがって，ほとんどの同族会社の株式は，相続税法上，取引相場のない株式として取り扱われることになるといえます。

② 株式の割当てを受ける権利

　株式の割当てを受ける権利とは，新株式割当の基準日の翌日から新株式の割当（株主にとっては引受け）の日までの間に生ずる新株式の割当てを受けることができる権利です（評基通168(4)）。

③ 株主となる権利

　株主となる権利とは，以下の期間において株式の引受けをしたことにより生ずる権利です（評基通168(5)）。

ⓐ　会社設立時に，株式の申込みに対して割当てのあった日の翌日から会社設立登記の日の前日まで

ⓑ　新株発行時に，株式の割当てのあった日の翌日から払込期日まで

④ 株式無償交付期待権

　株式無償交付期待権とは，新株式無償交付の基準日の翌日から新株式無償交付の効力が発生する日までの間における新株式の無償交付を受けることができる権利です（評基通168(6)）。

⑤ 配当期待権

　配当期待権とは，配当金交付の基準日の翌日から配当金交付の効力が発生する日までの間における配当金を受けることができる権利です（評基通168(7)）。

⑥ ストックオプション

　ストックオプションとは，会社法第2条第21号に規定する新株予約権が無償で付与されたもののうち，次の⑦に該当するものを除いたものです。ただし，その目的たる株式が上場株式又は気配相場等のある株式であり，かつ，課税時期が権利行使可能期間内にあるものに限られます（評基通168(8)）。

⑦　上場新株予約権

　上場新株予約権とは，会社法第277条の規定により無償で割り当てられた新株予約権のうち，金融商品取引所に上場されているもの及び上場廃止後権利行使可能期間内にあるものです（評基通168(9)）。

(2)　名義株式

　名義株式とは，会社における株主名簿上の名義とその株式の実質上の株式引受人が一致していない株式をいいます。

　例えば，AさんがB社の株式を引受け，払込みをして，その株式の名義を妻であるCさんのものにした場合，そのような株式を名義株式といいます。

　この場合，相続税法上の取扱いとしては，名義株式はAさんの相続財産に含められることとなります。

① 株 主 名 簿

　会社法では，会社は所定の事項を記載した「株主名簿」を作成・保管することを定めています（会社法121，125①）。

　イ　株主名簿に記載すべき事項
　　○株主の氏名・住所
　　○各株主の所有する株式の種類・数
　　○各株式の取得年月日
　　○各株主の所有する株式につき株券を発行している場合のその株券番号
　　※　これらの記載事項に欠落・不実の記載があった場合は，最高100万円以下の過料が課されます（会社法976①七）。
　ロ　株主名簿の効力
　　○記名株式の移転については，取得者の氏名・住所を株主名簿に記載しなければ会社に対抗できません（会社法130）。
　　○会社は，株主に対する通知・催告について，株主名簿に記載された住所宛にこれをすればよいとされています（会社法126①）。

○利益配当等の支払については，株主名簿に記載された株主の住所等宛にこれをしなければなりません。

以上のように，株主名簿は重要な意義及び強い効力を持っているといえます。

② 株主名簿と実質上の株主の不一致

しかしながら，株主名簿に記載された株主の名義が，必ずしも実際に株式引受けの資金拠出をしている株主と一致しているとはかぎりません。

以前は，株式会社の設立にあたり，ⓐ発起人7名以上と株式引受人1名以上の計8名以上を必要とされたため同族会社のように代表者等実質1，2名が株主となるような場合でも，商法の要件を満たすため，他人の名義を借りて8名以上の株式引受人を形式的に確保したことがありました。

今現在は，株主1名でも会社設立は可能となっており，いままでのような名義株の生じる余地は少ないと思われます。

③ 名義株式と相続

名義株式で問題となるのは，名義を貸与している株主と実質上の株主の権利関係ですが，相続税法においては名義株式は実質株主の相続財産に含めることになります。

ただし，相続の発生時において，株式を実質的に引き受けたのが誰であるか，名義貸与が行われたことが事実であるかどうかといったことを証明することができないときは，名義株式の権利関係についてトラブルが発生する可能性が考えられます。

そういったトラブルを未然に防ぐためにも，名義貸与株については「名義貸与承諾書」を作成し，事実関係をはっきりさせておくことが必要です。

〈参考資料〉

〈名義貸与承諾書〉

名義貸与承諾書

　私達は，貴殿が，私達の名義をもって，下記のとおりA社の株式を引き受けることを承諾します。

記

名義貸与者氏名	引受株式数	払込金額
a	1株	50,000円
b	1株	50,000円
c	1株	50,000円
d	1株	50,000円
e	1株	50,000円
計5名	5株	250,000円

平成〇〇年〇月〇日
　東京都〇〇区〇丁目〇番〇号
　　〇〇　〇〇殿

　　　　　　　　　　　　　　東京都〇〇区〇丁目〇番〇号
　　　　　　　　　　　　　　　　　　a　　　　㊞
　　　　　　　　　　　　　　東京都〇〇区〇丁目〇番〇号
　　　　　　　　　　　　　　　　　　b　　　　㊞
　　　　　　　　　　　　　　東京都〇〇区〇丁目〇番〇号
　　　　　　　　　　　　　　　　　　c　　　　㊞
　　　　　　　　　　　　　　東京都〇〇区〇丁目〇番〇号
　　　　　　　　　　　　　　　　　　d　　　　㊞
　　　　　　　　　　　　　　東京都〇〇区〇丁目〇番〇号
　　　　　　　　　　　　　　　　　　e　　　　㊞

(3) 相続開始前3年以内贈与株式

　相続税法においては，相続によって財産を取得した人が，その相続の開始前3年以内にその相続に係る被相続人から財産を贈与によって取得している場合には，その贈与された財産を相続財産に加算した上で，相続税を計算することとされています（相法19）。

　この3年以内に贈与を受けた財産という範囲の中には当然株式も含まれます。よって相続が起こった日に所有していなくとも，前3年以内に贈与した株式については，相続税の対象になるということになります。

　また，相続開始前3年以内とは，その相続の日からさかのぼって3年目の応当日から当該相続開始の日までの期間をいうものとされています。

（注）　相続開始前3年以内にその相続に係る被相続人から財産の贈与を受けていた人が，その被相続人から相続によっては財産を取得しなかった場合には，この規定は適用されません。

(4) 相続時精算課税贈与に係る株式

　相続時精算課税は平成15年に創設された制度であり，贈与者及び受贈者が年齢等の一定の要件を満たす場合に，受贈者の選択により適用されるものであり，特別控除額を控除した後の金額に対し，20％の定率により贈与税額を計算するものです。

　相続時精算課税贈与は，相続税と贈与税の一体化課税を目的としたもので，生前の贈与税は相続税の概算前払の性格を有するものとされます。よって本制度を選択した年分以後の贈与財産の全てを，相続財産に加算することになります。ただし，加算される金額はそれら贈与財産の贈与時の価額です。

2 自社株の相続手続

　自社株を所有している株主に相続が発生した場合の株式の所有に関する相続手続としては，以下のようなものがあります。基本的には被相続人のものとなっていた株式及びそれに関する権利の名義を，相続人の名義に変更する「名義書換手続」が中心となりますが，以下のように所有の形態や権利の所在状況など，いくつかのケースによって相続手続が異なってきます。

(1) 株式及び株式に関する権利の相続手続

① 株式の相続手続

　まず，株式については，当然被相続人の相続財産の中に含まれるものですから，相続によってその所有や名義は相続人に移転されることになります（民・大判昭8．9．20「株式会社の株主たる地位は相続により相続人に承継される」，商・大判明45．4．24民録18・419「株式が相続によって移転した場合にも名義の書換えを要する」）。

　このとき，相続人が1人である場合には，株主名簿上で被相続人の名義を相続人のものに変更すればよいのですが，相続人が複数である場合には相続財産は一度相続人全員の共有財産として，相続人の間で遺産分割協議が行われることになります（民法907）。

　遺産分割協議が終了していれば，株式の名義は協議で決められた各人の割当てごとにそれぞれ書き換えられることになりますが，遺産分割協議が終了していない場合には，株主名簿上相続人全員の氏名を共有株主として記載することになります。

　株式の名義を被相続人から相続人へと変更するにあたっては，「名義書換手続」を行う必要があります。

○　名義書換手続

　相続による名義書換手続とは，株式を相続した相続人がその会社に対し名義

書換請求を行い，会社がこれを受けて手続をするものです。相続人が会社に名義書換請求を行うにあたっては，「株式名義書換請求書」に，「戸籍謄本及び除籍謄本」と「遺産分割協議書」を添付してこれを提出し，請求しなければなりません。

〈参考資料〉

株式名義書換請求書

```
                    株式名義書換請求書

                                    平成  年  月  日

    株式会社○○○○御中
       下記の株式につき株券を添えて名義書換を請求します。


       株式数        株

      名義人_____

                          譲受人
                            住 所_____

                            氏 名_____㊞
```

また，会社が名義書換手続を行うにあたり，取締役会の承認を受ける必要はありません。

② 株式に関する権利の相続手続

株式に関する権利としては，先に述べたように，
○株式の割当てを受ける権利

○株主となる権利

○配当期待権

といったものがありますが、これらは全て株式を所有していることによって発生してくる権利です。したがって、相続によって株式の所有が承継され、名義の書換えも行われているならば、これらの権利も当然相続人である株主へと移転することになるため、特にこれらの権利のみについて必要な手続というものはありません。

○ **新株引受人の払込義務**

ただし、ここでひとつ留意しなければならないことがあります。それはこれらの権利のうち、新株を引き受けたことによる権利には、同時に新株への払込義務も生じているということです。

新株の引受けをした人は、取締役会の新株発行決議によって定められ、株式申込証にも記載されている払込期日までに、その新株の発行価額の全額に相当する金額を会社に払い込まなければなりません（会社法208①、②）。

この払込期日までに払込みをしなかった場合には、新株引受人は、その株式引受けの権利を失うことになります（会社法208⑤）。

新株引受人である株主が払込期日前に死亡した場合、その相続人は、被相続人の株式と新株引受人としての権利と同時にその払込義務をも承継することとなります。

(2) 名義株式の相続手続

名義株式についても、相続にあたって行う手続は他の株式と変わるところはありません。

相続が発生し、遺産分割協議によって名義株式を承継することとなる相続人が確定したならば、株主名簿に記載されている名義株式の株主の名義をその相続人の名義に書き換える必要があります（分割協議が終了していなければ共同名義）。

ただし、例外として、株主名簿上名義株式の株主となっている人が、相続人

としてその名義株式を承継した場合が考えられます。この場合には単に形式上の株主から実質も伴った株主になったというだけで、株主名簿上の名義は何ら変わらないため、名義書換えに関する手続は特に必要ないことになります。

（注）　当初，名義を貸与したときに「名義貸与承諾書」等を作成していた場合には，これを取り消す必要があります。

⑶　遺産分割前の権利行使と名義書換手続

①　遺産分割前の共有財産

相続人が複数ある場合には，相続財産のうち何を誰が相続するかを決める，遺産分割協議を行います（民法907）。

この場合，相続財産は一旦相続人全員の共有財産となり，その後相続人はそれぞれの相続分に応じて被相続人の権利義務を承継することとなります（民法898，899）。

しかし，遺産分割協議が行われていないとき，または分割協議が決着していないときには，相続財産は暫定的に相続人全員で共有された状態となっています。株式についても例外ではなく，相続人全員による共有株式として取り扱われることとなります。協議が決着しない場合は，原則として被相続人の住所地の家庭裁判所に対し分割を請求することができます（民法907）。

②　遺産分割前の株式の権利行使

会社法においては，株式が数人の共有に属する場合は，共有者は株主の権利を行使すべき代表者1名を定め，これを会社に通知しなければならないと定めています（会社法106）。

この代表者を選出しなければ，共有株主の権利としてあるべき議決権や利益配当金の受取権，新株の引受権といった権利を行使することはできません。ただし，代表者が選出されていない場合でも，利益配当金の支払等以外の，通知や催告といったことについては，会社は共有者の中から任意に選んだ1名に対して，これを行うこととしています。

③ 遺産分割前の株式の名義書換手続

　共有株式の場合には，共有株主の代表として株主の権利を行使する者1名を定めなければなりません。したがって，遺産分割協議前の共有株式の名義書換手続としては，「株式名義書換請求書」に，「権利行使者の指定届」と共同相続人の範囲を証明する「戸籍謄本及び除籍謄本」を添付して，会社に対し名義書換請求を行うこととなります。

〈参考資料〉

権利行使者の指定届

```
                    権利行使者の指定届
                                        平成　　年　　月　　日

    株式会社　○○○○　御中
    私達共有の貴社株式に関し，下記の者を代表者と定め株主の権利を行使させます
からお届けします。

        共有株主　住所 _____
        代表者氏名 _____

            共有株主　住所 _____
            氏　名　　_____

            共有株主　住所 _____
            氏　名　　_____

            共有株主　住所 _____
            氏　名　　_____
```

(4) 遺産分割協議後の名義書換手続

相続人が複数であり，その共同相続人の間において遺産分割協議がなされ，遺産の分割が決定されれば，共有株式についてもそれぞれの権利所有が確定します。

したがって，被相続人の名義からそれぞれ承継が確定した各人の名義への書換えを行えばよいわけです。

この場合の名義書換手続としては，「株式名義書換請求書」に，「遺産分割協議書」と分割協議者が相続人全員であったことを確認できる「戸籍謄本及び除籍謄本」を添付して，名義書換請求を行うことになります。

(注)「遺産分割協議書」には，後の紛争を防ぐためにも，名義書換請求者以外の共同相続人については，印鑑証明書を添付するのがよろしいと思われます。

(5) 譲渡制限株式と相続

ほとんどの同族会社にあっては，その株式の譲渡を制限する旨を定款に定めています。この譲渡の制限を受けている株式を譲渡制限付株式といいます。

① 株式の譲渡制限規定

会社の株式が自由に売買されていると，会社にとっては不適当なものがその株式を取得し，会社の経営に害を及ぼすことや，会社の乗っ取りの危険にさらされるといった事態も考えられます。

そこで，同族会社のような閉鎖的株式会社においては，定款においてその株式の譲渡について，取締役会の承認を必要とする旨を定めることができます。

② 譲渡制限付株式の譲渡承認手続

では，譲渡制限付株式はどのようにすれば譲渡できるでしょうか。その手続を示すと以下のようになります（会社法136～142）。

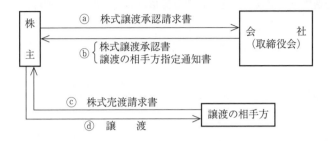

ⓐ 株主は，会社に対して譲渡先，譲渡株式の種類・数，及び譲渡を承認しない場合は，他に譲渡の相手を指定すべき旨を記載した「株式譲渡承認請求書」を提出
ⓑ 会社は，取締役会において譲渡の承認を協議します。承認する場合は「株式譲渡承認書」を，承認しない場合は譲渡の相手を指定し，「譲渡の相手方通知書」により株主へ通知
ⓒ 譲渡の相手方と指定された者は，所定期間内に株主に対し，「株式売渡請求書」により譲渡の請求
ⓓ 株主と譲渡の相手方との間で協議の上，株式の売買を決定

③ 譲渡制限付株式の相続手続

　相続とは，被相続人の死亡により発生する法律上の効果であり，譲渡には該当しません。譲渡とは，売買，贈与，交換といった所有者意思によって行われる行為だからです。
　したがって，相続により譲渡制限付株式を取得した場合も，譲渡には該当しないため，取締役会の承認を受ける必要はありません。通常の株式の相続手続と同様に取り扱うことができます。
　この他，死亡に起因して発生する所有の移転としては遺贈（特定遺贈，包括遺贈），死因贈与があります。これらの移転により譲渡制限付株式を取得した場合の取扱いは以下のとおりです。

- ○特定遺贈……遺言者の意思による無償譲渡となるため，取締役会の承認が必要
- ○包括遺贈……受贈者は相続人と同一の権利義務を有するため，相続と同様として取締役会の承認は不要
- ○死因贈与……贈与の一種として譲渡扱いとなり，取締役会の承認が必要

〈参考資料〉

株式譲渡承認請求書

```
平成○年○月○日

    ○○○○株式会社　御中

                        東京都○○区○○町○丁目○番○号
                        株主　○○○○　㊞

            株式譲渡承認請求書

  私は，貴社の普通株式○○株を東京都○○区○丁目○番○号○○○○氏に譲渡したいので，承認を求めます。なお，承認がないときは他に譲渡の相手方を指定されたい。
```

〈取締役会議事録〉

取締役会議事録

日　　時	平成○年○○月○○日（○）午○時
場　　所	東京都○○区○○○丁目○番○号
	株式会社　　○○○○　本店会議室
取締役の総数	○名
出席取締役の数	○名

　上記のとおり出席があったので，代表取締役社長○○○○は定款の規定により議長となり，定刻，開会を宣し議事に入った。

　　　　　　　議　　案　株式譲渡承認に関する件
　議長は，今回下記のとおり当会社株式につき譲渡承認の請求があった旨を述べ，更に当会社の株式を譲渡するには取締役会の承認を要する旨の定款第　条の規定を説明した後，この承認につき一同に意見を求めたところ，全員異議なくこれを承認し，ただちに株式譲渡承認書を交付することに決定した。
　なお，本件については，○○○○は特別利害関係人に該当するため，決議には参加しなかった。

　　　　　　　　　　　　　記
　　　譲渡承認請求人　　　譲　渡　株　式　　譲　渡　相　手　方
　　　　　　　　　　　　　　　　株
　　　　　　　　　　　　　　　　株

　以上をもって本日の議案を議了したので，議長は午○時○分閉会を宣した。

　上記議事の経過の要領及びその結果を証するため，本議事録を作成し，議長及び出席取締役，次に署名押印する。

　　　　平成○年○月○日

　　　　　　　　　　　　　　　　　　　　取　締　役　会
　　　　　　　　　　　　　　　　　　　　議長　代表取締役社長　○○○○　㊞
　　　　　　　　　　　　　　　　　　　　　　　取　締　役　　　○○○○　㊞
　　　　　　　　　　　　　　　　　　　　　　　　　同　　　　　　○○○○　㊞
　　　　　　　　　　　　　　　　　　　　　　　　　同　　　　　　○○○○　㊞

〈譲渡の相手方指定通知書〉

平成○年○月○日

○○○○　殿

○○○○株式会社
代表取締役　○○○○　㊞

譲渡の相手方指定通知書

　拝復　去る○月○日貴殿から○○○○氏に対する株式譲渡の承認請求を受けましたが，それには応じられません。
　よって，譲渡の相手方として下記の者を指定します。

東京都○○区○○町○丁目○番○号
○　○　○　○

〈株式売渡請求書〉

平成○年○月○日

○○○○　殿

東京都○○区○○町○丁目○番○号
○○○○　㊞

株式売渡請求書

　私は○○○○株式会社から貴殿の株式の譲渡の相手方として指定されましたので，貴殿所有の同社普通株式○○株を私に売り渡されるよう，供託証明書相添え，請求いたします。

(6) 株券不所持制度と相続

平成16年10月1日以降，株式会社は，定款に株券を発行しない旨を定めて株券不発行制度を採用することができるようになりました。従来は会社は成立後または新株払込期日以後株券を発行することが強制されており，この株券発行会社において，株主の申出により，会社がその株主の株券を不発行とするか，銀行等の信用機関に寄託することにより，株券を流通させないこととする制度を株券不所持制度といいます。

株式は，株券を交付するだけで譲渡することができるため，その株券の管理が不完全だと他の者にその所有を侵される恐れがあります。そこで，株式を長期にわたり安全に保有したい株主のためにあるのが，この制度なのです。

① 株券不所持の手続

株券不所持制度の適用を受ける手続は以下のとおりです（会社法217）。

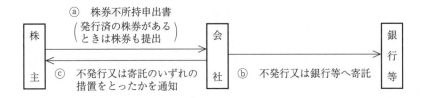

ⓐ 株主は「株券不所持申出書」により，会社へ株券の不所持を申出（既に発行された株券がある場合は，これを会社に提出しなければなりません）。

ⓑ 会社は株券の不発行（株主名簿に不発行の旨を記載）か，銀行又は信託銀行への寄託を行います。

ⓒ 会社は株券の不発行又は寄託のいずれの措置をとったかをすみやかに株主へ通知（不発行の場合は，「株券不所持申出受付証」による）。

② 株券不発行の場合の相続

　会社法では，株券発行会社の株式を譲渡するときは株券を交付することを要することを規定しています（会社法128）。よって株券不発行のままでは株主がその株式を譲渡することはできません。

　そこで株主は，会社に対し株券の発行を請求して株券を受け取り，それを譲渡人に交付することにより株式を譲渡しなければなりません。

　では，相続の場合はどうでしょうか。相続とは，先にも述べたとおり被相続人の死亡により発生してくる法律上の効果ですので，譲渡には該当しません。

　したがって，相続の場合，相続人が「株券不所持申出書」によって株券の不発行継続を希望している場合には，所有の移転があっても株券の発行は特に必要ないこととなります。

〈参考資料〉

〈株券不所持申出書〉

株券不所持申出書

株式会社〇〇〇〇御中
私所有の株式につき，株券を所持しないことと致したく手続をお願いします。
　　　　　　　　　　　　　平成　　年　　月　　日
　　株　主
　　　　住　所 _____
　　　　氏　名 _____ ㊞

〈株券不所持申出受付証〉

```
                   株券不所持申出受付証
                                      平成   年   月   日
   株主_____殿
                                    株式数_____株

     上記株式についての，株券不所持の申出を受け付けました。よって申出の株は，
   不発行の取扱いをいたしました。
```

(7) 配当金と相続

　配当が確定し支払われる以前に株主が死亡していた場合，配当の振込銀行口座が閉鎖されていて配当の振込みができないことがあります。

　配当等の支払に関する法律として，「会社の配当する利益又は利息の支払に関する法律」がありますが，この中には以下のような規定があります。

　① 会社が株主に配当する利益は，株主名簿に記載した株主の住所又は株主が会社に通知した場所において，支払わなければならない。

　② 会社が株主に配当する利益の支払に要する費用は，会社の負担とする。

　これらの規定によれば，配当を振り込むべき株主に相続が生じ，指定されていた振込先に入金することができなくなった場合には，会社は相続によりその株主の権利を承継した相続人の指定する振込先又はその相続人の住所地へ配当金を届けなければなりません。またその場合に発生する費用については，会社がこれを負担することになります。

3 自社株による相続税・贈与税の納税

(1) 自社株に係る相続税の納税猶予制度

① 創設の趣旨

　日本経済の基盤である中小企業の事業承継に関する総合的支援策として，平成20年10月1日より「中小企業における経営の承継の円滑化に関する法律」(以下「経営承継円滑化法」という)が施行されました。この法律の中にはオーナーやその相続人等が直面する遺産分割，資金需要，そして相続税の税負担等の諸問題に対応するための支援策が盛り込まれております。また，これらのうち相続税等の税負担の問題については，平成21年度の税制改正において相続税・贈与税の納税猶予制度として創設されました。平成25年度税制改正により，一部改正され，その後，平成29年度税制改正を経て，適用要件の緩和や，手続の簡素化などが行われました。これらの改正事項は，原則として，平成29年1月1日以後に相続若しくは遺贈又は贈与により取得する非上場株式等に係る相続税又は贈与税について適用されます(以下,「新事業承継税制」といいます)。

② 相続税の納税猶予制度の概要

　平成20年10月1日以後に開始した相続について，後継者である相続人等が，相続等により，非上場会社の株式を被相続人である先代経営者から取得し，その会社を承継していく場合には，その後継者が納付する相続税のうちその株式等に対応する部分の相続税について80％の納税が猶予される制度となっています。

③ 全ての株式が適用されるわけではない

　80％の納税猶予の対象となる株式は議決権株式に限られ，議決権に制限がある株式などはこの制度を適用することはできません。また，発行済議決権株式

総数のうち2／3までという限度額が設けられているため，仮に発行済議決権株式を100％相続した場合であっても約66.6％までが適用対象となり，さらにその80％となることから，この場合の税負担の軽減割合は約53％となります。

また，発行済議決権株式総数の2／3の制限については後継者が既に相続開始前より保有している分も含めることとされているため，仮に相続開始時において既に後継者が1／3を保有しており，残りの2／3を相続により取得した場合においても，この特例を適用できるのは相続により取得した2／3のうち，1／3までとなります。

④　適用要件

　イ　適用会社要件

　この特例を適用することができる対象会社は非上場会社の同族中小企業であり，経営承継円滑化法における経済産業大臣の認定を受けた下記の中小企業（特例有限会社，持分会社も含まれます）となります。

　なお，医療法人等は中小企業者とはならないため，この特例の適用はありません。

	資本金の額	又は	従業員の数
製造業，建設業，運輸業，その他の業種	3億円以下		300人以下
ゴム製品製造業（自動車又は航空機用タイヤ及びチューブ製造業並びに工業用ベルト製造業を除く）			900人以下
卸売業	1億円以下		100人以下
小売業	5千万円以下		50人以下
サービス業	5千万円以下		100人以下
ソフトウェア業又は情報処理サービス業	3億円以下		300人以下
旅館業	5千万円以下		200人以下

　ただし，上記中小企業者に該当する場合であっても，下記の会社については経済産業大臣の認定を受けることができないため，この特例の対象会社からは除外されます。

- 上場会社
- 風俗営業会社（性風俗関連特殊営業を行う会社。以下同じ）
- 「特定子会社」（同族関係者と合わせて総株主の議決件数の50％超を保有）が，上場会社・大法人等（「中小企業者」以外の法人）・風俗営業会社である会社
- 総収入金額がゼロの会社（「新事業承継税制」では，総収入金額から営業外収益及び特別利益が除かれます）
- 常時使用する従業員数（厚生年金保険及び健康保険の加入者ベース）がゼロの会社
- 「資産保有型会社」……総資産に占める「特定資産」（有価証券等，不動産，現預金，ゴルフ会員権等，美術工芸品・貴金属等）の合計額の割合が70％以上（貸借対照表上の金額で計算）の会社
- 「資産運用型会社」……総収入金額に占める「特定資産」の運用収入の合計額の割合が75％以上の会社

※1　次のいずれにも該当する場合には，資産保有型会社や資産運用型会社からは除かれます。
・事業所，店舗，工場などの固定施設を所有又は賃貸している（「新事業承継税制」では，後継者と生計を一にする親族以外の常時使用従業員が勤務している事務所，店舗，工場を所有又は賃貸している場合に限られます）。
・常時使用する従業員数が5人以上である（「新事業承継税制」では，後継者と生計を一にする親族以外の従業員数が5人以上いる場合に限られます）。
・相続開始時において，3年以上継続して自己の名義かつ自己の計算で，一定の事業を行っている（「新事業承継税制」では，後継者である相続人等の同族関係者等に対する貸付事業は除かれます）。

※2　次の資産については「特定資産」からは除かれます。
・有価証券のうち資産保有型会社や資産運用型会社に該当しない「特別子会社」の株式
・不動産のうち自社使用の不動産
・事業供用を目的としているゴルフ会員権等，美術工芸品・貴金属等

※3　次の資産については「特定資産」に含まれます。
・同族関係者に対する貸付金や未収入金
※4　租税回避行為の対応として以下の規定も設けられています。
・資産保有型会社の判定において，過去5年間に後継者である相続人及びその同族関係者に対して支払われた配当や過大役員給与等に相当する額を特定資産及び総資産の額に加算されます。
・相続開始前3年以内に後継者である相続人の同族関係者からの現物出資又は贈与により取得した資産の合計額の総資産に占める割合が70％以上である会社に係る株式等については，この特例は適用できません。
・後継者である相続人等の相続税等の負担を不当に減少させる結果となると認められる行為に対応するための措置が講じられています。

ロ　後継者である相続人等の要件
　特例の適用を受けることができる相続人等は，下記のすべての要件に該当する者となります。ただし，1つの会社につき適用を受けられるのは1人に限られます。
　　イ　相続開始の直前に役員であったこと（被相続人が60歳未満で死亡した場合等を除く）
　　ロ　相続開始の日の翌日から5月を経過する日において，代表権を有していること
　　ハ　相続開始の時において，後継者及び後継者と同族関係等がある者で総議決権数の50％超の議決権数を保有し，かつ，その同族関係者等の中で最も多く議決権数を保有することとなること（筆頭株主となること）
　　ニ　相続税の申告期限まで特例の適用を受ける非上場株式等の全てを保有していること

ハ　先代経営者であった被相続人の要件
　特例の適用を受けるためには，被相続人が下記のすべての要件に該当してい

なければなりません。
- ・会社の代表者であったこと（生前のいずれかの時点において代表者であれば該当）
- ・相続開始直前において被相続人及び被相続人と同族関係等がある者で総議決権数の50％超の議決権数を保有し，かつ，後継者を除いたこれら同族関係者等の中で最も多く議決権数を保有していたこと（代表者であったいずれかの時点及び相続開始直前において最も多く議決権数を保有していなければなりません）

⑤　相続後の継続要件

　この特例は相続税の納税が猶予される制度となっているため，一定の事由が生じた場合には，猶予された相続税を納めなければなりません。その要件としては，イ相続税の申告期限後5年以内の要件と，ロ免除されるまでの期間の要件の2つに分かれます。また，この特例を適用した場合には5年間は毎年1回，5年以降は3年に1回，税務署長への届出が必要となります（経済産業大臣へも一定期間中，書類を提出する必要があります）。

イ　相続税の申告期限後5年間の事業継続要件
- ・後継者が代表者を退任した場合又は代表権に制限が加えられた場合には猶予された全額が取り消されます。
- ・申告期限後，5年間の平均で，相続開始日における従業員の数の8割を維持できなくなった場合には猶予された全額が取り消されます。
- ・特例の適用を受けた非上場株式等を譲渡等（贈与を含む）した場合には，猶予された全額が取り消されます。

ロ　免除されるまでの要件
- ・相続税の申告期限から5年経過後，特例の適用を受けた非上場株式等を譲渡等した場合には，猶予された税額のうちその譲渡等をした株式に対

応する税額が取り消されます。
- 相続開始以後，上場会社，風俗営業会社，資産保有型会社，資産運用型会社，総収入金額(※)がゼロの会社等に該当した場合には，猶予された全額が取り消されます。ただし，会社の成長により中小企業者から外れたような場合には，取り消されません。

  ※　「新事業承継税制」では，総収入金額から営業外収益及び特別利益が除かれます。

⑥　納税猶予が取り消された場合

　上記⑤の理由等で納税猶予が取り消された場合には，猶予税額と一緒に利子税も納付しなければなりません。この特例の適用については後継者が引き続き会社を維持できるかがポイントとなってきます。

　なお，「新事業承継税制」においては，利子税の税率については，本則3.6％，特例税率0.9％（日銀の短期貸出約定平均金利1.0％の場合）となっています。

　また，相続税の申告期限後5年経過後に，納税猶予が取り消された場合には，相続税の申告期限から5年間までの利子税は免除されます。

⑦　猶予税額が免除となる場合

　猶予された税額は，原則事業を承継した後継者が死亡した場合に免除となります。そのほか，相続税の申告期限から5年経過後において次の事由が生じた場合には，猶予された税額は免除されます。

- イ　次の後継者（後継者の親族）に贈与税の納税猶予制度（(2)参照）を適用して対象株式を一括贈与する場合には免除となります。
- ロ　会社が債務超過に陥り，破産又は特別清算した場合には免除となります。ただし，直前の5事業年度において，納税猶予の適用を受けた後継者及びその者と生計を一にしている者が受け取った配当及び過大役員給与等に相当する猶予税額は納税しなければなりません。
- ハ　納税猶予の適用を受けた株式の時価が猶予税額を下回る場合に，会社を

存続させるために，同族関係者以外の者に対して，保有株式の全部を譲渡した場合に，時価又は譲渡価額とのいずれか高い価額を超える猶予税額は免除となります。ただし，直前の5事業年度において，納税猶予の適用を受けた後継者及びその者と生計を一にしている者が受け取った配当及び過大役員給与等に相当する猶予税額は納税しなければなりません。

ニ 「新事業承継税制」においては，民事再生計画の認可決定等があった場合には，その時点における非上場株式等の価額に基づき，納税猶予額の再計算を行い，再計算前の猶予額と，再計算後の猶予額との差額が免除されます。

この場合において，再計算後の納税猶予額について，納税猶予を継続することが可能となります。

(2) 自社株に係る贈与税の納税猶予制度

① 贈与税の納税猶予制度の概要

相続税の納税猶予制度が創設されたこととともに，贈与税の納税猶予制度も合わせて創設されました。贈与税の特例については平成21年4月1日以後に行われた贈与により適用されます。この特例は先代経営者である贈与者から後継者へその非上場株式を一括贈与した場合に，その贈与税について全額が猶予される制度です。ただし，相続税の特例と同様に発行済議決権株式総数の2/3までが上限となります。また，先述したように，相続税の納税猶予を適用した後継者がさらに相続税の申告期限から5年経過後にこの制度を適用し次の後継者（三代目）へ贈与することで，後継者の猶予された相続税は免除されます。

② 適用要件等

この贈与税の特例については，基本的には相続税の特例の要件とほぼ同一です。ただし，生前の贈与ということで具体的な承継の取り組みとして下記の要件が加えられています。

イ 贈与者である経営者は会社の代表権を有していないこと。なお，役員で

ある贈与者が，給与の支給を受けた場合であっても，贈与税の納税猶予の取消事由に該当しません。
　ロ　受贈者である後継者は20歳以上であり，かつ，役員就任から3年以上経過していること。
　贈与者が死亡した場合や，贈与者より先に後継者が死亡した場合には，猶予された贈与税は免除されることとなります。ただし，贈与税の納税猶予の適用を受けた株式を次の後継者へ贈与した場合には，この特例の適用はありません。

③　一括贈与とは
　この特例を適用する場合には，先代経営者が後継者へ一括贈与しなければなりません。ただし，ここでいう一括贈与とは100％の株式を贈与しなければならないということではありません。先代経営者が保有している株式割合に応じ，次の2つのケースに分類されます。

　イ　先代経営者の議決権株式数(A)≧(発行済議決権株式総数×2/3
　　　　　　　　　　　　　－後継者の贈与前の議決権株式数)(B)
　　この場合には，先代経営者の保有する議決権株式数のうち(B)以上の株式を後継者へ贈与することでこの特例を適用することができます。ただし，この特例の適用対象となる株式は(B)までが限度となるため，それを超える部分の株式を贈与する場合には，その分に対応する贈与税は猶予されません。そこで，(B)を超える部分については相続時精算課税制度を選択することも可能となります。

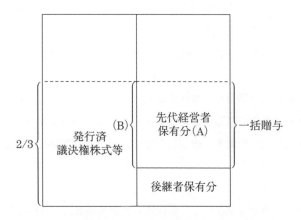

ロ　先代経営者の議決権株式数(A)＜(発行済議決権株式総数×2/3
　　　　　　　　　　－後継者の贈与前の議決権株式数)(B)

　この場合には、先代経営者の保有する議決権株式数の全部を後継者へ贈与することでこの特例を適用することができます。

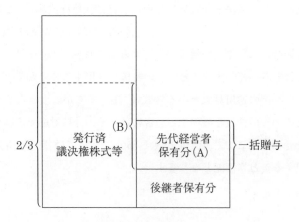

④　先代経営者である贈与者が死亡した場合

　後継者が贈与された非上場株式等につき、この特例の適用を受けていた場合に、贈与者である先代経営者が死亡した場合には、猶予されていた贈与税は免除となります。ただし、その非上場株式等は先代経営者から相続又は遺贈によ

り取得したものとみなされ、贈与時の価額により他の相続財産と合算して相続税を計算することとなります。

　なお、その際に経済産業大臣の確認を受け、一定の要件を満たす場合には、相続又は遺贈により取得したものとみなされた非上場株式等について「相続税の納税猶予の特例」の適用を受けることができます。この場合に贈与されてから５年が経過していれば、後継者である受贈者は既に５年間の事業継続要件を満たしていることになりますので、相続の際には、この事業継続要件は除外されることになります。

⑶　「新事業承継税制」の選択適用について

　平成26年12月31日以前の相続若しくは遺贈又は贈与により取得した非上場株式等について、改正以前の旧事業承継税制の適用を受けた場合であっても、一定の要件を満たす場合には、選択により、平成27年１月１日以後の期間について改正後の新事業承継税制のうち一定の改正事項の適用を受けることができます。

　旧事業承継税制適用者が新事業承継税制の適用を受けるためには、次のイ又はロのいずれか遅い日（以下、「提出期限」といいます）までに、所轄の税務署に新事業承継税制の一定の改正事項の適用を受けようとする旨などを記載した書類（以下、「新法選択届出書」といいます）を提出する必要があります。

　　イ　平成27年１月１日以後に最初に到来する継続届出書の提出期限（※）
　　ロ　平成27年３月31日

（※）継続届出書の提出期限とは、相続税又は贈与税の申告期限の翌日から１年を経過するごとの日の翌日から５か月を経過する日（申告期限の翌日から５年経過後は３年を経過するごとの日の翌日から３か月を経過する日）をいいます。

【参考】新事業承継税制の主な改正事項まとめ

　平成25年度税制改正及び平成29年度税制改正により、平成27年１月１日以後に相続若しくは遺贈又は贈与により取得する非上場株式等について適用される新事業承継税制の主な改正事項は下記となります。

(1) 平成25年度税制改正

	項目	改正前	改正後
1	総収入金額の計算方法の見直し	営業外収益及び特別利益も含む	営業外収益及び特別利益を除く
2	資産管理会社の要件の見直し	事業所，店舗，工場などの固定施設を所有又は賃貸している	後継者と生計を一にする親族以外の常時使用従業員が勤務している事務所，店舗，工場を所有又は賃貸している
		常時使用する使用人が5人以上	後継者と生計を一にする親族以外の従業員数が5人以上
		相続開始時において，3年以上継続して自己の名義かつ自己の計算で，一定の事業を行っている	左記の事業につき，後継者である相続人等の同族関係者等に対する貸付事業を除く
3	後継者の親族間承継の要件の廃止	親族のみ	親族以外にも後継者の範囲を拡大
4	事前確認制度の廃止	相続又は贈与の前の経済産業大臣による事前確認が必要	左記事前確認を不要
5	雇用確保要件の緩和	毎年8割以上確保	5年平均で8割以上確保
6	利子税の負担軽減	(1)現行の利子税率2.1% (2)計算期間（提出期限の翌日）から納期限まで	(1)納税猶予期間の利子税率の引下げ（0.9%） (2)納税猶予期間が5年を超える場合は，5年間の利子税を免除
7	先代経営者の役員退任要件（贈与税）の緩和	役員の退任	代表者の退任（引き続き役員でいることも可能）
8	先代経営者の給与支給要件（贈与税）の緩和	先代経営者への給与支給は継続不可	先代経営者への給与支給があっても継続可
9	株券不発行会社への適用拡大	現物の株式を担保提供	株券不発行会社において，株券を発行しなくても担保提供が可能

基礎編／Ⅲ　相続　79

10	猶予税額に対する延納・物納の適用	金銭一時納付	雇用8割継続要件を満たさない場合の取消しにより，猶予税額を納付しなければならないときは，延納又は物納が可能
11	提出書類の簡素化	所定の書類を経済産業局と税務署に提出	相続税等の申告書，継続届出書等に係る添付書類を大幅に減量
12	猶予額の計算方法の見直し	納税猶予税額の計算において，債務は非上場株式等の価額から先に控除する（相続税）	納税猶予税額の計算において，債務は非上場株式等以外の財産の価額から先に控除する（相続税）
		上場株式等についての規定なし	資産管理会社が保有する上場株式等がある場合は，一定の調整計算が適用
13	猶予額の再計算の特例	破産又は特別清算のみ免除（民事再生計画等についての規定なし）	民事再生計画等に基づき事業を再出発させる際に，猶予税額を再計算して，税額を一部免除

(2) 平成29年度税制改正

	項目	改正前	改正後
1	納税猶予の取消事由に係る雇用確保要件	相続開始時又は贈与時の常時使用従業員数×80％以上 ⇒一人未満の端数切上	相続開始時又は贈与時の常時使用従業員数×80％以上 ⇒一人未満の端数切捨
2	相続時精算課税制度に係る贈与との併用	贈与税の納税猶予制度の適用対象外	贈与税の納税猶予制度の適用対象
3	先代死亡時の相続税の納税猶予制度における認定相続承継会社の要件	中小企業者であること及び当該会社の株式等が非上場株式等に該当すること	左記の要件が撤廃される

(4) 自社株による相続税の延納

① 延納制度の概要

相続税の納税は、原則として相続の開始から10か月以内に、被相続人の死亡時の住所地を所轄する税務署にすることとされています。

相続税は、申告と同時に金銭で一括納付するのが原則ですが、相続税の特殊性から長期分割の延納制度が設けられています。

相続税の延納は、納付期限までに延納申請を行い、かつ、担保を提供することにより、法律で定められた範囲で年賦納付することをいいます。

イ 延納税額

納付すべき相続税が10万円を超え、かつその相続税の納期限までに金銭一括納付が困難な場合、その困難な額を限度として延納できます。

ただし、加算税や延滞税などの附帯税や連帯納付義務額については延納の対象となりません。

ロ 延納期間

原則として5年以内ですが、不動産等の価額に対応する相続税額については、全課税財産のうち不動産等に占める割合に応じて20年(特別の場合は40年)以内の期間で延納できます。

ハ 延納担保

延納税額に相当する不動産等の担保を提供しなければなりません。

しかし、延納税額が100万円以下で、かつ延納期間が3年以下である場合には担保の提供は不要となります。

ニ 利子税

延納期間中は、法律に定められた割合による利子税(金利に相当するもの)を各年の分納税額に併せて納付しなければなりません。

この利子税の割合は、全課税財産のうち不動産等の価額に占める割合に応じて、最低年1.2%から最高年6.0%までの率(平成18年4月1日以降の期間に対応する相続税にかかる利子税)で定められています。

なお，現在は上記の率を限度として短期貸出約定平均金利と連動するような率となっており，例えば，短期貸出約定平均金利1.0％のもとでは，原則3.6％の利子税の割合のケースだと0.9％（3.6％×$\dfrac{1.0\％+1.0\％}{7.3％}$＝0.9％（0.1％未満端数切捨））の適用となります。

【利子税率の算定方法】（平成26年1月1日以降）

各年の延納特例基準割合が年7.3％未満の場合

（現行の利子税率×$\dfrac{\text{延納特例基準割合}}{\text{年7.3％}}$）

延納特例基準割合とは，その分納期間の開始の日の属する年の前々年の10月から前年9月までの各月における銀行の短期貸出約定平均金利の合計を12で除して得た割合として，各年の前年の12月15日までに財務大臣が公示する割合に年1％の割合を加算した割合をいいます。

また，相続開始年月日が平成18年4月1日後のものに係る利子税の額の計算方法は，月割計算方式から日単位による計算方法に変更されています。

② 自社株は延納担保になるか

相続税の延納担保も一般の私債権と同様に換価が容易であり，かつ，安全性の高いものである必要があります。

したがって，延納担保になりうる有価証券は，市場流通性があると税務署長が確実に認めるものに限ります。

取引所の相場のない，いわゆる自社株（非上場株）等は，その意味で，延納担保として不適格な担保といわざるを得ません。

ただし，例外的に次のいずれかに該当する事由があるときには，自社株の延納担保が認められます。

イ 取得した相続財産のほとんどが自社株であり，かつ，この自社株以外に延納担保として提供すべき適当な財産がないとき

ロ 取得した相続財産に自社株以外にも財産があるが，その財産が他の債務の担保に既に提供されており，相続税の延納担保として提供することが適当で

ないとき

なお，延納担保は，相続税を徴収できる金銭的価値を有するものであることが必要なので，譲渡制限が付されている場合には，譲渡について取締役会の承認を受けるなど，譲渡可能としたことを証する議事録の写しなどを税務署へ提出する必要があります。

③ 自社株の必要担保額

延納の担保は，その担保に係る相続税が完納されるまでの延納税，利子税，担保処分に要する費用をも十分に担保できるものでなければなりません。

そのような趣旨から，延納税額と第1回目の利子税額に3を乗じた額の合計額が必要担保額とされています。

$$担保額 = 延納税額 + 第1回目の利子税額 \times 3$$

(注) 第1回目の延納期間が1年に満たない場合には1年として計算します。

次に，担保処分の安全性から，担保評価の最高8割という，いわゆる「掛目」を適用することになっています。

自社株の担保評価は，原則として相続税評価額ですから，これに掛目8割を乗じて算定することになります。

$$担保価額 = 1株当たりの相続税評価額 \times 株数 \times 0.8$$

以上から，延納担保としての必要自社株数は次のようにして求められます。

要担保額 = 延納税額 + 第1回目の利子税額 × 3 = 1株当たり相続税評価額 × 株数 × 0.8

$$要担保株数 = \frac{延納税額 + 第1回目の利子税額 \times 3}{1株当たりの相続税評価額 \times 0.8}$$

④ 自社株の担保提供手続

自社株に限りませんが，株式の担保提供は，まず，供託所に備え付けられている「担保のための供託書」（正副2通）に必要事項を記載し，供託所へ提出します。

供託所から1週間以内に供託物である株式を日本銀行に預け入れる旨が記載された「供託書正本」及び「供託有価証券寄託書」が交付されます。

次に，供託所から交付を受けた上記書類に株券を添えて，所定の期限までに供託有価証券の寄託事務を取り扱う日本銀行（供託所から指定された本店，支店又は代理店）に提出します。

そして，その日本銀行から株券が供託納入された旨が記載された供託書正本の交付を受けます。

以上の手続により交付を受けた供託書正本を，税務署に用意してある担保提供書とともに延納申請書に添付して，申告・納付期限までに税務署へ提出します。

ただし，自社株（非上場株式）にあっては，とりわけ，その担保適格性の判定が前提となりますから，供託等の手続前に，延納申請書，担保提供書に会社資産や財務内容等に関する資料を合せて提出しておく必要があります。

なお，株式のような有価証券の保証供託は株券そのものを供託する必要がありますから，株券を不発行とする法人の株式は延納担保することはできません。したがって，そのような会社は，すみやかに株券発行の手続を行う必要があります。

「新事業承継税制」における納税猶予に係る担保提供においては，特例の適用を受ける会社が株券不発行会社であっても，一定の書類を提出することにより株券を新規に発行することなく提出することができます。

(5) 自社株による相続税の物納

① 物納制度の概要

税金は，金銭納付が原則であり，それは相続税でも同様です。

しかし，相続財産は，金銭（将来的金銭を含む）だけとは限らず，担税力のない財産であることも十分に考えられます。

そこで，納付すべき相続税を金銭で一括納付又は延納によっても納付することが困難である場合に限り，一定の範囲の相続財産をもって納付する物納制度

が設けられています。

　平成18年度の税制改正により相続税の物納制度が改正されました。以下の内容は平成18年4月1日以後相続開始の場合に適用（平成18年3月31日以前の相続開始の場合には，改正前の規定が適用）されます。

イ　物納適格財産

　物納に充てることのできる財産は，納付すべき相続税の課税価格計算の基礎となった相続財産のうち，次表に掲げる財産（相続財産により取得した財産も含みます。）及び順位で，その所在が日本国内にあるものに限ります。

　なお，相続時精算課税に係る贈与によって取得した財産を除きます。

順　位	物納に充てることのできる財産の種類
第1順位	①　国債，地方債，不動産，船舶，「株式，社債及び証券投資信託等の受益証券のうち金融商品取引所に上場されているもの等」，「投資証券等のうち金融商品取引所に上場されているもの等」 ②　不動産のうち劣後財産
第2順位	③　社債，株式，証券投資信託等の受益証券のうち金融商品取引所に上場されていないもの等，又は貸付信託の受益証券 ④　株式のうち劣後財産
第3順位	⑤　動産

（注）　特定登録美術品は上記順位にかかわりなく物納に充てることができます。

ロ　収納価額

　物納財産の収納価額は，物納する財産の相続税評価額によることとされています。

　なお，物納財産が収納されるときまでにその財産に著しい状況の変化があった場合には，税務署長は収納時の現況により物納財産の収納価額を定めることができることとされています。

ハ　物納税額

　物納の対象となる相続税は，期限内申告に限らず期限後申告，修正申告，更正又は決定による相続税も含みます。

　しかし，加算税，延滞税，連帯納付義務等は物納できる税額には含みません。

② 自社株は物納できるか

　相続税の物納に充てることのできる財産の種類の中には，株式があげられており，かつ，上場・非上場の区分けもないので，自社株（取引所の相場のない株式）も，一応物納財産の対象になります。

　ただし，株式のうち，次のいずれかに該当する株式は「管理処分不適格財産」となり，原則として物納できません。

　　イ　譲渡に関して金融商品取引法等の規定で一定の手続が定められている株式で，その手続がとられていないもの
　　ロ　譲渡制限株式
　　ハ　質権その他の担保権の目的となっている株式
　　ニ　権利の帰属について争いがある株式
　　ホ　2以上の者の共有に属する株式（共有者全員が物納申請する場合を除く）

　また，事業の休止をしている法人に係る株式は「物納劣後財産」として，他に物納適格財産がない場合にのみ物納が認められます。

　なお，いわゆる自社株といった俗称は，株式会社の株式にも合名会社，合資会社，医療法人及び協同組合等の出資にも用いられることがあります。

　しかし，物納適格財産の取扱いの上では，明確に区分してあり，株式会社の株式以外のその他の法人の出資については，物納できないことになっていますのでご注意下さい。

③ 自社株の収納価額

　物納財産の収納価額は，原則として相続税評価額です。

　したがって，自社株の収納価額も1株当たりの相続税評価額に物納申請額に見合う額までの株数を乗じて計算した額ということになります。

　また，物納財産の収納時までにその財産の状況に著しい変化が生じた場合には，収納時の現況により物納財産の収納価額を定めることができるとされています。

ここにいう著しい変化とは，株価の上昇や下落は含みません。自社株についての著しい変化とその改定後の収納価額の計算は次のとおりです。

イ　合併により株式の交付があった場合

$$改定収納価額 = \frac{被合併法人の1株当たりの相続税評価額}{被合併法人の1株当たりの交付株数}$$

ロ　合併により株式と金銭の交付があった場合

$$改定収納価額 = \frac{被合併法人の1株当たり相続税評価額 - 1株当たり合併交付金}{被合併法人の1株当たり交付株数}$$

ハ　増資があった場合

$$改定収納価額 = \frac{\left(\begin{array}{c}旧株1株当たりの\\相続税評価額\end{array}\right) + \left(\begin{array}{c}新株1株当たり\\の払込金額\end{array}\right) \times \left(\begin{array}{c}旧株1株当たりの\\新株割当数\end{array}\right)}{1 + 旧株1株当たりの新株割当数}$$

ニ　減資があった場合

$$改定収納価額 = \frac{1株当たりの相続税評価額}{1 - 減資率}$$

ホ　震災，風水害，落雷，火災その他による株式の発行法人の資産の減少があった場合

④　**物納手続関係書類の提出**

　物納申請書には次に掲げる物納手続関係書類を添付して提出することとなります。改正後の相続税法において，この後の手続が円滑に進むように物納財産ごとに必要書類が定められました。

　　イ　非上場株式に係る法人の登記事項証明書
　　ロ　非上場株式に係る法人の決算書
　　ハ　非上場株式に係る法人の株式名簿の写し
　　ニ　税務署長が次に掲げる行為を求めた場合には，これを履行することを納税義務者が約する書類
　　　(イ)　金融商品取引法その他の法令の規定により一般競争入札に際し必要な

ものとして定められている書類を発行会社が税務署長に求められた日から6か月以内に提出すること。

(ロ) 株式の価額を算定する上で必要な書類を速やかに提出すること

　上記の書類を期限までに提出できない場合には，「物納手続関係書類提出期限延長届出書」の提出により，1回につき，3か月を限度として，最長で1年まで提出期限の延長が認められます。

⑤ 物納の許可

　物納申請書が提出された場合には，税務署長は，その申請に係る要件の調査結果に基づいて，申請期限から3か月以内に許可又は却下を行います。ただし，状況によっては最長で9か月まで延長する場合があります。

⑥ 管理・収納

イ 買受けの打診

　物納の要件として，譲渡制限を解除しなければならないため，公開一般入札に掛けられれば第三者の株主による乗っ取りが可能となります。そこで株式を物納した相続人や株式発行会社，役員・従業員等の随意契約適格者に収納後1か月以内を回答期限とする「国有株式の買受希望に関する照会について」という書面を送付し，買受けの意思を確認します。

　随意契約適格者が買受希望を表明すれば，収納から1年以内の買戻しが要求され，1年以内の資金調達が困難な場合でも将来買受けが可能と判断されれば，5年以内での分割購入が認められます。

ロ 一般競争入札へ

　随意契約者からの買受希望がない場合には，手続きは一般競争入札に移行されます。この入札の際にも，納税者は入札公告までに，財務諸表等の提出が求められます。この提出期限までに書類が提出されない場合には，物納許可が取り消されてしまうので注意が必要です。

　業績が良くない会社の株式では，一般競争入札に掛けられても落札されない

ことも想定されます。その場合には、随意契約適格者に対して再度、買受けが打診されます。ここで買受けに同意すれば、売買契約時に代金全額が支払えない場合には支払い条件の緩和の措置がとられます。

(6) 物納と延納の切替え

① 延納から物納への切替え

　延納の許可を受けた相続税額について、延納条件を変更してもなお延納を継続することが困難となった場合には、一定の要件により延納から物納へ変更することができます。

　この適用を受ける場合には、次のような要件が必要となります。

　イ　延納条件の変更を行ったとしても延納によって金銭で納付することが困難な事由があること及びこの延納によっても金銭で納付することが困難な金額を限度とすること

　ロ　延納許可に係る相続税の申告期限（相続開始があったことを知った日の翌日から10か月目の日）から10年以内に申請されること

　ハ　申請書及び手続関係書類を所轄税務署長に提出すること

　ニ　申請の日までに分納期限の到来していない延納税額に限られること

② 物納から延納への切替え

　物納申請者が自発的に物納申請を取り下げた場合には、物納から延納への変更を行うことはできませんが、金銭納付困難事由がないことを理由として物納申請が却下された場合には、却下通知を受けた日の翌日から起算して20日以内に延納申請を行うことができます。

　この延納申請により延納の許可がされた場合には、法定納期限の翌日から延納利子税を納付することになります。

③ 新事業承継税制から物納・延納への切替え

　「新事業承継税制」においては、雇用確保要件を満たさなくなったため納税

猶予が取消しになった場合の納税猶予税額について,相続税については延納又は物納,贈与税については延納の選択が可能となりました。

基礎編

自己株式

❶ 金 庫 株

　自己株式の取得については，より機動的な自己株式取得ができるように，自己株式に係る規制が緩和されました。

　現在の会社法では，株主総会は定時株主総会のみならず臨時株主総会によっても，株式の種類，総数及び総額等を決議し，その範囲内（決議より1年以内）で自己株式を取得することが可能となりました。つまり，年1回の定時株主総会を待つことなく，臨時株主総会を開催して自己株式を取得することが可能となりました。

　ただし，自己株式取得に係る財源規制は従来通り維持されていますので，自己株式の取得価額が分配可能額を超えないように留意する必要があります。

❷ 自己株式の取得手続

　市場取引・公開買付以外の方法による自己株式の取得手続の流れは，次のとおりです。

(1) **株主総会による普通決議ですむ場合**

　① 株主総会の普通決議により，（ⅰ）取得する株式の種類及び数（ⅱ）金銭等の内容及びその総額（ⅲ）1年を超えない範囲内の取得期間（③

で定める一回の取得における条件を付す場合は，その内容を含む）を決議し，取締役（取締役会を設置する株式会社にあっては，取締役会。以下取締役等。③において同じ）に対し授権します（会社法156）。

② ①の決議後，取締役等は，（ⅰ）取得する株式の種類及び数（ⅱ）1株当たりに交付する金銭等の内容及び数若しくは額又はこれらの算定方法（ⅲ）当該取得対価の総額（ⅳ）譲渡申込期間　を決定し（会社法157），株主全員に対して通知又は公告をします（会社法158）。

③ 株主は，申込期日までに，譲渡を申し込む株式の種類及び数を会社に通知して株式の譲渡の申し込みをし，申込期日において，会社が申込みの承諾をなしたものとみなされ，譲渡契約が成立します（会社法159①）。なお，株主から申込みを受けた株式の数の合計が②で定めた総数を超える場合には，会社は，各株主の申込数を按分して承諾したものとみなされます（会社法159②）。

⑵　株主総会による特別決議を必要とする場合

　株主総会の決議においては，その自己株式取得の決議事項にあわせて，その決議によって⑴②の通知を特定の株主に対して行うことができます（会社法160，309②⑵）が，その場合には，他の株主は，原則として，自己を譲渡人となる株主に加えることを請求することができるものとされます（会社法160②，なお，かかる請求ができない例外は会社法161，162に制定）。

　また，特定の株主及び追加請求をした株主は株主総会において議決権を行使することはできません。

❸　自己株式の処分

　会社が取得した自己株式は，自由に処分等できますし，取得後保有し続けることも可能です。取得後の処分方法としては，新株発行の代替と消却があります。

(1) 代替する場合（会社法199, 200）

　自己株式の処分は，その実体は新株発行と変わらないため，新株発行と同様な方法により行われることになります。

　会社が取得した自己株式を処分する場合は，以下の事項を株主総会で決めなければなりませんが，定款で，取締役等（取締役設置会社においては取締役会）において決議する旨の定めがある場合は，取締役等で決めることになります。

　① 処分する株式の種類及び数
　② 処分する株式の価額及び払込期日

　なお，上記の事項については，株主総会の特別決議が必要となります。

　上記のような取扱いを行う場合は，増資，新株予約権の行使，株式交換，会社分割及び合併に際して発行する新株に代えて自己株式を交付するような場合です。たとえば，完全親会社となる会社が完全子会社の株主に対して交付する株式に代えて，すでに完全親会社がもっている自己株式を交付することができます。なお，この場合，株式交換契約書，会社分割契約書及び合併契約書などに交付する自己株式の総数，種類及び数を記載することになります。

(2) 消却する場合（会社法178）

　会社が自己株式を消却する場合，取締役等（取締役会設置会社においては取締役会）において，消却する株式の種類及び数を決議する必要があります。

4　自己株式の会計と税務

　自己株式に関する会計と税務の取扱いは，大きく売却時，取得後処分時そして取得後消却時の3つに分けられます。

(1) 株式の売却時
　① 株式売却する株主の税務
　② 取得する会社の株主（残存株主）の税務

(2) 取得後株式処分時
　　③　取得後処分する会社の税務
　　④　取得後処分する会社の株主の税務
(3) 取得後株式消却時
　　⑤　取得後消却する会社の税務
　　⑥　取得後消却する会社の株主の税務

(1) 売　却　時

　金庫株改正に伴い，金庫株の取得は発行法人の資本の払戻しと利益の分配と見られる部分についてそれぞれみなし配当と有価証券売却損益の2つの内容の所得からなる取引として，配当課税と譲渡益課税がされます（相対取引）。

　また，市場買付けの場合には個人株主も法人株主も譲渡益課税となります。これは，売却した株主が会社が利益消却のためなどに取得したことがわからないため，単なる譲渡として取り扱うこととなります。

区　分	売　却　株　主	
	個　人	法　人
同族会社等の株式 （相対取引）	みなし配当課税（※） （みなし配当課税以外の部分は譲渡課税）	同　　左
上場会社等の株式 （市場買付）	譲渡課税 （申告分離課税）	譲渡課税
上場会社等の株式 （公開買付）	譲渡課税 （申告分離課税）	みなし配当課税 （みなし配当課税以外の部分は譲渡課税）

（注）　申告分離課税20.315％（所得税15％，住民税5％，復興特別所得税0.315％）。
（※）　相続株式を発行会社に譲渡した場合の相続人株主の課税の特例（平成16年度改正）
　　　平成16年4月1日以後に相続等により取得した非上場株式等を，相続開始日の翌日から相続税の申告期限の翌日以後3年を経過する日までの間に発行会社に譲渡した場合には，みなし配当課税を行いません。

そして，公開買付けの場合は，消却に応じた取得等であることを株主は知ることができます。ただし，個人株主については政策的配慮により優遇措置が講じられています。本来は，みなし配当課税と譲渡所得税課税となりますが，みなし配当とされる部分も譲渡所得税課税とし，市場買付けの場合と同様に譲渡所得税課税のみが生じます。なお，法人株主については，受取配当金の益金不算入制度があり，みなし配当として同制度の適用を受けたほうが有利であることから，みなし配当課税が行われます。

〈みなし配当の計算〉

上記のみなし配当課税及び譲渡課税の計算は，個人株主，法人株主ともに次のとおりです。

$$\text{みなし配当金額} = \text{株式売却代金} - \overbrace{\text{資本金等の金額} \times \frac{\text{売却した株式数}}{\text{会社の発行済株式総数}}}^{A}$$

譲渡課税の額 ＝ A － 売却した株式の取得価額

となります。

（事 例）

資　本　金	10,000,000円
資本積立金	30,000,000円
発行済株式総数	10,000株
今回売却する株式数	1,000株
売却する株式の取得金額	2,000,000円
売　却　価　額	20,000,000円

みなし配当の計算
＝売却価額（20,000,000円）－資本金等の金額（40,000,000円）
　×持分（1,000株÷10,000株）＝16,000,000円

譲渡課税の計算
＝4,000,000円－2,000,000円（取得価額）＝2,000,000円

(仕　訳)

売却代金	16,732,800円	みなし配当	16,000,000円
租税公課 (仮払税金)	3,267,200円	取得価額	2,000,000円
		株式譲渡益	2,000,000円

　なお，株式を売却した会社の残存株主の課税関係は，平成13年度改正によりみなし配当課税は適用されなくなりました。

(2) 取得後自己株式を処分する場合

　自己株式を取得後，その株式を処分した場合，自己株式の売却に伴う譲渡損益はその他資本剰余金の増加又は減少として取り扱います。また，その他資本剰余金が期末においてマイナスの場合は，その他利益剰余金でその他資本剰余金のマイナスを填補する処理をします。

　例えば，過去10,000,000円で取得した株式のうち50％相当株をその後6,000,000円で売却した場合，これで生じる1,000,000円の「益」は，自己株式処分差益として，その他資本剰余金を増額します。

　　前提条件
　　　① 自己株式購入金額　10,000,000円
　　　② 購入後売却金額　　6,000,000円
　　　③ その他条件　変化なし

(資本の部の表示)

(取得後)		(売却後)	
資　本　金 (資本剰余金)	10,000,000円	資　本　金 (資本剰余金)	10,000,000円
その他資本剰余金 (利益剰余金)	0	その他資本剰余金 (利益剰余金)	1,000,000
繰越利益剰余金	30,000,000	繰越利益剰余金	30,000,000
自　己　株　式	▲10,000,000	自　己　株　式	▲ 5,000,000
計	30,000,000	計	36,000,000

前提条件
- ① 自己株式購入金額　10,000,000円
- ② 購入後売却金額　　 1,000,000円
- ③ その他条件　　　　変化なし

（資本の部の表示）

（取得後）		（売却後）	
資本金（資本剰余金）	10,000,000円	資本金（資本剰余金）	10,000,000円
その他資本剰余金（利益剰余金）	0	その他資本剰余金（利益剰余金）	0
繰越利益剰余金	30,000,000	繰越利益剰余金	26,000,000
自己株式	▲10,000,000	自己株式	▲5,000,000
計	30,000,000	計	31,000,000

　なお，会社の株主について，原則，課税が行われることはありませんが，売却時の株式の時価より高いあるいは低い価額により売却が行われたような場合は，課税問題が生じることになります。たとえば，A社の1株当たりの価額が10,000円の株式を，20,000円で売却したような場合，時価をベースに取得が行われることを前提とすると，時価より高く売却したことになり，時価との差10,000円は，売却した法人の受贈益になると考えられます。原則資本取引とはいえ，時価と取引価額とに乖離がある場合，課税問題が生じることになると思われます。さらにA社の株主はaで，aの父親bが購入者だとすると，父親bの財産がより減少し，その子aの持つA社の財産がより増加することになるため，親から子への実質的な贈与が行われたことになります。

　つまり，時価より高いあるいは低い価額により株式の売買が行われた場合，課税関係に注意する必要があります。

(3) 取得後株式を消却する場合

　自己株式の取得後，取締役会の株式の消却決議により株式を消却した場合で

すが，もとの株式売却側は，売却に伴うみなし配当課税を受けているため消却時に課税が行われることはありません。

一方，現株主についても，みなし配当課税の廃止により課税はありません。

また，自己株式を消却した場合の会計上の取扱いについては，消却の対象となった自己株式の帳簿価額をその他資本剰余金から減額する処理をします。ただし，その他資本剰余金が期末においてマイナスの場合は，その他利益剰余金で，その他資本剰余金のマイナスを填補する処理をします。

5 売渡請求による取得

(1) 相続人等に対する売渡請求株式

従来は，株式を譲渡制限株式としていた場合でも，相続や合併等の一般承継の場合には譲渡承認の対象にならず，株式の移転を制限することができませんでした。結果として，株式譲渡制限会社であっても，会社にとって不都合な相続人等が株式を取得しても，会社はその取得を拒否できませんでした。

現在の会社法においては，定款に「相続や合併等により株式を取得した者に対し，会社がその株式の売渡しを請求することができる」という内容を定めることにより，会社にとって不都合な者が株式を所有することを回避し，株式の分散を防止することができるようになりました。

(2) 売渡請求手続（会社法174，175）

会社が，相続人等に対して株式の売渡請求をするには，その都度株主総会の特別決議が必要になります。また，その売渡請求株式を所有している株主は，株主総会の決議に参加できません。この特別決議により，相続人等の意思に関係なく強制的に株式を買い取ることが可能となります。

(3) 売渡請求の期間（会社法176）

会社が売渡請求できるのは，相続等があったことを知った日から1年以内です。なお，会社はいつでもこの売渡請求を撤回することができます。

(4) 売渡価格（会社法177）

株式の売却価格は双方が合意すればその合意した価格で問題ありませんが，双方の合意が得られなければ，売渡請求日から20日以内に裁判所に申立てを行います。そして，裁判所が売買価格の決定をします。会社は20日以内に申立てを行わない場合には，相続人等が株主になります。

(5) 取得価額総額（会社法461）

相続等による株式の取得ではありますが，自己株式の取得と同様に分配可能額を超える買取りはできません。

(6) 取締役の責任（会社法462）

(5)取得価額総額においてこれを違反した場合には，取締役等は会社に対し，連帯して，交付を受けた金銭等の帳簿価額に相当する金銭を支払う義務を負います。

(7) 相続財産に係る株式を発行法人に売却した場合

相続人が株式を発行会社へ売却した場合の税務の取扱いは以下となります。
① 相続税の負担がない個人株主
自己株式の譲渡ですので配当課税となります。
② 相続税の負担がある個人株主
相続又は遺贈により財産を取得した個人で相続税額の負担がある者が，相続の開始があった日の翌日から3年10か月以内に，その取得した同族株式（非上場株）を発行会社に譲渡した場合には，株主は自己株式の譲渡で

すが，配当課税ではなく申告分離課税となります。なお，相続税額の取得費加算の特例の適用もあります。

(8) 処　　分

自己株式として取得したあとは他の自己株式と同様，①代替，②消却，の方法により処理することができます。もちろん，自己株式として保有し続けることも可能です。

基礎編

株式評価

① 上場株式の評価方法

　上場株式の価額は，各々の銘柄ごとに評価します。その評価方法は，一般的な評価の方式と，特別な場合に適用する評価の特例があります。

(1) 一般的な評価の方法

　上場株式は，日々市場において取引が行われていますので，その取引価格がすなわち時価ということになります。したがって，原則として，上場株式の評価額は，課税時期（相続・贈与の発生した日）の最終価格（終値）ということになります。しかし，評価の安全性を考慮して，以下の４つのうち最も低い金額によって評価します（評基通169(1)）。

　①　課税時期（相続・贈与の発生した日）の最終価格（終値）
　②　課税時期の属する月の毎日の最終価格の月平均額
　③　課税時期の属する月の前月の毎日の最終価格の月平均額
　④　課税時期の属する月の前々月の毎日の最終価格の月平均額
　（注）　上場株式の終値及び平均額は日本証券新聞等に掲載されています。

　なお，上場株式の中には２以上の金融商品取引所に上場されている銘柄があります。
　そこで，このような上場株式の取引価格については，納税者が選択した金融商品取引所における取引価格によることとされています。ただし，「課税時期

の最終価格」及び「最終価格の月平均額」がある金融商品取引所があるにもかかわらず、それらのない金融商品取引所を選択することは認められません（評基通169(1)）。

〈ケース１〉── 一般的な評価の方法

(イ) 課税時期　　　平成26年8月25日

(ロ) Aの所有する上場株式の明細は次のとおりです。

B商事	2,000株
8月25日の終値	180円
8月の終値の月平均額	178円
7月の終値の月平均額	175円
6月の終値の月平均額	177円

C工業		1,000株
	（東京）	（大阪）
8月25日の終値	519円	521円
8月の終値の月平均額	523円	522円
7月の終値の月平均額	518円	519円
6月の終値の月平均額	521円	520円

〈評価方法〉

　B商事の株式の評価額は、8月25日の終値と、6～8月の終値の月平均額のうちの最低額175円となります。1株当たり175円なので、

　　175円×2,000株＝350千円

となります。

　C工業は東京証券取引所と、大阪証券取引所に上場されているため、いずれかの株価のうち一番低い価額により評価することになります。したがって、1株当たり

　　518円×1,000株＝518千円

となります。

　以上は一般的な評価方式による場合でしたが，この場合でも，負担付贈与や，個人間の対価を伴う取引によって上場株式を取得した場合には，例外規定が設けられています。これによれば，①～④のうち，①のみで評価して，②③④は考慮しないことになります（評基通169(2)）。
　負担付贈与とは，上場株式と借金をセットで贈与することをいい，個人間の対価を伴う取引とは，上場株式を個人間で売買することをいいます。
　これらの取引について，なぜ①のみで評価して，②③④は考慮しないのかは次の理由によります。
　負担付贈与の場合には，値上がりを続けている上場株式と借金をセットで贈与することによって，意図的な租税回避が考えられるからです。例えば，親が子供に上場株式を贈与します。この場合の子供にかかる贈与税は，贈与税の評価額によって計算されます。贈与税の評価額は，上記①～④のうち最も低い金額です。しかし，これに加えて親が持っている上場株式の相続税評価額以上の額の借入金を贈与すれば，贈与税はかかりません。今，上場株式が値上がりを続けているとすれば，従来の方法による相続税評価額は④となります。すなわち，引き継ぐ借入金の額は，④に相当する金額にしておけば十分なのです。②③④の額は贈与する際には分かっていますので，高いものを安く贈与できることになります。実際，こうした上場株式の負担付贈与が増えましたので，平成2年よりこの例外規定が設けられています。
　一方，親子間等の個人間売買の場合には，金銭の授受を伴いますので，贈与にはあたりません。この場合も，負担付贈与の場合と同じように値上がりを続けている上場株式を想定しますと，④の額が相続税評価額となりますので，④の額によって売買が行われれば，たとえその額が①の額よりも著しく低い価額であったとしても，「みなし譲渡」として贈与税が課税されるということはありません。そこで，この場合の相続税評価額も①の額だけによることに改正が図られています。

〈ケース2〉── 負担付贈与

B鉄工株式を8月25日に借入金で2,000株取得し，同日，その借入金360千円とともに贈与した場合

　　8月25日の終値　　　　　　　180円
　　8月の終値の月平均額　　　　 175円
　　7月の終値の月平均額　　　　 170円
　　6月の終値の月平均額　　　　 168円

〈評価方法〉

負担付贈与により取得した上場株式の評価は，その取得時（課税時期）における最終価格によって評価します。

したがって，B鉄工株式の評価は，

　　180円×2,000株＝360千円

となります。

〈ケース3〉── 個人間の売買

〈ケース2〉のB鉄工株式を個人間で，336千円で2,000株，8月25日に譲渡した場合

〈評価方法〉

個人間の売買により取得した場合も，その評価は，取得時における最終価格で評価します。

したがって，B鉄工株式の評価は，

　　180円×2,000株＝360千円

となります。

(2)　評価の特例

一般には，上場株式の評価は(1)の方法により行われますが，増資等による新株式割当，無償交付又は配当交付が行われた場合や，課税時期に当該株式の取引が行われなかった場合には，以下の評価の特例を採用して，「課税時期の最

終価格」及び「最終価格の月平均額」を求めます（評基通170～172）。

① 課税時期の最終価格の特例
イ　課税時期が，権利落又は配当落（以下，「権利落等」とします）の日から株式の割当て等の基準日までの間にある場合

　課税時期が，権利落等の日から株式の割当て，株式の無償交付又は配当金交付（以下，「株式の割当て等」とします）の基準日までの間にあるときは，その権利落等の日の前日以前の最終価格のうち，課税時期に最も近い日の最終価格をもって課税時期の最終価格とします。

　上場株式の取引が行われている場合に，株券及び代金の受渡しは取引が成立した日から4営業日目に決済が行われます。

　このため，権利落等の日以前から被相続人等が所有していた株式を，権利落等の日から株式の割当て等の基準日までの間に相続等により取得した場合には，その株式は新株引受権や配当期待権が付与されているものですから，権利落の状態で評価することは適当ではありません。

　そこで，権利落等の日から株式の割当等の基準日までの間に課税時期がある場合は，権利落等の日の前日以前の最終価格のうち，課税時期に最も近い日の最終価格によることとしたものです。

ロ　課税時期に最終価格がない場合

　課税時期に当該株式の取引がない場合や，日曜日等で取引のない場合には，課税時期の前日以前又は翌日以後の最終価格のうち，課税時期に最も近い日の最終価格（最も近い日が2ある場合には，その平均額）をもって評価します。

〈ケース４〉── 最終価格の特例

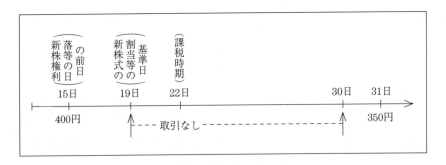

〈評価方法〉
　課税時期が新株式の割当て等の基準日後にありますので、最終価格は基準日の翌日以後の最終価格のうち、課税時期に最も近い31日の350円となります。
　なお、15日の400円の方が課税時期に近いのですが、権利落等の日以前の最終価格なので採用しません。

② 最終価格の月平均額の特例
　課税時期の属する月以前３か月間に権利落等があった場合には、３か月間の各月の毎日の最終価格の月平均額をそのまま採用することは適当ではない場合があります。
　すなわち、課税時期が新株式の割当ての基準日以前にある場合は、新株引受権含みで評価し、逆に基準日の翌日以後にある場合は、権利落後で評価しなければなりません。
　このような視点から、新株式の割当て等があった場合には、以下のようにして月平均額を求めます。

イ 課税時期が株式の割当て等の基準日以前である場合におけるその権利落等の日が属する月の最終価格の月平均額は、次のロに該当するものを除いて、その月の初日からその権利落等の日の前日（配当落の場合は、その月の末日）までの毎日の最終価格の平均額とします。

ロ 課税時期が株式の割当て等の基準日以前で、その権利落等の日が課税時期の属する月の初日以前である場合の課税時期の属する月の最終価格の月平均額は、次の算式によって計算した金額（配当落の場合は、課税時期の属する月の初日から末日までの毎日の最終価格の平均額）とします。

$$\begin{pmatrix} \text{課税時期の属す} \\ \text{る月の最終価格} \\ \text{の月平均額} \end{pmatrix} \times \begin{pmatrix} 1 + \begin{matrix} \text{株式1株に対す} \\ \text{る新株式の割当} \\ \text{数又は交付数} \end{matrix} \end{pmatrix} - \begin{pmatrix} \text{割当てを受けた新} \\ \text{株式1株につき払} \\ \text{い込むべき金額} \end{pmatrix} \times \begin{pmatrix} \text{株式1株に} \\ \text{対する新株} \\ \text{式の割当数} \end{pmatrix}$$

ハ 課税時期が株式の割当て等の基準日の翌日以後の場合のその権利落等の日が属する月の最終価格の月平均額は、その権利落等の日（配当落の場合はその月の初日）からその月の末日までの毎日の最終価格の平均額とします。

ニ 課税時期が株式の割当て等の基準日の翌日以後の場合のその権利落等の日が属する月の前月以前の各月の最終価格の月平均額は、次の算式によって計算した金額（配当落の場合は、その月の初日から末日までの毎日の最終価格の平均額）とします。

$$\begin{pmatrix} \begin{matrix} \text{その月の最終価} \\ \text{格の月平均額} \end{matrix} + \begin{matrix} \text{割当てを受けた新株式1株} \\ \text{につき払い込むべき金額} \end{matrix} \times \begin{matrix} \text{株式1株に対する} \\ \text{新株式の割当数} \end{matrix} \end{pmatrix} \div \begin{pmatrix} 1 + \begin{matrix} \text{株式1株に対する新株} \\ \text{式の割当数又は交付数} \end{matrix} \end{pmatrix}$$

以上、イ～ニの概要を図にまとめると以下のようになります。

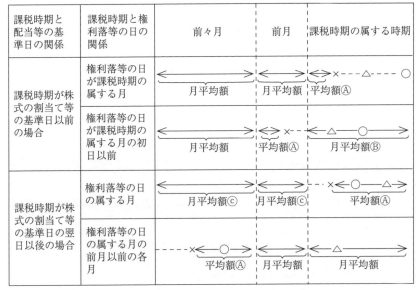

○新株式割当て等の基準日　△課税時期　×権利落等の日
Ⓐ　配当落の場合は月平均額　　Ⓑ　増資権利含みの水準に修正
Ⓒ　増資権利落後の水準に修正

2 登録銘柄及び店頭管理銘柄の評価方法

　登録銘柄，店頭管理銘柄の相続税評価額は，平成2年の通達の改正前には，課税時期の取引価格は，以下に述べる①～④のうち最も低い額と類似業種比準価額との折衷方式（2つの平均額と取引価格の低い方）によって評価していました。

　しかし，店頭管理銘柄の数や取引量が増える一方，上場株式と同様に，取引価格に基づく評価を行うことができる客観的な条件が整ってきたと認められましたので，上場株式に準じた方法によって評価します（評基通174(1)イ）。

　具体的には，以下の4つの額のうち最も低い金額によって評価します。

① 課税時期の取引価格
② 課税時期の属する月の取引価格の月平均額
③ 課税時期の属する月の前月の取引価格の月平均額
④ 課税時期の属する月の前々月の取引価格の月平均額

（注） 取引価格が高値と安値の双方について公表されている場合には，その平均額
ただし，負担付贈与，個人間の対価を伴う取引によって取得した場合には，上場株式同様，①のみで評価します（評基通174(1)ロ）。

（注1） 登録銘柄，店頭管理銘柄の毎日の取引価格は，「証券新聞」等に掲載されています。

（注2） 取引価格の月平均額は，日本証券業協会の「証券業報」に掲載されています。

（参考） 日刊新聞株式欄の見かた（上場株式）

東　京　第　一　部　　　○月○日（○曜日）

銘柄	始値	高値	安値	終値	前日比	売買高
水産・農林						
・A□□□	372	375	365	370	0	200
・B□□□	330	335	326	335	0	120
・C□□□	445	450	445	450	△5	186
・D□□□	313	313	310	310	▲2	280
・E□□□	295	295	280	280	▲10	7
・F□□□	267	268	266	266	▲2	22
・G□□□	2450	2450	2440	2450	0	11
鉱業						
・R△△△	411	415	401	415	▲3	98
・A○○○	688	705	688	705	▲2	90
・B○○○	450	450	450	450	△10	3
・C○○○	715	715	711	711	0	41
・D○○○	727	728	715	728	▲1	103
・E○○○	1010	1010	996	1010	0	209
・F○○○	835	846	835	846	△13	147
・G○○○	1770	1770	1770	1770	△10	11
・H○○○	934	941	933	940	△6	30
・I×××	583	584	570	584	0	158
・J×××	1840	1840	1820	1830	▲10	89
・K×××	1140	1150	1140	1150	△10	57
・L×××	969	969	961	961	▲3	14
・M×××	2170	2170	2120	2120	▲70	57
・N×××	834	834	820	820	-	5
・O×××	8290	8310	8210	8230	▲50	543
・P×××	302	398	385	390	▲2	99

始　　値……その日の最初の取引値（単位：1株当たり円）
高値，安値……その日の取引値のうちの最高値，最安値（単位：1株当たり円）
終　　値……その日の最後の取引値（単位：1株当たり円）この値を上場株式の評価に用います。
売　買　高……その日の取引数量（単位：千株）

③ 公開途上にある株式及び国税局長が指定する株式の評価方法

(1) 公開途上にある株式の評価方法

① 「公開途上にある株式」とは

以下の2種類の株式をいいます。

イ　金融商品取引所が株式の上場を承認したことを明らかにした日から上場の日の前日までの株式（登録銘柄を除く）

ロ　日本証券業協会が株式を登録銘柄として登録することを明らかにした日から登録の日の前日までの株式（店頭管理銘柄を除く）（評基通168(2)ロ）

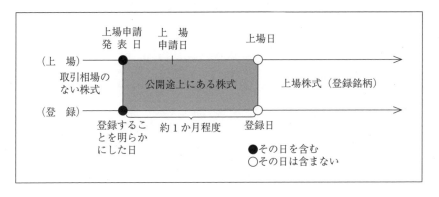

② 評価方法（評基通174(2)）

　イ　公募（注1）又は売出し（注2）がある場合＝「公開価格」（注3）
　ロ　公募又は売出しがない場合＝取引価格等を勘案した評価（注4）

（注1）　公募とは……新たな株式の発行を行って一般に株主を募ることをいいます。

（注2）　売出しとは……既存の株主が保有株を市場に放出することをいいます。

（注3）　「公開価格とは」……金融商品取引所又は日本証券業協会の内規によって行われるブックビルディング方式又は競争入札方式のいずれかの方式により決定

される公募等の価格をいいます。
（注4） 取引価格等を勘案した評価……例外的ケースと思われますが，この場合には，課税時期以前の取引価格等を勘案した個別評価となります。

4 取引相場のない株式の評価方法

(1) 会社規模の判定

① 概　　要

　取引相場のない株式を評価する場合にあたっては，まず会社の規模を判定しなければなりません。この会社の規模は，一定の基準に従って大会社，中会社，小会社の３つに区分されます。

② 会社の区分
イ　大　会　社
　① 判定方法
　大会社とは，次に掲げるもののうち，いずれかに該当する会社をいいます。
　(イ)　従業員数が70人以上である。
　(ロ)　従業員数が35人を超え，かつ，総資産価額（帳簿価額によって計算した金額）が15億円以上の会社（卸売業については20億円以上の会社）。
　(ハ)　直前期末１年間の取引金額が15億円以上の会社（卸売業については30億円以上の会社，小売・サービス業については20億円以上の会社）。
　② 計算方法
　大会社を評価する場合の計算方法は，次のとおりです。

$$\left.\begin{array}{l}\text{類似業種比準価額} \\ \text{純　資　産　価　額}\end{array}\right\}\text{のうち低い方の価額×所有株式数＝評価額}$$

ロ 中 会 社

卸 売 業	総資産価額が7千万円以上2億円未満で従業員数が5人超	総資産価額が2億円以上4億円未満で従業員数が20人超	総資産価額が4億円以上20億円未満で従業員数が35人超
	取引金額が2億円以上3億5千万円未満	取引金額が3億5千万円以上7億円未満	取引金額が7億円以上30億円未満
小　売サービス業	総資産価額が4千万円以上2億5千万円未満で従業員数が5人超	総資産価額が2億5千万円以上5億円未満で従業員数が20人超	総資産価額が5億円以上15億円未満で従業員数が35人超
	取引金額が6千万円以上2億5千万円未満	取引金額が2億5千万円以上5億円未満	取引金額が5億円以上20億円未満
上記以外の業種	総資産価額が5千万円以上2億5千万円未満で従業員数が5人超	総資産価額が2億5千万円以上5億円未満で従業員数が20人超	総資産価額が5億円以上15億円未満で従業員数が35人超
	取引金額が8千万円以上2億円未満	取引金額が2億円以上4億円未満	取引金額が4億円以上15億円未満
Lの割合	0.60	0.75	0.90

① 判定方法

中会社に該当するかどうかの判定は，上表に示すとおりです。

② 計算方法

中会社を評価する場合の計算方法は，次のとおりです。

$$\left[\left\{\begin{array}{l}類似業種比準価額\\純資産価額\end{array}\right\}のうち低い方の価額×Lの割合\right]$$

＋〔純資産価額（同族関係者の議決権割合が50％以下のときは「純資産価額×80％」）×（1－Lの割合）〕……Ⓐ

Ⓐ×所有株式数＝評価額

ハ 小 会 社

① 判定方法

小会社とは，大会社及び中会社以外の会社をいいます。

② 計算方法

小会社を評価する場合の計算方法は次のとおりです。

類似業種比準価額×0.5＋純資産価額(注)×0.5

　　　と

純資産価額(注)　のうち低い方の価額……Ⓐ

　（注）　同族関係者の議決権割合が50％以下のときは「純資産価額×80％」

　Ⓐ×所有株式数＝評価額

③　ま　と　め

会社規模の区分は，次のとおりです（イ・ロの区分のいずれか上位の区分となります）。

イ　純資産価額及び従業員数に応ずる会社規模の区分

直前期末の総資産価額（帳簿価額）及び直前期末以前1年間における従業員数に応ずる区分				会社規模とLの割合(中会社)の区分	
総資産価額（帳簿価額）			従業員数		
卸　売　業	小売・サービス業	卸売業,小売・サービス業以外			
20億円以上	15億円以上	15億円以上	35人超	大会社	
4億円以上 20億円未満	5億円以上 15億円未満	5億円以上 15億円未満	35人超	0.90	中会社
2億円以上 4億円未満	2億5,000万円以上 5億円未満	2億5,000万円以上 5億円未満	20人超 35人以下	0.75	
7,000万円以上 2億円未満	4,000万円以上 2億5,000万円未満	5,000万円以上 2億5,000万円未満	5人超 20人以下	0.60	
7,000万円未満	4,000万円未満	5,000万円未満	5人以下	小会社	

※　純資産価額と従業員数のいずれか下位の区分となります。

ロ 取引金額に応ずる会社規模の区分

直前期末以前1年間の取引金額に応ずる区分			会社規模とLの割合(中会社)の区分	
取 引 金 額				
卸 売 業	小売・サービス業	卸売業,小売・サービス業以外		
30億円以上	20億円以上	15億円以上	大会社	
7億円以上 30億円未満	5億円以上 20億円未満	4億円以上 15億円未満	0.90	中会社
3億5,000千万円以上 7億円未満	2億5,000千万円以上 5億円未満	2億円以上 4億円未満	0.75	
2億円以上 3億5,000千万円未満	6,000万円以上 2億5,000千万円未満	8,000万円以上 2億円未満	0.60	
2億円未満	6,000万円未満	8,000万円未満	小会社	

(2) 類似業種比準方式

① 概　　要

　類似業種比準方式とは，評価する会社の業種と類似する業種の株価等（比準要素として，類似業種の1株当たりの配当金額，利益金額，純資産価額の3要素を使います）に比準して計算するものです。

　なお，評価会社がどの業種に該当するかの判定は，国税局から公表されている「類似業種比準価額計算上の業種目及び業種別株価等」から選定します。

●参考　類似業種比準価額計算上の業種目及び業種目別株価等（平成29年分）

（単位：円）

業種目			番号	B 配当金額	C 利益金額	D 簿価純資産価額	A（株価）									
大分類							1月分					2月分				
	中分類						① 課税時期の属する月以前2年間の平均株価	② 前年平均株価	③ 課税時期の属する月の前々月	④ 課税時期の属する月の前月	⑤ 課税時期の属する月	① 課税時期の属する月以前2年間の平均株価	② 前年平均株価	③ 課税時期の属する月の前々月	④ 課税時期の属する月の前月	⑤ 課税時期の属する月
		小分類														
建設業			1	4.0	39	272	217	213	223	236	242	218	213	236	242	244
	総合工事業		2	3.5	39	245	216	212	223	236	241	218	212	236	241	241
		建築工事業（木造建築工事業を除く）	3	3.8	46	223	255	257	260	280	282	258	257	280	282	278
		その他の総合工事業	4	3.5	38	256	211	205	218	229	234	212	205	229	234	236

② 計算方法（評基通180）

　類似業種比準方式による金額の求め方は，次の算式によって計算した金額です。

$$\text{類似業種比準価額} = A \times \left(\frac{\frac{Ⓑ}{B} + \frac{Ⓒ}{C} + \frac{Ⓓ}{D}}{3} \right) \times \begin{matrix} 0.7 \text{（大会社）} \\ 0.6 \text{（中会社）} \\ 0.5 \text{（小会社）} \end{matrix}$$

　A……類似業種の株価

　類似業種の株価の求め方は，次の5つのうち，最も少ない金額とします。

(1) 課税時期の属する月の平均株価
(2) 課税時期の属する月の前月の平均株価
(3) 課税時期の属する月の前々月の平均株価
(4) 課税時期の属する年の前年の平均株価

(5) 課税時期の属する月以前2年間の平均株価

Ⓑ……評価会社の1株当たりの配当金額（評基通183(1)）

1株当たりの配当金額は、次の算式によって計算します。

$$\frac{(直前期の配当金額＋直前々期の配当金額)\times\frac{1}{2}}{資本金等の額÷50円}_{(注)}$$

(注) 1株当たりの資本金等の額が50円以外の金額である場合は、直前期末における資本金等の額を50円で除して計算した数によります。なお配当には、特別配当等は除かれます。

B……課税時期の属する年の類似業種の1株当たりの配当金額

「類似業種比準価額計算上の業種目及び業種目別株価等」に記載されています。

Ⓒ……評価会社の1株当たりの利益金額（評基通183(2)）

1株当たりの利益金額は、次の2つの算式により計算した金額のうち、いずれか少ない金額とします。

(1) $$\frac{直前期の法人税の課税所得金額}{資本金等の額÷50円}$$

(2) $$\frac{(直前期の法人税の課税所得金額＋直前々期の法人税の課税所得金額)\times\frac{1}{2}}{資本金等の額÷50円}$$

C……課税時期の属する年の類似業種の1株当たりの利益金額

「類似業種比準価額計算上の業種目及び業種目別株価等」に記載されています。

Ⓓ……評価会社の1株当たりの純資産価額（評基通183(3)）

1株当たりの純資産価額は、次の算式により計算した金額とします。

$$\frac{資本金等の額＋法人税法に規定する利益積立金額}{資本金等の額÷50円}$$

D……課税時期の属する年の類似業種の1株当たりの純資産価額

「類似業種比準価額計算上の業種目及び業種目別株価等」に記載されています。

●参　考

類似業種比準価額の計算上行う端数処理は，次のとおりです。

(1) $\dfrac{Ⓑ}{B}$，$\dfrac{Ⓒ}{C}$，$\dfrac{Ⓓ}{D}$ 及び $\left(\dfrac{Ⓑ}{B} + \dfrac{Ⓒ}{C} + \dfrac{Ⓓ}{D}\right) \times \dfrac{1}{3}$ については，それぞれ小数点以下２位未満の端数切捨て

(2) 最終的に算出された金額（50円当たり）については，10銭未満の端数切捨て

(3) 純資産価額方式

① 概　要

　純資産価額方式とは，課税時期における評価会社の資産及び負債を相続税評価額に置き換えて計算した場合における１株当たりの価額をいいます。

② 計算方法（評基通185）

　純資産価額の金額は，次の算式によって計算した金額とします。

$$1株当たりの純資産価額 \times \dfrac{(A-B) - \{(A-B) - (C-B)\} \times 37\%}{課税時期における発行済株式数}$$

　A……相続税評価額による総資産額

　　　　具体的には次の金額で評価します。

科　目	相　続　税　評　価　額
現　　　金	実際の残額
預　　　金	課税時期現在における既経過利息も計上します。 ただし，源泉徴収される所得税及び住民税の金額は除かれます。
受 取 手 形	課税時期より6か月以内に支払期限の到来しないものについては，割り引いた場合の回収可能額で評価します。
貸　付　金	課税時期現在における既経過利息も計上します。 ただし，回収不能額がある場合には，これをマイナスします。
前 払 費 用	財産性のないものは評価しません。
た な 卸 資 産	それぞれの相続税評価額によって計算した金額とします。
建　　　物	固定資産税評価額に一定の割合を乗じて計算した金額とします。 ただし，課税時期前3年以内に取得又は新築したものについては，課税時期の時価により評価します。
土　　　地	路線価方式等により計算した金額となります。 ただし，課税時期前3年以内に取得したものについては，課税時期の時価により評価します。
有 価 証 券	それぞれの相続税評価額によって計算した金額とします。
ゴルフ会員権	原則として，通常の取引価格の70％とします。
繰 延 資 産	財産性がないので評価しません。

　　B……帳簿価額による負債の金額

　　　　ただし，次に表示するものについては注意が必要です。

科　目	算　入　の　有　無
賞 与 引 当 金	確定したものでないので算入はしません。
納 税 充 当 金	算入しません。
未 払 税 金	期末現在における実際の未払額を算入します。
未 払 配 当 金	確定した配当金額のうち，課税時期において未払のものは算入します。

　　C……帳簿価額による総資産額

(4) 配当還元方式

① 概　　要

　　配当還元方式とは，同族株主等以外の株主及び同族株主等のうち少数の株式

を有している株主が取得した株式の評価につき適用する評価方法であり，その会社が大会社，中会社，小会社の区分にかかわらず，会社から支払われる配当金額に基づいて計算を行う評価方法です。

② 判定基準

配当還元方式で計算するか否かの判定は，それぞれ次のとおりです。

イ 同族株主がいる場合

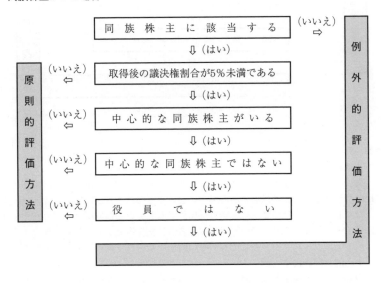

ロ　同族株主がいない場合

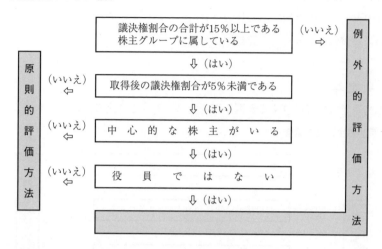

●参　考　用語の意義について
① 同族株主
　　同族株主とは，株主の１人及びその同族関係者の有する議決権の合計数がその会社の議決権総数の30％以上である場合におけるその株主及び同族関係者をいいます。
　　ただし，その会社の議決権総数の50％超を有している同族関係者が存在する場合には，その50％超を有している同族関係者が同族株主となり，他に30％以上を有している同族グループが存在しても，その同族グループは同族株主に該当しません。
② 中心的な同族株主
　　中心的な同族株主とは，同族株主のいる会社の株主で課税時期において同族株主の１人並びにその株主の配偶者，直系血族，兄弟姉妹及び１親等の姻族（これらの者の同族関係者である会社のうち，これらの者が有する議決権の合計数がその会社の議決権総数の25％以上である会社を含みます）の有する議決権の合計数がその会社の議決権総数の25％以上である場合におけるその株主をいいます。
③ 中心的な株主
　　中心的な株主とは，同族株主のいない会社の株主で，株主の１人及びその同族関係者の有する議決権の合計が15％以上である株主グループのうち，10％以上の議決権のある株式を単独で有している株主がいる場合におけるその単独で有している株主をいいます。

③ 計算方法（評基通188-2）

配当還元価額の金額は，次の算式により計算した金額とします。

$$\frac{\text{その株式に係る年配当金額}^{(注)}}{10\%} \times \frac{\text{その株式の1株当たりの資本金等の数}}{50円}$$

（注） 年配当金額

評価会社の直前期末以前2年間におけるその会社の剰余金の配当金額の合計額に2分の1を乗じた金額をいいます。

ただし，会社の剰余金の配当からは非経常的な配当を除きます。なお，1株当たりの年配当金額が2円50銭以下の場合には，その株式に係る年配当金額は2円50銭とします。

(5) 具体的な計算の方法（原則的評価方法）

それでは，具体的な計算事例を見ながら，評価方法を確認してみましょう。

① 原則的評価方法が適用される場合の評価事例

〈前 提 条 件〉

1　課税原因　本郷一郎（㈱本郷商事　代表取締役会長）の死亡
2　課税時期　平成29．8．25
3　会社の概況
　(1)　事業内容　衣料品小売業（100％）
　(2)　直前決算日　平成29．3．31（第19期）
　(3)　株主構成（平成29．8．25現在）

本郷太郎	（代表取締役社長）	7,000株
本郷花子	（社長の妻）	5,000株
本郷一郎	（社長の父）	3,000株
本郷　猛	（社長の長男）	2,000株
橋本龍之助	（社長の友人，取締役）	2,000株
田中次郎	（社長の友人，取締役）	1,000株
		20,000株

　※　本郷一郎の所有株3,000株は，全株を本郷太郎が相続。

(4) 役員・従業員等の状況

① 役員

氏　　　名	役　　職	入社年月日	退職年月日	年間労働時間等
本郷一郎Ⓐ	代表取締役会長	S60. 11. 1	—	いずれも常勤 （週40時間勤務）
本郷太郎Ⓑ	代表取締役社長	S61. 10. 8	—	
橋本龍之助Ⓒ	専務取締役	平元. 9. 1	—	
田中次郎Ⓓ	取締役営業部長	H2. 10. 1	—	
本郷花子Ⓔ	監査役	S61. 10. 8	—	

② 従業員

氏　　　名	役　　職	入社年月日	退職年月日	年間労働時間等
F	正社員 （週40時間勤務）	H8. 10. 1	—	2,050（h／年）
G		H9. 4. 1	—	1,780
H		H28. 2. 1	H28. 6. 31	780
I		H28. 8. 5	—	304

他30名（週40時間勤務，H19. 12. 30以前入社）

③ パート・アルバイト

氏　　　名	役　　職	入社年月日	退職年月日	年間労働時間等
J	契約社員 （週24時間勤務）	—	—	1,000
K	パート	—	—	1,200
L	アルバイト	—	—	700

(5) 財務状況及び法人税等申告の状況

① 財務状況

株式会社　本郷商事

貸 借 対 照 表

平成29年3月31日現在

資 産 の 部		負 債 の 部	
科　　目	金　　額	科　　目	金　　額
	円		円
【流 動 資 産】	【　176,744,000】	【流 動 負 債】	【　65,852,900】
現 金 及 び 預 金	52,219,000	買　　掛　　金	41,851,000
受　取　手　形	51,782,000	未　　払　　金	12,598,000
売　　掛　　金	44,664,000	預　　り　　金	4,614,000
商　　　　品	9,920,000	未 払 事 業 税	2,559,900
前　払　費　用	3,664,000	未 払 法 人 税 等	4,230,000
短　期　貸　付　金	15,597,000	【固 定 負 債】	【　241,241,100】
未　収　入　金	341,000	長 期 借 入 金	241,241,100
貸 倒 引 当 金	△1,443,000		
【固 定 資 産】	【　247,240,000】	負 債 の 部 合 計	307,094,000
（有形固定資産）	（　217,543,000）	純 資 産 の 部	
建　　　　物	77,088,000		
車 輌 運 搬 具	6,163,000	【株 主 資 本】	【　116,890,000】
工 具 器 具 備 品	4,032,000	（資　　本　　金）	（　10,000,000）
土　　　　地	130,260,000	資　　本　　金	10,000,000
（投資その他の資産）	（　29,697,000）	（利 益 剰 余 金）	（　106,890,000）
投 資 有 価 証 券	25,255,000	利 益 準 備 金	700,000
敷　　　　金	921,000	別 途 積 立 金	22,300,000
保 険 積 立 金	3,521,000	繰 越 利 益 剰 余 金	83,890,000
		純 資 産 の 部 合 計	116,890,000
資 産 の 部 合 計	423,984,000	負債及び純資産の部合計	423,984,000

株式会社　本郷商事

損 益 計 算 書

自　平成28年4月1日
至　平成29年3月31日

科　　目	金　　額　　（円）	
【売　上　高】		
売　　上　　高	647,672,000	647,672,000
【売　上　原　価】		
売　上　原　価	429,917,000	
合　　　　計	(429,917,000)	(429,917,000)
売 上 総 利 益		(217,755,000)
【販売費及び一般管理費】		167,098,000
営　業　利　益		(50,657,000)
【営業外収益】		
受　取　利　息	1,238,982	
雑　　収　　入	2,033,000	3,271,982
【営業外費用】		
支　払　利　息	15,470,000	
手　形　売　却　損	581,564	
雑　　損　　失	379,418	16,430,982
経　常　利　益		(37,498,000)
【特　別　利　益】		
投資有価証券売却益	28,679,900	28,679,900
【特　別　損　失】		
固定資産売却損	9,451,000	9,451,000
税引前当期純利益		(56,726,900)
法人税,住民税及び事業税		20,699,900
当　期　純　利　益		(36,027,000)

株式会社　本郷商事

販売費及び一般管理費

自　平成28年4月1日
至　平成29年3月31日

科　　目	金　　額　　（円）	
役　員　報　酬	167,098,000	
販売費及び一般管理費		(167,098,000)

株式会社　本郷商事

株主資本等変動計算書
自　平成28年4月1日　至　平成29年3月31日（単位：円）

	株主資本						純資産の部
	資本金	利益剰余金				株主資本	
		利益準備金	その他利益剰余金		利益剰余金		
			別途積立金	繰越利益剰余金			
前期末残高	10,000,000	500,000	22,300,000	50,063,000	72,863,000	82,863,000	82,863,000
当期変動額							
利益剰余金の配当		200,000		-2,200,000	-2,000,000	-2,000,000	-2,000,000
当期純損益金				36,027,000	36,027,000	36,027,000	36,027,000
当期変動額合計				33,827,000	34,027,000	34,027,000	34,027,000
当期末残高	10,000,000	700,000	22,300,000	83,890,000	106,890,000	116,890,000	116,890,000

株主資本等変動計算書に関する注記
(1) 発行済株式の種類及び総数並びに自己株式の種類及び株式数に関する事項

（単位：株）

	前期末株式数	当期末株式数	摘　要
発行済株式数			
普通株式	20,000	20,000	
合計	20,000	20,000	

(2) 配当に関する事項
　① 配当金支払額
　　平成28年5月25日の定時株主総会において次のとおり決議しています。
　　　配当金の総額　　　　　2,000,000円
　　　配当の原資　　　　　　利益剰余金
　　　1株当たり配当額　　　100円
　　　基準日　　　　　　　　平成28年3月31日
　　　効力発生日　　　　　　平成28年5月25日
　② 基準日が当期に属する配当のうち，配当の効力発生日が翌日となるもの
　　平成29年5月25日開催の定時株主総会において次の議案を付議いたします。
　　　配当金の総額　　　　　2,000,000円
　　　配当の原資　　　　　　利益剰余金
　　　1株当たりの配当額　　100円
　　　基準日　　　　　　　　平成29年3月31日
　　　効力発生日　　　　　　平成29年5月25日

基礎編／V　株式評価　127

② 法人税等申告の状況

納税地	東京都新宿区○○7-11-18 電話 03-1234-5678
(フリガナ)	カブシキカイシャホンゴウショウジ
法人名	株式会社本郷商事
(フリガナ)	ホンゴウ タロウ
代表者自署押印	本郷　太郎
代表者住所	東京都新宿区○○7-11-18
税務署	新宿税務署長殿
事業種目	衣服小売業
期末現在の資本金の額又は出資金の額	10,000,000円
売上金額	647百万円

申告書：平成28年4月1日～平成29年3月31日　事業年度分の法人税　確定申告書／課税事業年度分の地方法人税　確定申告書

この申告書による法人税額の計算

区分	行	金額
所得金額又は欠損金額（別表四「47の①」）	1	57,220,850
法人税額（54）又は（55）	2	12,717,480
法人税額の特別控除額	3	
差引法人税額（2）-（3）	4	12,717,480
連結納税の承認を取り消された場合等における既に控除された法人税額の特別控除額の加算額	5	
土地譲渡税額（別表三（二）「27」）	6	0
同上に対する税額（21）+（22）+（23）	7	0
課税留保金額（別表三（一）「4」）	8	0
同上に対する税額（別表三（一）「8」）	9	0
法人税額計（4）+（5）+（7）+（9）	10	12,717,480
仮装経理に基づく過大申告の更正に伴う控除法人税額	11	
控除税額（((10)-(11))と(18)のうち少ない金額）	12	189,750
差引所得に対する法人税額（10）-（11）-（12）	13	12,527,700
中間申告分の法人税額	14	8,724,600
差引確定／中間申告の場合はその法人税額（13）-（14）（マイナスの場合は、（28）へ記入）	15	3,803,700

区分	行	金額
所得税の額（別表六（一）「13」）	16	189,750
外国税額	17	
計（16）+（17）	18	189,750
控除した金額（12）	19	189,750
控除しきれなかった金額（18）-（19）	20	0
土地譲渡税額（別表三（二）「27」）	21	0
同上（別表三（二の二）「28」）	22	0
同上（別表三（三）「23」）	23	0
所得税額等の還付金額（20）	24	
中間納付額（14）-（13）	25	
欠損金の繰戻しによる還付請求税額	26	
計（24）+（25）+（26）	27	
この申告が修正申告である場合のこの申告前の所得金額	28	
この申告により納付すべき法人税額又は減少する還付請求税額	29	
欠損金又は災害損失金等の当期控除額	30	
翌期へ繰り越す欠損金又は災害損失金（別表七（一）「5の合計」）	31	

この申告書による地方法人税額の計算

区分	行	金額
課税標準法人税額（基準法人税額）「所得の金額に対する法人税額」（2）-（3）+（5）+（7）+（9）	32	12,717,480
課税留保金額に係る法人税額	33	
課税標準法人税額（32）+（33）	34	12,717,480
地方法人税額（58）	35	559,548
課税留保金額に係る地方法人税額（59）	36	
所得地方法人税額（35）+（36）	37	559,548
外国税額の控除額	38	
仮装経理に基づく過大申告の更正に伴う控除地方法人税額	39	
差引地方法人税額（37）-（38）-（39）	40	559,500
中間申告分の地方法人税額	41	396,000
差引確定／中間申告の場合はその地方法人税額、マイナスの場合は、（43）へ記入	42	163,500

この申告による還付金額（41）-（40）	43	
この申告が修正申告である場合のこの申告前の課税標準法人税額（68）	44	
この申告により納付すべき地方法人税額（69）	45	
課税標準法人税額（70）	46	0
この申告により納付すべきすべての地方法人税額（74）	47	0

剰余金・利益の配当（剰余金の分配）の金額：2,000,000
決算確定の日：平成29年5月25日

様式第一

平成　年　月　日	自平成 [2][8] 年 [4] 月 [1] 日
新宿 税務署長殿	至平成 [2][9] 年 [3] 月 [3][1] 日

事業年度分の適用額明細書
（当初提出分）・再提出分）

納　税　地	東都京新宿区〇〇7-11-18
	電話（　03)1234-5678
（フリガナ）	カブシキカイシャホンゴウショウジ
法　人　名	株式会社本郷商事

整理番号	
提出枚数	[1] 枚　うち [1] 枚目
事業種目	衣服小売業　業種番号 [4][3]
※税務署処理欄 提出年月日	平成 [ ] 年 [ ] 月 [ ] 日

法人番号													

期末現在の資本金の額又は出資金の額　　　十億　　百万　　千　　円
　　　　　　　　　　　　　　　　　　　[ ][ ][1][0][0][0][0][0][0][0]

所得金額又は欠損金額　　　　　　　　　十億　　百万　　千　　円
　　　　　　　　　　　　　　　　　　　[ ][ ][5][7][2][2][0][8][5][0]

租税特別措置法の条項	区分番号	適　用　額 十億　百万　千　円
第 42 条の3の2 第 1 項第 1 号	[0][0][3][8][0]	[ ][ ][ ][8][0][0][0][0][0][0]
第　　条　　第　　項第　　号		
第　　条　　第　　項第　　号		
第　　条　　第　　項第　　号		
第　　条　　第　　項第　　号		
第　　条　　第　　項第　　号		
第　　条　　第　　項第　　号		
第　　条　　第　　項第　　号		
第　　条　　第　　項第　　号		
第　　条　　第　　項第　　号		
第　　条　　第　　項第　　号		
第　　条　　第　　項第　　号		
第　　条　　第　　項第　　号		
第　　条　　第　　項第　　号		
第　　条　　第　　項第　　号		
第　　条　　第　　項第　　号		
第　　条　　第　　項第　　号		
第　　条　　第　　項第　　号		

基礎編／V 株式評価

同族会社等の判定に関する明細書

| 事業年度又は連結事業年度 | 28・4・1 ～ 29・3・31 | 法人名 | 株式会社本郷商事 |

別表二　平二十八・四・一以後終了事業年度又は連結事業年度分

同族会社の判定

項目		金額・割合
期末現在の発行済株式の総数又は出資の総額	1	内 20,000 株
(19)と(21)の上位3順位の株式数又は出資の金額	2	20,000
株式数等による判定 (2)/(1)	3	100.0 ％
期末現在の議決権の総数	4	内 20,000
(20)と(22)の上位3順位の議決権の数	5	
議決権の数による判定 (5)/(4)	6	％
期末現在の社員の総数	7	
社員の3人以下及びこれらの同族関係者の合計人数のうち最も多い数	8	
社員の数による判定 (8)/(7)	9	％
同族会社の判定割合 ((3)、(6)又は(9)のうち最も高い割合)	10	100.0

特定同族会社の判定

項目		割合
(21)の上位1順位の株式数又は出資の金額	11	
株式数等による判定 (11)/(1)	12	％
(22)の上位1順位の議決権の数	13	
議決権の数による判定 (13)/(4)	14	％
(21)の社員の1人及びその同族関係者の合計人数のうち最も多い数	15	
社員の数による判定 (15)/(7)	16	
特定同族会社の判定割合 ((12)、(14)又は(16)のうち最も高い割合)	17	

| 判定結果 | 18 | 特定同族会社／同族会社／非同族会社 |

判定基準となる株主等の株式数等の明細

順位		判定基準となる株主（社員）及び同族関係者		判定基準となる株主等との続柄	株式数又は出資の金額等			
株式数等	議決権数	住所又は所在地	氏名又は法人名		被支配会社でない法人株主等		その他の株主等	
					株式数又は出資の金額 19	議決権の数 20	株式数又は出資の金額 21	議決権の数 22
1		新宿区○○7-11-18	本郷　太郎	本人			株 7,000	
1		同上	本郷　花子	配偶者			5,000	
1		同上	本郷　一郎	父			3,000	
1		同上	本郷　猛	長男			2,000	
2		江東区○○1-1-1	橋本　龍之介	その他			2,000	
3		調布市○○1-1-1	田中　次郎	その他			1,000	

所得の金額の計算に関する明細書（簡易様式）

事業年度　28・4・1〜29・3・31
法人名　株式会社本郷商事
別表四（簡易様式）　平二十八・四・一以後終了事業年度分

区　分		総　額 ①	処　分	
			留　保 ②	社外流出 ③
当期利益又は当期欠損の額	1	36,027,000 円	34,027,000 円	配当 2,000,000 円 / その他
加算	損金経理をした法人税及び地方法人税（附帯税を除く。）	2	9,120,000	9,120,000	
	損金経理をした道府県民税（利子割を除く。）及び市町村民税	3	1,880,000	1,880,000	
	損金経理をした道府県民税利子割額	4			
	損金経理をした納税充当金	5	6,789,900	6,789,900	
	損金経理をした附帯税（利子税を除く。）、加算金、延滞金（延納分を除く。）及び過怠税	6			その他
	減価償却の償却超過額	7			
	役員給与の損金不算入額	8	6,794,200		その他　6,794,200
	交際費等の損金不算入額	9	0		その他　0
		10			
	次葉合計				
	小　計	11	24,584,100	17,789,900	6,794,200
減算	減価償却超過額の当期認容額	12			
	納税充当金から支出した事業税等の金額	13	3,580,000	3,580,000	
	受取配当等の益金不算入額（別表八（一）「13」又は「26」）	14			※
	外国子会社から受ける剰余金の配当等の益金不算入額（別表八（二）「26」）	15			※
	受贈益の益金不算入額	16			※
	適格現物分配に係る益金不算入額	17			※
	法人税等の中間納付額及び過誤納に係る還付金額	18			
	所得税額等及び欠損金の繰戻しによる還付金額等	19			※
		20			
	次葉合計				
	小　計	21	3,580,000	3,580,000	外※ 0 / 0
仮　計 (1)+(11)-(21)		22	57,031,100	48,236,900	外※ 0 / 8,794,200
関連者等に係る支払利子等の損金不算入額（別表十七（二の二）「25」又は「30」）		23			その他
超過利子額の損金算入額（別表十七（二の三）「10」）		24	△		※ △
仮　計 ((22)から(24)までの計)		25	57,031,100	48,236,900	外※ 0 / 8,794,200
寄附金の損金不算入額（別表十四（二）「24」又は「40」）		26			その他
法人税額から控除される所得税額（別表六（一）「13」）		29	189,750		その他　189,750
税額控除の対象となる外国法人税の額（別表六（二の二）「7」）		30			その他
合　計 (25)+(26)+(29)+(30)		33	57,220,850	48,236,900	外※ 0 / 8,983,950
契約者配当の益金算入額（別表九（一）「13」）		34			
非適格合併又は残余財産の全部分配等による移転資産等の譲渡利益額又は譲渡損失額		36			※
差　引　計 (33)+(34)+(36)		37	57,220,850	48,236,900	外※ 0 / 8,983,950
欠損金又は災害損失金等の当期控除額（別表七（一）「4の計」＋（別表七（三）「9」又は「21」））		38	△		※ △
総　計 (37)+(38)		39	57,220,850	48,236,900	外※ 0 / 8,983,950
新鉱床探鉱費又は海外新鉱床探鉱費の特別控除額（別表十（三）「43」）		40	△		※ △
残余財産の確定の日の属する事業年度に係る事業税の損金算入額		46	△	△	
所得金額又は欠損金額		47	57,220,850	48,236,900	外※ 0 / 8,983,950

基礎編／Ⅴ 株式評価

利益積立金額及び資本金等の額の計算に関する明細書

| 事業年度 | 28・4・1 〜 29・3・31 | 法人名 | 株式会社本郷商事 |

別表五(一) 平二十八・四・一以後終了事業年度分

Ⅰ 利益積立金額の計算に関する明細書

区分		期首現在利益積立金額 ①	当期の増減 減 ②	当期の増減 増 ③	差引翌期首現在利益積立金額 ①−②+③ ④
利益準備金	1	500,000円	円	200,000円	700,000円
別途積立金	2	22,300,000			22,300,000
	3				
	4				
	5				
	6				
	7				
	8				
	9				
	10				
	11				
	12				
	13				
	14				
	15				
	16				
	17				
	18				
	19				
	20				
	21				
	22				
	23				
	24				
次葉合計	25				
繰越損益金（損は赤）	26	50,063,000	50,063,000	83,890,000	83,890,000
納税充当金	27	17,100,000	17,100,000	6,789,900	6,789,900
未納法人税等（退職年金等積立金に対するものを除く。） 未納法人税、未納地方法人税及び未納復興特別法人税（附帯税を除く。）	28	△ 11,250,000	△ 20,370,000	中間 △ 9,120,000 確定 △ 3,967,200	△ 3,967,200
未納道府県民税（均等割額及び利子割額を含む。）	29	△ 2,270,000	△ 4,150,000	中間 △ 1,880,000 確定 △ 262,800	△ 262,800
未納市町村民税（均等割額を含む。）	30	△ 0	△	中間 △ 確定 △	△ 0
差引合計額	31	76,443,000	42,643,000	75,649,900	109,449,900

Ⅱ 資本金等の額の計算に関する明細書

区分		期首現在資本金等の額 ①	当期の増減 減 ②	当期の増減 増 ③	差引翌期首現在資本金等の額 ①−②+③ ④
資本金又は出資金	32	10,000,000円	円	円	10,000,000円
資本準備金	33				
	34				
	35				
差引合計額	36	10,000,000			10,000,000

租税公課の納付状況等に関する明細書

| 事業年度 | 28・4・1 ～ 29・3・31 | 法人名 | 株式会社本郷商事 |

別表五(二) 平二十八・四・一以後終了事業年度分

税目及び事業年度			期首現在未納税額 ①	当期発生税額 ②	当期中の納付税額			期末現在未納税額 ①+②-③-④-⑤ ⑥
					充当金取崩しによる納付 ③	仮払経理による納付 ④	損金経理による納付 ⑤	
法人税及び地方法人税 復興特別法人税	・ ・	1		円		円	円	円
	平27・4・1 平28・3・31	2	11,250,000		11,250,000			0
	当期分 中間	3		9,120,000			9,120,000	0
	当期分 確定	4		3,967,200				3,967,200
	計	5	11,250,000	13,087,200	11,250,000		9,120,000	3,967,200
道府県民税	・ ・	6						
	平27・4・1 平28・3・31	7	2,270,000		2,270,000			0
	利子割	8						
	当期分 中間	9		1,880,000			1,880,000	0
	当期分 確定	10		262,800				262,800
	計	11	2,270,000	2,142,800	2,270,000		1,880,000	262,800
市町村民税	・ ・	12						
	・ ・	13						
	当期分 中間	14						
	当期分 確定	15						
	計	16						
事業税	・ ・	17						
	平27・4・1 平28・3・31	18		3,580,000	3,580,000			0
	当期中間分	19		2,910,000			2,910,000	0
	計	20		6,490,000	3,580,000		2,910,000	0
その他 損金算入のもの	利子税	21						
	延滞金(延納に係るもの)	22						
	固定資産税	23		3,500,000	3,500,000			0
		24						
損金不算入のもの	加算税及び加算金	25						
	延滞税	26						
	延滞金(延納分を除く。)	27						
	過怠税	28						
	源泉所得税	29		189,750			189,750	0
		30						

納税充当金の計算

期首納税充当金	31	17,100,000	その他	損金算入のもの	37	円
繰入額 損金経理をした納税充当金	32	6,789,900	取崩額	損金不算入のもの	38	
	33				39	
計 (32)+(33)	34	6,789,900		仮払税金消却	40	
取崩額 法人税額等 (5の③)+(11の③)+(16の③)	35	13,520,000		計 (35)+(36)+(37)+(38)+(39)+(40)	41	17,100,000
事業税 (20の③)	36	3,580,000	期末納税充当金 (31)+(34)-(41)		42	6,789,900

基礎編／Ⅴ　株式評価　133

③ 所得税額の控除に関する明細書

| 事業年度 | 28・4・1 〜 29・3・31 | 法人名 | 株式会社本郷商事 |

別表六(一)　平二十八・四・一以後終了事業年度分

平成28年1月1日前に支払を受ける利子及び配当等に係る所得税額の控除に関する明細

区　分		収　入　金　額 ①	①について課される所　得　税　額 ②	②のうち控除を受ける所　得　税　額 ③
		円	円	円
預貯金の利子及び合同運用信託の収益の分配	1	1,238,982	189,750	189,750
公 社 債 の 利 子 等	2			
剰余金の配当、利益の配当、剰余金の分配及び金銭の分配（みなし配当等を除く。）	3			
集団投資信託（合同運用信託を除く。）の　収　益　の　分　配	4			
そ　　の　　他	5			
計	6	1,238,982	189,750	189,750

平成28年1月1日以後に支払を受ける利子及び配当等に係る所得税額の控除に関する明細

区　分		収　入　金　額 ①	①について課される所　得　税　額 ②	②のうち控除を受ける所　得　税　額 ③
		円	円	円
公社債及び預貯金の利子、合同運用信託、公社債投資信託及び公社債等運用投資信託の収益の分配並びに特定目的信託の社債的受益権の金銭の分配	7			
剰余金の配当、利益の配当、剰余金の分配及び金銭の分配（みなし配当等を除く。）	8			
集団投資信託（合同運用信託、公社債投資信託及び公社債等運用投資信託を除く。）の収益の分配	9			
割 引 債 の 償 還 差 益	10			
そ　　の　　他	11			
計	12			
当期において控除を受ける所得税額 (6の③)＋(12の③)	13			189,750 円

① 交際費等の損金算入に関する明細書　事業年度 28・4・1〜29・3・31　法人名 株式会社本郷商事　別表十五 平二十八・四・一以後終了事業年度分

支出交際費等の額 (8の計)	1	1,750,000 円	損金算入限度額 (2)又は(3)	4	1,750,000 円
支出接待飲食費損金算入基準額 (9の計)× 50/100	2	0	損金不算入額 (1)-(4)	5	0
中小法人等の定額控除限度額 〔(1)の金額又は800万円× 12/12 相当額のうち少ない金額〕	3	1,750,000			

支 出 交 際 費 等 の 額 の 明 細

科　目	支 出 額	交際費等の額から控除される費用の額	差引交際費等の額	(8)のうち接待飲食費の額
	6	7	8	9
	円	円	円	円
交 際 費	1,750,000		1,750,000	
計	1,750,000		1,750,000	

基礎編／Ⅴ　株式評価　135

均等割額の計算に関する明細書

事業年度又は連結事業年度: 平成28年4月1日から平成29年3月31日まで
法人名: 株式会社本郷商事

第六号様式別表四の三（平成二十四年六月改正）

事務所、事業所又は寮等（事務所等）の従業者数の明細

東京都内における主たる事務所等の所在地	事務所等を有していた月数	従業者数の合計数
新宿区 ○○ 7丁目11番18号 市（町村）	12月	41人

特別区内における従たる事務所等

	所在地	名称（外箇所）	月数	従業者数の合計数
1	千代田区			
2	中央区			
3	港区			
4	新宿区			
5	文京区			
6	台東区			
7	墨田区			
8	江東区			
9	品川区			
10	目黒区			
11	大田区			
12	世田谷区			
13	渋谷区			
14	中野区			
15	杉並区			
16	豊島区			
17	北区			
18	荒川区			
19	板橋区			
20	練馬区			
21	足立区			
22	葛飾区			
23	江戸川区			
	合計（主たる事務所等の従業者数の合計数を含む。）			41

市町村の存する区域内における従たる事業所等

名称（外箇所）	所在地 市町村

当該事業年度又は連結事業年度（算定期間）中の従たる事業所等の設置・廃止及び主たる事業所等の異動

異動区分	異動の年月日	名称	所在地
設置	平成 年 月 日		
廃止			
旧の主たる事務所等	(月)		

均等割額の計算

区分		税率（年額）(イ)	月数(ロ)	区数(ハ)	税額計算 (イ)×(ロ)÷12)×(ハ)
主たる事務所等所在の特別区	事務所等の従業者数50人超 ①	円	月		0,0 円
特別区のみに事務所等を有する場合	事務所等の従業者数50人以下 ②	70000	12		700,0,0
従たる事務所等所在の特別区	事務所等の従業者数50人超 ③				0,0
	事務所等の従業者数50人以下 ④				0,0
特別区と市町村に事務所等を有する場合	道府県分 ⑤				0,0
	事務所等の従業者数50人超 ⑥				0,0
特別区（市町村分）	事務所等の従業者数50人以下 ⑦				0,0
納付すべき均等割額 ①+②+③+④ 又は ⑤+⑥+⑦ ⑧					700,0,0

備考

基礎編／V 株式評価 **137**

法人名	株式会社本郷商事	事業年度又は連結事業年度	平成 25 年 6 月 1 日から 平成 26 年 5 月 31 日まで

利子割額の控除・充当・還付に関する明細書

区　　分		収入金額 ①	①について課された利子割額 ②	②のうち控除・充当・還付を受ける利子割額 ③
預貯金の利子及び合同運用信託の収益の分配	1	1,265,000 円	63,250 円	63,250 円
公 社 債 の 利 子	2			
投 資 信 託 の 収 益 の 分 配	3			
そ　　の　　他	4			
計	5	1,265,000	63,250	63,250

公社債の利子又は投資信託の収益の分配に係る控除・充当・還付を受ける利子割額の計算

	銘柄	収入金額 ④	④について課された利子割額 ⑤	公社債利子等の計算基礎期間 ⑥	⑥のうち元本所有期間 ⑦	所有期間割合 ⑦/⑥（小数点以下3位未満切上げ）⑧	控除・充当・還付を受ける利子割額 ⑤×⑧ ⑨
個別法による場合		円	円	月	月		円

	銘柄	収入金額 ⑩	⑩について課された利子割額 ⑪	公社債利子等の計算期末の所有元本数 ⑫	公社債利子等の計算期首の所有元本数 ⑬	⑫-⑬ 2 又は12 （負の場合は零とする。）⑭	所有元本割合 ⑬+⑭ ⑫ （小数点以下3位未満切上げ、1を超える場合は1とする）⑮	控除・充当・還付を受ける利子割額 ⑪×⑮ ⑯
銘柄別簡便法による場合	都道府県別内訳	円	円					円
	都道府県別内訳							
	都道府県別内訳							
	都道府県別内訳							
	都道府県別内訳							
	都道府県別内訳							

(6) 前々期及び前々期の前期に関する事項

(単位：千円)

	配当金	利益金額	純資産価額
前 々 期	2,000	51,870 (15,600)	86,443
前々期の前期	2,000	25,242	―

（注）　配当金には非経常的なものはなく、利益金額のカッコ書は固定資産売却益の額

(7) その他相続税評価の計算上考慮すべき事項

① 受取手形は全部6か月以内に回収するものです。

② 商品の相続税評価額は帳簿価額と同一とします。

③ 前払費用は全額損害保険料の未経過分です。

④ 建物の相続税評価額は68,500千円であり、土地は、521,500千円とし、その他の固定資産については、帳簿価額と同一とします。

⑤ 投資有価証券は、全て上場株式であり、その相続税評価額は、85,690千円とします。

⑥ 保険積立金は、一時払いの養老保険で、課税時期における解約返戻金は4,631千円です。

⑦ 長期借入金は全て社長からの借入金です。

基礎編／Ⅴ　株式評価　139

②　評価明細書の具体的記載例

イ　評価明細書（第1表の記入例）

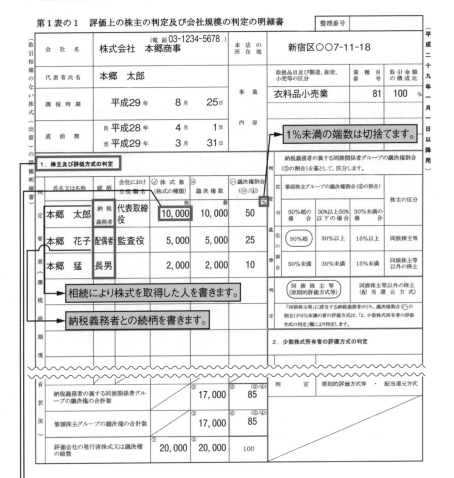

株式数は，所有していた株式数7,000株に，相続により取得した株式数3,000株を加算した10,000株となります。

法人税申告書別表二の判定基準となる株主等の株式数等の明細を参考とし，株式を取得した者とその同族関係者を書きます。

第1表の2　評価上の株主の判定及び会社規模の判定の明細書（続）　会社名 株式会社 本郷商事

3．会社の規模（Lの割合）の判定

項目	金額	項目	人数
直前期末の総資産価額（帳簿価額）	425,427 千円	直前期末以前1年間における従業員数	35.22 人
直前期末以前1年間の取引金額	647,672 千円	従業員数の内訳　継続勤務従業員数 (A) 33人 + 継続勤務従業員以外の従業員の労働時間の合計時間数 (B) 3,984.00時間 / 1,800時間	

㋺ 直前期末以前1年間における従業員数に応ずる区分　70人以上の会社は、大会社（㋑及び㋺は不要）
70人未満の会社は、㋑及び㋺により判定

㋑ 直前期末の総資産価額（帳簿価額）及び直前期末以前1年間における従業員数に応ずる区分　　㋺ 直前期末以前1年間の取引金額に応ずる区分

総資産価額（帳簿価額）			従業員数	取引金額			会社規模とLの割合（中会社）の区分	
卸売業	小売・サービス業	卸売業、小売・サービス業以外		卸売業	小売・サービス業	卸売業、小売・サービス業以外		
20億円以上	15億円以上	15億円以上	35人超	30億円以上	20億円以上	15億円以上	大会社	
4億円以上20億円未満	5億円以上15億円未満	5億円以上15億円未満	35人超	7億円以上30億円未満	5億円以上20億円未満	4億円以上15億円未満	0.90	中
2億円以上4億円未満	2億5,000万円以上5億円未満	2億5,000万円以上5億円未満	20人超35人以下	3億5,000万円以上7億円未満	2億5,000万円以上5億円未満	2億円以上4億円未満	0.75	会
7,000万円以上2億円未満	4,000万円以上2億5,000万円未満	5,000万円以上2億5,000万円未満	5人超20人以下	2億円以上3億5,000万円未満	6,000万円以上2億5,000万円未満	8,000万円以上2億円未満	0.60	社
7,000万円未満	4,000万円未満	5,000万円未満	5人以下	2億円未満	6,000万円未満	8,000万円未満	小会社	

・「会社規模とLの割合（中会社）の区分」欄は、㋑欄の区分（「総資産価額（帳簿価額）」と「従業員数」とのいずれか下位の区分）と㋺欄（取引金額）の区分とのいずれか上位の区分により判定します。

判定	大会社	中会社			小会社
		Lの割合			
		0.90	0.75	0.60	

株式会社　本郷商事

損益計算書　自 平成28年4月1日　至 平成29年3月31日

科目	金額		
【純売上高】			円
売上高		647,672,000	647,672,000 　D
【売上原価】			
売上原価	429,917,000		
合計		(429,917,000)	(429,917,000)
売上総利益			(217,755,000)

株式会社 本郷商事

貸借対照表

資産の部		科
科　目	金　額	
	円	
【流動資産】	【　176,744,000	【流動
現金及び預金	52,219,000	買
受取手形	51,782,000	未
売掛金	44,664,000	預
商品	9,920,000	未払
前払費用	3,664,000	未払金
短期貸付金	15,597,000	【固定
未収入金	341,000	長期
貸倒引当金	△1,443,000	
(投資その他の資産)	(　29,697,000)	(利益剰
投資有価証券	25,255,000	利益
敷金	921,000	別途
保険積立金	3,521,000	繰越利
		純資産
資産の部合計	423,984,000　Ⓒ	負債及び純

（※　貸倒引当金控除前）

〔貸借対照表関係〕
減価償却累計額　　　　　　41,417,000 円

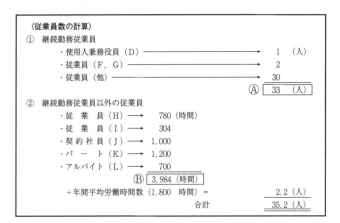

Ⓒ　各資産の帳簿価額の合計額，固定資産の償却額を間接法によっているときはその合計額から減価償却累計額を控除した金額，また，貸倒引当金を控除している場合にはその金額を加算した金額

Ⓓ　その期間における評価会社の目的とする事業に係る収入金額

ロ 評価明細書（第2表の記入例）

第2表　特定の評価会社の判定の明細書

会社名　株式会社　本郷商事

（平成二十九年一月一日以降用）

（取引相場のない株式（出資）の評価明細書）

1．比準要素数1の会社

判定要素						判定基準		
(1)直前期末を基とした判定要素			(2)直前々期末を基とした判定要素			①欄のいずれか2の判定要素が0であり、かつ、②欄のいずれか2以上の判定要素が0		
第4表の⑬の金額	第4表の⑭の金額	第4表の⑮の金額	第4表の⑬の金額	第4表の⑭の金額	第4表の⑮の金額	である（該当）・でない（非該当）		
円銭	円	円	円銭	円	円	判定	該当	㊀非該当㊁
10 00	185	597	10 00	153	432			

2．株式保有特定会社

判定要素			判定基準		
総資産価額（第5表の①の金額）	株式及び出資の価額の合計額（第5表の⑦の金額）	株式保有割合（②／①）	③の割合が50％以上である		③の割合が50％未満である
① 千円	② 千円	③ ％			
865,960	85,690	10	判定	該当	㊀非該当㊁

3．土地保有特定会社

判定要素			会社の規模の判定
総資産価額（第5表の①の金額）	土地等の価額の合計額（第5表の⑧の金額）	土地保有割合（⑤／④）	（該当する文字を○で囲んで表示します。）
④ 千円	⑤ 千円	⑥ ％	
865,960	521,500	60	大会社・中会社・小会社

小会社（総資産価額（帳簿価額）が次の基準に該当する会社）
・卸売業　　　　　　20億円以上
・小売・サービス業　15億円以上
・上記以外の業種　　15億円以上

・卸売業　　　　　　7,000万円以上20億円未満
・小売・サービス業　4,000万円以上15億円未満
・上記以外の業種　　5,000万円以上15億円未満

判定基準	会社の規模	大会社		中会社		小会社	
	⑥の割合	70％以上	70％未満	90％以上	90％未満	70％以上	70％未満	90％以上	90％未満
判定		該当	非該当	該当	㊀非該当㊁	該当	非該当	該当	非該当

4．開業後3年未満の会社等

(1)開業後3年未満の会社

判定要素	判定基準	
開業年月日　平成14年4月1日	課税時期において開業後3年未満である	課税時期において開業後3年未満でない
	判定　該当	㊀非該当㊁

(2)比準要素数0の会社

判定要素	直前期末を基とした判定要素			判定基準	
	第4表の⑬の金額	第4表の⑭の金額	第4表の⑮の金額	直前期末を基とした判定要素がいずれも0である（該当）・でない（非該当）	
	円銭	円	円	判定	該当	㊀非該当㊁
	10 00	185	597		

5．開業前又は休業中の会社

開業前の会社の判定	休業中の会社の判定
該当　㊀非該当㊁	該当　㊀非該当㊁

6．清算中の会社

判定	
該当	㊀非該当㊁

7．特定の評価会社の判定結果

1．比準要素数1の会社　　2．株式保有特定会社
3．土地保有特定会社　　　4．開業後3年未満の会社等
5．開業前又は休業中の会社　6．清算中の会社

該当する番号を○で囲んでください。なお、上記の「1．比準要素数1の会社」欄から「6．清算中の会社」欄の判定において2以上に該当する場合には、後の番号の判定によります。

基礎編／Ⅴ 株式評価 143

第5表 1株当たりの純資産価額(相続税評価額)の計算明細書

会社名 株式会社 本郷商事

平成二十九年一月一日以降用

1．資産及び負債の金額(課税時期現在)

資産の部				負債の部			
科目	相続税評価額	帳簿価額	備考	科目	相続税評価額	帳簿価額	備考
	千円	千円			千円	千円	
現金及び預金	52,219	52,219		買掛金	41,851	41,851	
受取手形	51,782	51,782		未払金	12,598	12,598	
売掛金	44,664	44,664		預り金	4,614	4,614	
商品	9,920	9,920		未払事業税	2,559	2,559	
前払費用	0	0		未払法人税	3,967	3,967	
短期貸付金	15,597	15,597		未払都道府県民税	262	262	
未収入金	341	341		未払市町村民税	0	0	
建物	68,500	77,088		長期借入金	241,241	241,241	
車両運搬具	6,163	6,163		未払配当金	2,000	2,000	
合計	① 865,960	② 421,763		合計	③ 309,092	④ 309,092	
株式及び出資の価額の合計額	⑦ 85,690	25,255					
土地等の価額の合計額	521,500						
現物出資等受入れ資産の価額の合計額							

第4表 類似業種比準価額等の計算明細書

会社名 株式会社 本郷商事

平成二十九年一月一日以降用

1．1株当たりの資本金等の額等の計算	直前期末の資本金等の額 ①	直前期末の発行済株式数 ②	直前期末の自己株式数	1株当たりの資本金等の額を50円とした場合の発行済株式数 (①÷50円)	
	10,000 千円	20,000 株	500 株	200,000 株	

2 比準要素等の金額の計算		直前期末以前2(3)年間の年平均配当金額				比準要素数1の会社・比準要素数0の会社の判定要素の金額	
1株(50円)当たりの年配当金額	事業年度	⑥年配当金額	⑦左のうち非経常的な配当金額	⑧差引経常的な配当金額(⑥−⑦)	年平均配当金額		円 銭
		千円	千円	千円		⑨	10 0
	直前期	2,000		2,000	(⑨+⑩)÷2 2,000		円 銭
		千円	千円	千円		⑩	10
	直前々期	2,000		2,000		1株(50円)当たりの年配当金額	円 銭
	直前々期の前期	千円 2,000	千円	千円 2,000	(⑩+⑪)÷2 2,000	⑧	10 00

1株(50円)当たりの年利益金額		直前期末以前2(3)年間の利益金額				比準要素数1の会社・比準要素数0の会社の判定要素の金額	
	事業年度	⑫法人税の課税所得金額	⑬非経常的な利益金額	⑭受取配当等の益金不算入額	⑮左の所得税額	⑯損金算入した繰越欠損金の控除額	⑰差引利益金額(⑫−⑬+⑭−⑮+⑯)
		千円	千円	千円	千円	千円	185
	直前期	57,220	19,228			37,992	又は(⑤+⑥)÷2 153
	直前々期	51,870	15,600			36,270	1株(50円)当たりの年利益金額
	直前々期の前期	25,242				25,242	ⓒ 185

1株(50円)当たりの純資産価額		直前期末(直前々期末)の純資産価額			比準要素数1の会社・比準要素数0の会社の判定要素の金額	
	事業年度	⑱資本金等の額	⑲利益積立金額	⑳純資産価額(⑱+⑲)		597 円
		千円	千円	千円		432 円
	直前期	10,000	109,449	119,449	1株(50円)当たりの純資産価額	
	直前々期	10,000	76,443	86,443	ⓓ 597 円	

ハ　評価明細書（第5表の記入例）

第5表　1株当たりの純資産価額（相続税評価額）の計算明細書

会社名　株式会社本郷商事

（取引相場のない株式（出資）の評価明細書）

（平成二十九年一月一日以降用）

1. 資産及び負債の金額（課税時期現在）

資産の部				負債の部			
科　目	相続税評価額	帳簿価額	備考	科　目	相続税評価額	帳簿価額	備考
	千円	千円			千円	千円	
現金及び預金	52,219	52,219		買掛金	41,851	41,851	
受取手形	51,782	51,782		未払金	12,598	12,598	
売掛金	44,664	44,664		預り金	4,614	4,614	
商品	9,920	9,920		未払事業税	2,559	2,559	
前払費用	0	0		未払法人税	3,967	3,967	
短期貸付金	15,597	15,597		未払都道府県民税	262	262	
未収入金	341	341		未払市町村民税	0	0	
建物	68,500	77,088		長期借入金	241,241	241,241	
車両運搬具	6,163	6,163		未払配当金	2,000	2,000	
工具器具備品	4,032	4,032		貸倒引当金	0	0	
土地	521,500	130,260					
投資有価証券	85,690	25,255					
敷金	921	921					
保険積立金	4,631	3,521					
合計	① 865,960	② 421,763		合計	③ 309,092	④ 309,092	
株式及び出資の価額の合計額	㋑ 85,690	㋺ 25,255					
土地等の価額の合計額	㋩ 521,500						
現物出資等受入れ資産の価額の合計額	㊁	㋭					

2. 評価差額に対する法人税額等相当額の計算

相続税評価額による純資産額（①-③）	⑤ 556,868 千円
帳簿価額による純資産額（(②+㋭-㋺)-④）、マイナスの場合は0）	⑥ 112,671 千円
評価差額に相当する金額（⑤-⑥、マイナスの場合は0）	⑦ 444,197 千円
評価差額に対する法人税額等相当額（⑦×40%）	⑧ 164,352 千円

3. 1株当たりの純資産価額の計算

課税時期現在の純資産価額（相続税評価額）（⑤-⑧）	⑨ 392,516 千円
課税時期現在の発行済株式数（第1表の1の①-自己株式数）	⑩ 20,000 株
課税時期現在の1株当たりの純資産価額（相続税評価額）（⑨÷⑩）	⑪ 19,625 円
同族株主等の議決権割合（第1表の1の⑤の割合）が50%以下の場合（⑪×80%）	⑫ 円

基礎編／Ⅴ　株式評価　145

課税時期時点の回収期限がすべて6か月以内に到来するため券面額による評価

株式及び出資の相続税評価額の合計額を記載します。

土地及び土地の上に存する権利（借地権等）の相続税評価額（3年以内取得の土地等があれば通常取引価額）の合計額を記載します。

会計上計上した未払税金（納税充当金，消費税）の評価額，帳簿価額
各申告書から記載します。

個別注記表から記載します。

二 評価明細書（第4表の記入例）

第4表 類似業種比準価額等の計算明細書

会社名 株式会社 本郷商事

1. 1株当たりの資本金等の額等の計算

直前期末の資本金等の額 ①	直前期末の発行済株式数 ②	直前期末の自己株式数 ③	1株当たりの資本金等の額 ④ (①÷(②−③))	1株当たりの資本金等の額を50円とした場合の発行済株式数 ⑤ (①÷50円)
10,000 千円	20,000 株	株	500 円	200,000 株

→ 登記簿謄本より記載します。

2. 比準要素等の計算 — 直前期末以前2(3)年間の年平均配当金額

事業年度	⑥年配当金額	⑦左のうち非経常的な配当金額	⑧差引経常的な年配当金額(⑥−⑦)	年平均配当金額	比準要素数1の会社・比準要素数0の会社の判定要素の金額
直前期	2,000 千円	千円	2,000 千円	(Ⓐ+Ⓑ)÷2 = 2,000 千円	⑨/⑤ 10 円 0 銭
直前々期	2,000 千円	千円	2,000 千円	(Ⓑ+Ⓒ)÷2 = 2,000 千円	⑩/⑤ 10 円 0 銭
直前々々期	2,000 千円	千円	2,000 千円		1株(50円)当たりの年配当金額 ⑨ 10 円 00 銭

各期の配当金額を記載します。

② 基準日が当期に属する配当のうち、配当の効力発生日が翌日となるもの
平成28年5月25日開催の定時株主総会において次の議案を付議いたします。
　配当金の総額　　　2,000,000円
　配当の原資　　　　利益剰余金
　1株当たりの配当額　100円
　基準日　　　　　　平成28年3月31日
　効力発生日　　　　平成28年5月25日

直前期末以前2(3)年間の利益金額

事業年度	⑪法人税の課税所得金額	⑫非経常的な利益金額	⑬受取配当等の益金不算入額	⑭左の所得税額	⑮損金算入した繰越欠損金の控除額	⑯差引経常的利益金額(⑪−⑫+⑬−⑭+⑮)	比準要素数1の会社・比準要素数0の会社の判定要素の金額
直前期	57,220 千円	19,228 千円	千円	千円	千円	37,992 千円	Ⓐ又は(⑯+⑰)÷2 / ⑤ = 185 円
直前々期	51,870 千円	15,600 千円	千円	千円	千円	36,270 千円	Ⓑ又は(⑯+⑱)÷2 / ⑤ = 153 円
直前々々期	25,242 千円	千円	千円	千円	千円	25,242 千円	1株(50円)当たりの年利益金額 Ⓒ 185 円

→ 非経常的利益を記入します。
→ 各期の法人税申告書別表一(一)(1)の金額で記載します。

代表者住所		添付書類				申告区分					

平成 28 年 4 月 1 日　事業年度分の法人税　確定申告書
　　　　　　　　　　　課税事業年度分の地方法人税　確定申告書
平成 29 年 3 月 31 日

この申告書による法人税額の計算

所得金額又は欠損金額 (別表四「48の①」)	1	5 7 2 2 0 8 5 0	所得税の額 (別表六(一)「6の③」)	16	1 8 9 7 5 0
法人税額 (54)又は(55)	2	1 2 7 1 7 4 8 0	外国税額 (別表六(二)「20」)	17	
計	3		(16)+(17)	18	1 8 9 7 5 0
			控除した金額 (12)	19	1 8 9 7 5 0

基礎編／V 株式評価

第4表 類似業種比準価額等の計算明細書　会社名 株式会社　本郷商事

1．1株当たりの資本金等の額等の計算	直前期末の資本金等の額 ①	直前期末の発行済株式数 ②	直前期末の自己株式数 ③	1株当たりの資本金等の額 ④＝(①÷(②-③))	1株当たりの資本金等の額を50円とした場合の発行済株式数 (①÷50円)
	10,000 千円	20,000 株	株	500 円	200,000 株

事業年度	⑰資本金等の額	⑱利益積立金額	⑲純資産価額 (⑰+⑱)	比準要素数1の会社・比準要素数0の会社の判定要素の金額
直前期	10,000 千円	109,449 千円	119,449 千円	597 円 / 432 円
直前々期	10,000 千円	76,443 千円	86,543 千円	1株(50円)当たりの純資産価額 597

法人税申告書別表五(一)の「31の④（差引翌期首現在利益積立金額）」の金額を記載します。

| 未納市町村民税（均等割額を含む） 30 | △ 0 | △ | 中間 △ | 確定 △ | 0 |
| 差引合計額 31 | 76,443,000 | 42,643,000 | 75,649,900 | 109,449,900 | |

	類似業種と業種目番号	織物・衣服・身の回り品小売業 (No. 81)	区分	1株(50円)当たりの年配当金額	1株(50円)当たりの年利益金額	1株(50円)当たりの純資産価額	1株(50円)当たりの比準価額
3．1株（50円）当たりの比準価額の計算	類似業種の株価	課税時期の属する月 8 ⑳ 279 円	評価会社 A	10 0 円 銭	185 円	597 円	⑳×㉑×0.7
		課税時期の属する月の前月 7 ㉑ 266 円	類似業種 B	4 7 円 銭	24 円	222 円	中会社は0.6 小会社は0.5 とします。
		課税時期の属する月の前々月 6 ㉒ 262 円	要素別比準割合	2.12	7.70	2.68	
		前年平均株価 ㉓ 304 円					
		課税時期の属する月以前2年間の平均株価 ㉔ 314 円	比準割合	(Ⓐ/B + Ⓒ/C + Ⓓ/D)/3 = 4.16			653 円 9 銭
		㉕うち最も低いもの 262 円					
	類似業種と業種目番号	小売業 (No. 79)	区分	1株(50円)当たりの年配当金額	1株(50円)当たりの年利益金額	1株(50円)当たりの純資産価額	1株(50円)当たりの比準価額
	類似業種の株価	課税時期の属する月 8 ㉖ 395 円	評価会社 Ⓐ	10 0	185	597	㉓×㉔×0.7

業　種　目			番号	B 配当金額	C 利益金額	D 簿価純資産額
大分類						
	中分類					
		小分類				
鉱業，採石業，砂利採取業			1	3.8	25	436

大分類の業種目について記載します。

小売業			79	4.0	28	226
	各種商品小売業		80	2.9	25	185
	織物・衣服・身の回り品小売業		81	4.7	24	222
			82	4.2	31	222
			83	4.2	29	194
	その他の小売業		84	3.6	26	191
		医薬品・化粧品小売業	85	4.8	41	223
		その他の小売業	86	3.3	22	182
	無店舗小売業		87	2.4	19	185

中分類の業種目について記載します。

ホ 評価明細書（第3表の記入例）

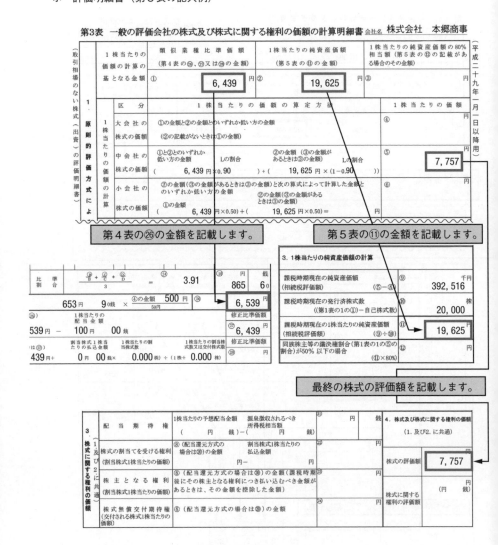

基礎編／V　株式評価　149

ヘ　評価明細書（完成例）

第1表の1　評価上の株主の判定及び会社規模の判定の明細書

整理番号

会社名	株式会社　本郷商事　（電話 03-1234-5678）	本店の所在地	新宿区〇〇7-11-18
代表者氏名	本郷　太郎		
課税時期	平成29年　8月　25日	事業内容	取扱品目及び製造、卸売、小売等の区分：衣料品小売業／業種目番号：81／取引金額の構成比：100％
直前期	自　平成28年　4月　1日 至　平成29年　3月　31日		

（取引相場のない株式（出資）の評価明細書）　（平成二十九年一月一日以降用）

1．株主及び評価方式の判定

判定要素（課税時期現在の株式等の所有状況）	氏名又は名称	続柄	会社における役職名	①株式数（株式の種類）	ⓑ議決権数	ⓒ議決権割合（ⓑ/④）
	本郷　太郎	納税義務者	代表取締役	10,000	10,000	50％
	本郷　花子	配偶者	監査役	5,000	5,000	25
	本郷　猛	長男		2,000	2,000	10
	自己株式			0		
	納税義務者の属する同族関係者グループの議決権の合計数				②17,000	⑤85 （②/④）
	筆頭株主グループの議決権の合計数				⑥17,000	⑦85 （⑥/④）
	評価会社の発行済株式又は議決権の総数			③20,000	④20,000	100

納税義務者の属する同族関係者グループの議決権割合（⑤の割合）を基として、区分します。

区分	筆頭株主グループの議決権割合（⑥の割合）			株主の区分
	50％超の場合	30％以上50％以下の場合	30％未満の場合	
⑤の割合	50％超	30％以上	15％以上	同族株主等
	50％未満	30％未満	15％未満	同族株主等以外の株主

判定：（同族株主等（原則的評価方式等））・同族株主等以外の株主（配当還元方式）

「同族株主等」に該当する納税義務者のうち、議決権割合（⑤の割合）が5％未満の者の評価方式は、「2．少数株式所有者の評価方式の判定」欄により判定します。

2．少数株式所有者の評価方式の判定

項目	判定内容
判定要素	氏名
㋑役員	である（原則的評価方式等）・でない（次の㋺へ）
㋺納税義務者が中心的な同族株主	である（原則的評価方式等）・でない（次の㋩へ）
㋩納税義務者以外に中心的な同族株主（又は株主）	がいる（配当還元方式）・がいない（原則的評価方式等）（氏名　　　）
判定	原則的評価方式等　・　配当還元方式

第1表の2　評価上の株主の判定及び会社規模の判定の明細書（続）　会社名 株式会社 本郷商事

3．会社の規模（Lの割合）の判定

項　目	金　額	項　目	人　数
直前期末の総資産価額（帳簿価額）	425,427 千円	直前期末以前1年間における従業員数	35.22人
直前期末以前1年間の取引金額	647,672 千円	〔従業員数の内訳〕継続勤務従業員数 (33人) ＋ 継続勤務従業員以外の従業員の労働時間の合計時間数 3,984.00時間 / 1,800時間	

㋑ 直前期末以前1年間における従業員数に応ずる区分　70人以上の会社は、大会社（㋺及び㋩は不要）
70人未満の会社は、㋺及び㋩により判定

判定基準	㋺ 直前期末の総資産価額（帳簿価額）及び直前期末以前1年間における従業員数に応ずる区分			従業員数	㋩ 直前期末以前1年間の取引金額に応ずる区分			会社規模とLの割合（中会社）の区分	
	総資産価額（帳簿価額）				取引金額				
	卸売業	小売・サービス業	卸売業、小売・サービス業以外		卸売業	小売・サービス業	卸売業、小売・サービス業以外		
	20億円以上	15億円以上	15億円以上	35人超	30億円以上	20億円以上	15億円以上	大会社	
	4億円以上 20億円未満	5億円以上 15億円未満	5億円以上 15億円未満	35人超	7億円以上 30億円未満	5億円以上 20億円未満	4億円以上 15億円未満	0.90	中
	2億円以上 4億円未満	2億5,000万円以上 5億円未満	2億5,000万円以上 5億円未満	20人超 35人以下	3億5,000万円以上 7億円未満	2億5,000万円以上 5億円未満	2億円以上 4億円未満	0.75	会
	7,000万円以上 2億円未満	4,000万円以上 2億5,000万円未満	5,000万円以上 2億5,000万円未満	5人超 20人以下	2億円以上 3億5,000万円未満	6,000万円以上 2億5,000万円未満	8,000万円以上 2億円未満	0.60	社
	7,000万円未満	4,000万円未満	5,000万円未満	5人以下	2億円未満	6,000万円未満	8,000万円未満	小会社	

・「会社規模とLの割合（中会社）の区分」欄は、㋺欄の区分（「総資産価額（帳簿価額）」と「従業員数」とのいずれか下位の区分）と㋩欄（取引金額）の区分とのいずれか上位の区分により判定します。

判定	大会社	中会社			小会社	
		Lの割合				
		0.90	0.75	0.60		

4．増（減）資の状況その他評価上の参考事項

第2表　特定の評価会社の判定の明細書

会社名：株式会社　本郷商事

（平成二十九年一月一日以降用）
（取引相場のない株式（出資）の評価明細書）

1．比準要素数1の会社

判定要素					
(1)直前期末を基とした判定要素			(2)直前々期末を基とした判定要素		
第4表のⓑの金額	第4表のⓒの金額	第4表のⓓの金額	第4表のⒷの金額	第4表のⒸの金額	第4表のⒹの金額
円 銭	円	円	円 銭	円	円
10　00	185	597	10　00	153	432

判定基準：(1)欄のいずれか2の判定要素が0であり、かつ、(2)欄のいずれか2以上の判定要素が0である（該当）・でない（非該当）

判定：該当　・　**(非該当)**

2．株式保有特定会社

判定要素		
総資産価額（第5表のⒶの金額）①	株式及び出資の合計額（第5表の㋑の金額）②	株式保有割合（②／①）③
千円	千円	％
865,960	85,690	10

判定基準：③の割合が50％以上である／③の割合が50％未満である

判定：該当　・　**(非該当)**

3．土地保有特定会社

判定要素		
総資産価額（第5表のⒶの金額）④	土地等の価額の合計額（第5表の㋩の金額）⑤	土地保有割合（⑤／④）⑥
千円	千円	％
865,960	521,500	60

会社の規模の判定（該当する文字を○で囲んで表示します。）：大会社・**(中会社)**・小会社

小会社（総資産価額（帳簿価額）が次の基準に該当する会社）
・卸売業　20億円以上／卸売業　7,000万円以上20億円未満
・小売・サービス業　15億円以上／小売・サービス業　4,000万円以上15億円未満
・上記以外の業種　15億円以上／上記以外の業種　5,000万円以上15億円未満

判定基準	会社の規模	大会社	中会社		小会社			
	⑥の割合	70％以上	70％未満	90％以上	90％未満	70％以上	70％未満	90％以上	90％未満

判定：該当・非該当／該当・**(非該当)**／該当・非該当／該当・非該当

4．開業後3年未満の会社等

(1)開業後3年未満の会社

判定要素	判定基準	判定
開業年月日　平成14年4月1日	課税時期において開業後3年未満である	該当
	課税時期において開業後3年未満でない	**(非該当)**

(2)比準要素数0の会社

判定要素				判定基準	判定
直前期末を基とした判定要素					
第4表のⓑの金額	第4表のⓒの金額	第4表のⓓの金額			
円 銭	円	円		直前期末を基とした判定要素がいずれも0である（該当）・でない（非該当）	該当　・　**(非該当)**
10　00	185	597			

5．開業前又は休業中の会社

開業前の会社の判定：該当・**(非該当)**
休業中の会社の判定：該当・**(非該当)**

6．清算中の会社

判定：該当　・　**(非該当)**

7．特定の評価会社の判定結果

1. 比準要素数1の会社
2. 株式保有特定会社
3. 土地保有特定会社
4. 開業後3年未満の会社等
5. 開業前又は休業中の会社
6. 清算中の会社

該当する番号を○で囲んでください。なお、上記の「1．比準要素数1の会社」欄から「6．清算中の会社」欄の判定において2以上に該当する場合には、後の番号の判定によります。

第3表　一般の評価会社の株式及び株式に関する権利の価額の計算明細書　会社名　株式会社　本郷商事

1. 原則的評価方式による価額

	1株当たりの価額の計算の基となる金額	類似業種比準価額（第4表の㉖、㉘又は㉙の金額）	1株当たりの純資産価額（第5表の⑪の金額）	1株当たりの純資産価額の80%相当額（第5表の⑫の記載がある場合のその金額）
		① 6,439 円	② 19,625 円	③ 円

区分	1株当たりの価額の算定方法	1株当たりの価額
大会社の株式の価額	①の金額と②の金額とのいずれか低い方の金額（②の記載がないときは①の金額）	④ 円
中会社の株式の価額	①と②とのいずれか低い金額　Lの割合　②の金額（③の金額があるときは③の金額）　Lの割合 (6,439円×0.90) + (19,625円×(1-0.90))	⑤ 7,757
小会社の株式の価額	②の金額（③の金額があるときは③の金額）と次の算式によって計算した金額とのいずれか低い方の金額　②の金額（③の金額があるときは③の金額） ①の金額 (6,439円×0.50) + (19,625円×0.50) = 円	⑥ 円

株式の価額の修正

	株式の価額（④、⑤又は⑥）	1株当たりの配当金額	修正後の株式の価額
課税時期において配当期待権の発生している場合	7,757 円 － 円 銭		⑦ 円

	株式の価額 [④、⑤又は⑥（⑦があるときは⑦）]	割当株式1株当たりの払込金額	1株当たりの割当株式数	1株当たりの割当株式数又は交付株式数	修正後の株式の価額
課税時期において株式の割当てを受ける権利、株主となる権利又は株式無償交付期待権の発生している場合	(7,757 円 + 円 × 株)÷(1株+ 株)				⑧ 円

2. 配当還元方式による価額

1株当たりの資本金等の額、発行済株式数等	直前期末の資本金等の額	直前期末の発行済株式数	直前期末の自己株式数	1株当たりの資本金等の額を50円とした場合の発行済株式数（⑨÷50円）	1株当たりの資本金等の額（⑨÷(⑩－⑪)）
	⑨ 千円	⑩ 株	⑪ 株	⑫ 株	⑬ 円

直間期末以前2年間の配当金額	事業年度	⑭年配当金額	⑮左のうち非経常的な配当金額	⑯差引経常的な年配当金額（⑭－⑮）	年平均配当金額
	直前期	千円	千円	千円	⑰ (㋑+㋺)÷2 千円
	直前々期	千円	千円	千円	

1株(50円)当たりの年配当金額	年平均配当金額(⑰)	⑫の株式数	⑱	
	千円 ÷	株 =	円 銭	この金額が2円50銭未満の場合は2円50銭とします。

配当還元価額	⑱の金額	⑬の金額	⑲	⑳ 円	⑲の金額が、原則的評価方式により計算した価額を超える場合には、原則的評価方式により計算した価額とします。
	円 銭 10% ×	円 50円 =			

3. 株式に関する権利の価額（1.及び2.に共通）

	1株当たりの予想配当金額	源泉徴収されるべき所得税相当額	㉑ 円 銭
配当期待権	(円 銭) － (円 銭)		

株式の割当てを受ける権利 (割当株式1株当たりの価額)	(配当還元方式の場合は⑲)の金額　割当株式1株当たりの払込金額	㉒ 円
	円 － 円	

株主となる権利 (割当株式1株当たりの価額)	㉓ (配当還元方式の場合は⑲)の金額（課税時期後にその株主となる権利につき払い込むべき金額があるときは、その金額を控除した金額）	㉓ 円

株式無償交付期待権 (交付される株式1株当たりの価額)	㉔ (配当還元方式の場合は⑲)の金額	㉔ 円

4. 株式及び株式に関する権利の価額（1.及び2.に共通）

株式の評価額	7,757 円
株式に関する権利の評価額	(円 銭)

（平成二十九年一月一日以降用）
（取引相場のない株式（出資）の評価明細書）

基礎編／V 株式評価　153

第4表　類似業種比準価額等の計算明細書　　会社名　株式会社　本郷商事

（平成二十九年一月一日以降用）

1. 1株当たりの資本金等の額等の計算	直前期末の資本金等の額 ① 10,000千円	直前期末の発行済株式数 ② 20,000株	直前期末の自己株式数 ③ 0株	1株当たりの資本金等の額 ④（①÷(②−③)） 500円	1株当たりの資本金等の額を50円とした場合の発行済株式数 ⑤（①÷50円） 200,000株

2. 比準要素等の金額の計算

1株(50円)当たりの年配当金額

直前期末以前2(3)年間の年平均配当金額					比準要素数1の会社・比準要素数0の会社の判定要素の金額
事業年度	⑥年配当金額	⑦左のうち非経常的な配当金額	⑧差引経常的な年配当金額(⑥−⑦)	年平均配当金額	⑨ ⑧＋⑧ ÷2
直前期	2,000千円	千円	2,000千円	⑨(⑨+⑩)÷2 2,000千円	⑨ 10円 0銭
直前々期	2,000千円	千円	2,000千円	⑩(⑨+⑩+⑪)÷3 2,000	⑩ 10円 0銭
直前々期の前期	2,000千円	千円	2,000千円		1株(50円)当たりの年配当金額 ⑤ 10円 00銭

1株(50円)当たりの年利益金額

直前期末以前2(3)年間の利益金額					比準要素数1の会社・比準要素数0の会社の判定要素の金額
事業年度	⑪法人税の課税所得金額	⑫非経常的な利益金額	⑬受取配当等の益金不算入額	⑭左の所得税額	⑮損金算入した繰越欠損金の控除額
直前期	57,220千円	19,228千円	千円	千円	37,992 又は 185
直前々期	51,870	15,600			36,270 又は 153
直前々期の前期	25,242				25,242 ⓒ 185

1株(50円)当たりの純資産価額

直前期末(直前々期末)の純資産価額			比準要素数1の会社・比準要素数0の会社の判定要素の金額
事業年度	⑰資本金等の額	⑱利益積立金額	⑲純資産価額(⑰+⑱)
直前期	10,000千円	109,449千円	119,449千円 ⓓ 597円
直前々期	10,000千円	76,443千円	86,443千円 ⓔ 432円 / 1株(50円)当たりの純資産価額 ⓕ 597円

3 類似業種比準価額の計算

類似業種と業種目番号	織物・衣服・身の回り品小売業(No. 81)		区分	1株(50円)当たりの年配当金額	1株(50円)当たりの年利益金額	1株(50円)当たりの純資産価額	1株(50円)当たりの比準価額
	課税時期の属する月	8月 ㋐ 279円	評価会社	Ⓑ 10円 0銭	Ⓒ 185円	Ⓓ 597円	㉒ⒶⓍ※Ⓧ 0.7
	課税時期の属する月の前月	7月 ㋑ 266円	類似業種	B 4円 7銭	C 24円	D 222円	中会社は0.6 小会社は0.5 とします。
	課税時期の属する月の前々月	6月 ㋒ 262円		Ⓑ/B 2.12	Ⓒ/C 7.70	Ⓓ/D 2.68	
	前年平均株価	㋓ 304円	要素別比準割合				
	課税時期の属する月以前2年間の平均株価	㋔ 314円		(Ⓑ/B+Ⓒ/C+Ⓓ/D)/3 = 4.16			㉒ 653円 9銭
A	㋐㋑㋒㋓㋔のうち最も低いもの	262円	比準割合				

類似業種と業種目番号	小売業(No. 79)		区分	1株(50円)当たりの年配当金額	1株(50円)当たりの年利益金額	1株(50円)当たりの純資産価額	1株(50円)当たりの比準価額
	課税時期の属する月	8月 ㋐ 395円	評価会社	Ⓑ 10円 0銭	Ⓒ 185円	Ⓓ 597円	㉒ⒶⓍ※Ⓧ 0.7
	課税時期の属する月の前月	7月 ㋑ 387円	類似業種	B 4円 0銭	C 28円	D 226円	中会社は0.6 小会社は0.5 とします。
	課税時期の属する月の前々月	6月 ㋒ 385円		Ⓑ/B 2.50	Ⓒ/C 6.60	Ⓓ/D 2.64	
	前年平均株価	㋓ 369円	要素別比準割合				
	課税時期の属する月以前2年間の平均株価	㋔ 379円		(Ⓑ/B+Ⓒ/C+Ⓓ/D)/3 = 3.91			㉒ 865円 6銭
A	㋐㋑㋒㋓㋔及び㋕のうち最も低いもの	369円	比準割合				

1株当たりの比準価額	比準価額(㉒と㉓のいずれか低い方) 653円 9銭 × ④の金額 500円/50円	㉔ 6,539円

| 比準価額の修正 | 直前期末の翌日から課税時期までの間に配当金交付の効力を発生した場合 | 比準価額(㉔) 6,539円 − 1株当たりの配当金額 100円 00銭 | 修正比準価額 ㉕ 6,439円 |
| | 直前期末の翌日から課税時期までの間に株式の割当て等の効力を発生した場合 | 比準価額(㉔があるときは㉕) 6,439円＋ 割当株式1株当たりの払込金額 0円00銭 × 1株当たりの割当株式数 0.000株 ÷ (1株＋ 1株当たりの割当株式数又は交付株式数 0.000株) | 修正比準価額 円 |

第5表 1株当たりの純資産価額(相続税評価額)の計算明細書

会社名 株式会社 本郷商事

(取引相場のない株式(出資)の評価明細書)

平成二十九年一月一日以降用

1. 資産及び負債の金額(課税時期現在)

資産の部				負債の部			
科目	相続税評価額	帳簿価額	備考	科目	相続税評価額	帳簿価額	備考
現金及び預金	52,219 千円	52,219 千円		買掛金	41,851 千円	41,851 千円	
受取手形	51,782	51,782		未払金	12,598	12,598	
売掛金	44,664	44,664		預り金	4,614	4,614	
商品	9,920	9,920		未払事業税	2,559	2,559	
前払費用	0	0		未払法人税	3,967	3,967	
短期貸付金	15,597	15,597		未払都道府県民税	262	262	
未収入金	341	341		未払市町村民税	0	0	
建物	68,500	77,088		長期借入金	241,241	241,241	
車両運搬具	6,163	6,163		未払配当金	2,000	2,000	
工具器具備品	4,032	4,032		貸倒引当金	0	0	
土地	521,500	130,260					
投資有価証券	85,690	25,255					
敷金	921	921					
保険積立金	4,631	3,521					
合計	① 865,960	② 421,763		合計	③ 309,092	④ 309,092	
株式及び出資の価額の合計額	④ 85,690	⑧ 25,255					
土地等の価額の合計額	⑤ 521,500						
現物出資等受入れ資産の価額の合計額	⑥	⑩					

2. 評価差額に対する法人税額等相当額の計算

相続税評価額による純資産価額 (①-③)	⑤	556,868 千円
帳簿価額による純資産価額 ((②+⑥-⑪)-④)、マイナスの場合は0)	⑥	112,671 千円
評価差額に相当する金額 (⑤-⑥、マイナスの場合は0)	⑦	444,197 千円
評価差額に対する法人税額等相当額 (⑦×40%)	⑧	164,352 千円

3. 1株当たりの純資産価額の計算

課税時期現在の純資産価額 (相続税評価額) (⑤-⑧)	⑨	392,516 千円
課税時期現在の発行済株式数 ((第1表の1の①)-自己株式数)	⑩	20,000 株
課税時期現在の1株当たりの純資産価額 (⑨÷⑩)	⑪	19,625 円
同族株主等の議決権割合(第1表の1の⑤の割合)が50%以下の場合 (⑪×80%)	⑫	円

基礎編／V 株式評価 155

参考1 株式評価のための収集資料チェックリスト

(1) 申告書関係
　○直近の申告書　　　　　　　　　　　　　　　チェック欄
　　　法人税（直近過去3年分）　　　　　　　　　□
　　　地方税　　　　　　　　　　　　　　　　　□
　　　消費税　　　　　　　　　　　　　　　　　□
　○直近3年分の決算書内訳書　　　　　　　　　□
(2) 土地関係
　　　登記簿謄本　　　　　　　　　　　　　　　□
　　　固定資産評価証明書　　　　　　　　　　　□
　　　公図（実測図があれば実測図）　　　　　　□
　　　利用状況　　　　　　　　　　　　　　　　□
　　　賃貸借契約書の写し　　　　　　　　　　　□
　　　税務署への届出書　　　　　　　　　　　　□
　　　（相当の地代に関する届出書，土地の無償返還に関す
　　　　る届出書等）
(3) 建物関係
　　　登記簿謄本　　　　　　　　　　　　　　　□
　　　固定資産評価証明書　　　　　　　　　　　□
　　　利用状況　　　　　　　　　　　　　　　　□
　　　賃貸借契約書の写し　　　　　　　　　　　□
　　　減価償却資産台帳　　　　　　　　　　　　□
(4) 有価証券関係
　　　株式登録証明書　　　　　　　　　　　　　□
(5) 死亡退職金関係
　　　役員退職給与規程　　　　　　　　　　　　□
　　　臨時株主総会議事録及び取締役会議事録　　□
　　　（退職金の支給の承認の確認）
(6) 従業員の人数
　　　給与台帳，役員名簿，タイムカードの写し　□
(7) 社葬費用
　　　会社負担分葬式費用の証ひょう等　　　　　□
(8) 固定資産税の納付書の写し等　　　　　　　　□
(9) 死亡保険金関係
　　　保険会社からの支払調書等　　　　　　　　□

(6) 具体的な計算の方法（配当還元方式）

　前記の㈱本郷商事の設例をもとに配当還元方式により評価額を計算してみましょう。

　ただし，前提条件のうち，株主構成は次のようにかえて評価しています。

《株主構成》　平成29．8．25現在

本郷太郎（代表取締役社長）	7,000株
本郷花子（社長の妻）	5,000株
本郷一郎（社長の長男）	4,200株
本郷　猛（社長の弟）	800株
橋本龍之助（社長の友人，取締役）	2,000株
田中次郎（社長の友人，取締役）	1,000株
	20,000株

　また，配当還元価額が原則的評価方式等による価額を超えないことは明らかであると仮定します。

〈設　例〉

(1) 同族株主等以外の株主が取得した場合の評価事例

　㈱本郷商事の株主の内，橋本龍之助が平成29．8．25に死亡し，同人の所有する株式を妻の橋本春美がすべて相続しました。

(2) 少数株式所有者の場合の評価事例

　㈱本郷商事の株主の内，本郷猛が平成29．8．25に死亡し，同人の所有する株式を妻の本郷夏子がすべて相続しました。

基礎編／Ⅴ 株式評価 157

(1) 同族株主等以外の株主が取得した場合

第1表の1　評価上の株主の判定及び会社規模の判定の明細書

整理番号

（取引相場のない株式（出資）の評価明細書）

（平成二十九年一月一日以降用）

会社名	株式会社　本郷商事（電話 03-1234-5678）	本店の所在地	新宿区○○7-11-18
代表者氏名	本郷　太郎	事業内容	取扱品目及び製造、卸売、小売等の区分：衣料品小売業／業種目番号：81／取引金額の構成比：100％
課税時期	平成29年 8月 25日		
直前期	自 平成28年 4月 1日 至 平成29年 3月 31日		

1. 株主及び評価方式の判定

判定要素（課税時期現在の株式等の所有状況）	氏名又は名称	続柄	会社における役職名	④株式数（株式の種類）	議決権数	議決権割合（⑤/④）%
	橋本　春美	納税義務者		株 2,000	2,000	10
	自己株式			0		
	納税義務者の属する同族関係者グループの議決権の合計数			② 2,000	⑤ 10 (⑤/④)
	筆頭株主グループの議決権の合計数			③ 2,000	⑥ 10 (⑥/④)
	評価会社の発行済株式又は議決権の総数			① 20,000	④ 20,000	100

納税義務者の属する同族関係者グループの議決権割合（⑤の割合）を基として、区分します。

判定基準	筆頭株主グループの議決権割合（⑥の割合）			株主の区分
	50%超の場合	30%以上50%以下の場合	30%未満の場合	
⑤の割合	50%超	30%以上	15%以上	同族株主等
	50%未満	30%未満	**15%未満**	同族株主等以外の株主

| 判定 | 同族株主等（原則的評価方式等） | **同族株主等以外の株主（配当還元方式）** |

「同族株主等」に該当する納税義務者のうち、議決権割合（⑤の割合）が5%未満の者の評価方式は、「2. 少数株式所有者の評価方式の判定」欄により判定します。

2. 少数株式所有者の評価方式の判定

項目	判定内容
判定要素	氏名
㋑役員	である〔原則的評価方式等〕・でない（次の㋺へ）
㋺納税義務者が中心的な同族株主	である〔原則的評価方式等〕・でない（次の㋩へ）
㋩納税義務者以外に中心的な同族株主（又は株主）	がいる（配当還元方式）・がいない〔原則的評価方式等〕（氏名　　）
判定	原則的評価方式等 ・ 配当還元方式

(2) 少数株式所有者の場合

第1表の1　評価上の株主の判定及び会社規模の判定の明細書

整理番号	

会社名	株式会社　本郷商事（電話 03-1234-5678）	本店の所在地	新宿区○○7-11-18
代表者氏名	本郷　太郎	取扱品目及び製造、卸売、小売等の区分 / 業種目番号 / 取引金額の構成比	衣料品小売業　81　100%
課税時期	平成29年 8月 25日	事業内容	
直前期	自 平成28年 4月 1日 / 至 平成29年 3月 31日		

1．株主及び評価方式の判定

判定要素（課税時期現在の株式等の所有状況）	氏名又は名称	続柄	会社における役職名	④株式数（株式の種類）	⑤議決権数	⑥議決権割合（⑤/④）
				株	個	%
	本郷　夏子	納税義務者		800	800	4
	本郷　太郎	義兄	代表取締役	7,000	7,000	35
	本郷　花子	義兄妻	監査役	5,000	5,000	25
	本郷　一郎	甥		4,200	4,200	21

納税義務者の属する同族関係者グループの議決権割合（⑤の割合）を基として、区分します。

区分	筆頭株主グループの議決権割合（⑥の割合）			株主の区分
判定基準	50%超の場合	30%以上50%以下の場合	30%未満の場合	
⑤の割合	50%超	30%以上	15%以上	同族株主等
	50%未満	30%未満	15%未満	同族株主等以外の株主

判定	同族株主等（原則的評価方式等）	同族株主等以外の株主（配当還元方式）

「同族株主等」に該当する納税義務者のうち、議決権割合（⑤の割合）が5%未満の者の評価方式は、「2．少数株式所有者の評価方式の判定」欄により判定します。

2．少数株式所有者の評価方式の判定

項目	判定内容
氏名	本郷　夏子
役員	である / 原則的評価方式等 ・（ない）次の㋺へ
納税義務者が中心的な同族株主	である / 原則的評価方式等 ・（ない）次の㋩へ
納税義務者以外に中心的な同族株主（又は株主）	（いる）配当還元方式・がいない／原則的評価方式等（氏名　本郷　太郎）
判定	原則的評価方式等 ・（配当還元方式）

課税時期現在の株式等の所有状況					
自己株式			0		
納税義務者の属する同族関係者グループの議決権の合計数		② 17,000	⑤ 85 (②/④)		
筆頭株主グループの議決権の合計数		③ 17,000	⑥ 85 (③/④)		
評価会社の発行済株式又は議決権の総数		① 20,000	④ 20,000	100	

（平成二十九年一月一日以降用）

基礎編／V　株式評価　159

配当還元方式による価額　　((1), (2)ともに共通)

第3表　一般の評価会社の株式及び株式に関する権利の価額の計算明細書

会社名　株式会社　本郷商事

平成二十九年一月一日以降用

1. 原則的評価方式による価額

1株当たりの価額の計算の基となる金額

類似業種比準価額（第4表の㉕、㉖又は㉗の金額）	1株当たりの純資産価額（第5表の⑪の金額）	1株当たりの純資産価額の80%相当額（第5表の⑫の記載がある場合のその金額）
① 6,439 円	② 19,625 円	③ 　　　　円

1株当たりの価額の計算

区分	1株当たりの価額の算定方法	1株当たりの価額
大会社の株式の価額	①の金額と②の金額とのいずれか低い方の金額（②の記載がないときは①の金額）	④ 　　　　円
中会社の株式の価額	①と②とのいずれか低い方の金額　　Lの割合　　　　②の金額（③の金額があるときは③の金額）　Lの割合 (6,439円×0.75) + (19,625円×(1−0.75))	⑤ 9,735 円
小会社の株式の価額	②の金額（③の金額があるときは③の金額）と次の算式によって計算した金額とのいずれか低い方の金額　　②の金額（③の金額があるときは③の金額）= ①の金額　　　　　　　（　　　　円×0.50) + (　　　　円×0.50) =	⑥ 　　　　円

株式の価額の修正

	株式の価額（④、⑤又は⑥）	1株当たりの配当金額	修正後の株式の価額
課税時期において配当期待権の発生している場合	円 − 　　　円　　銭	⑦ 　　　円
	株式の価額	割当株式1株当たりの払込金額	1株当たりの割当株式数又は交付株式数	修正後の株式の価額
課税時期において株式の割当てを受ける権利、株主となる権利又は株式無償交付期待権の発生している場合	(④、⑤又は⑥(⑦があるときは⑦)) (　　　円 + 　　　円 × 　　　株) ÷ (1株 + 　　　株)			⑧ 　　　円

2. 配当還元方式による価額

1株当たりの資本金等の額、発行済株式数等	直前期末の資本金等の額	直前期末の発行済株式数	直前期末の自己株式数	1株当たりの資本金等の額を50円とした場合の発行済株式数（⑨÷50円）	1株当たりの資本金等の額（⑨÷(⑩−⑪)）
	⑨ 10,000 千円	⑩ 20,000 株	⑪ 　　株	⑫ 200,000 株	⑬ 500 円

直前期末以前2年間の配当金額	事業年度	⑭ 年配当金額	⑮ 左のうち非経常的な配当金額	⑯ 差引経常的な年配当金額（⑭−⑮）	年平均配当金額
	直前期	2,000 千円	㋑ 　　千円	㋺ 2,000 千円	⑰ (㋺+㋩)÷2 2,000 千円
	直前々期	2,000 千円	㋩ 　　千円	㋩ 2,000 千円	

1株(50円)当たりの年配当金額	年平均配当金額（⑰）　　⑫の株式数　　　　　　　⑱			この金額が2円50銭未満の場合は2円50銭とします。
	2,000 千円 ÷ 200,000 株 = 10円 00銭			

配当還元価額	⑱の金額　　　　⑬の金額　　　　⑲	⑳ 　　円	⑱の金額が、原則的評価方式により計算した価額を超える場合には、原則的評価方式により計算した価額とします。
	10円 00銭 × 500円 = 1,000 円 　　10%　　　50円	1,000	

3. 株式に関する権利の価額

	1株当たりの予想配当金額　　源泉徴収されるべき所得税相当額	㉑	4. 株式及び株式に関する権利の価額
配当期待権	(　　円 　　銭) − (　　円 　　銭)	円　　銭	(1. 及び2. に共通)
株式の割当てを受ける権利（割当株式1株当たりの価額）	(⑧（配当還元方式の場合は⑳）の金額　　割当株式1株当たりの払込金額 　　　　　円 − 　　　　円	㉒ 　　円	株式の評価額　1,000 円
株主となる権利（割当株式1株当たりの価額）	(⑧（配当還元方式の場合は⑳）の金額（課税時期後にその株主となる権利につき払い込むべき金額があるときは、その金額を控除した金額）	㉓ 　　円	株式に関する権利の評価額　（円　銭）
株式無償交付期待権（交付される株式1株当たりの価額）	⑧（配当還元方式の場合は⑳）の金額	㉔ 　　円	

●参　考

1　評価会社が年2回配当を行っている場合の配当還元方式による価額の計算

(前提条件)
(1) 課税時期　平成29年8月25日
(2) 直前期末の資本金額　2,000万円
　　　$\begin{pmatrix} 1株当たりの券面額　500円 \\ 直前期末の発行済株式　40,000株 \end{pmatrix}$
(3) 直前期末以前2年間の配当金額（資本金50円当たり）
　① 直前期（自平成28．1．1　至平成28．12．31）
　　　期末配当　7円　（中間配当はしていない）
　② 直前々期（自平成27．1．1　至平成27．12．31）
　　　中間配当　2円50銭
　　　期末配当　6円
(4) 原則的評価方式により計算した価額
　　　1株当たり　1,200円

(計算過程)
(1) 年配当金額
　① 直前期の年配当金額　7円
　② 直前々期
　　　2円50銭 + 6円 = 8円50銭
　③ 年配当金額
　　　（7円 + 8円50銭）÷ 2（事業年度数）= 7円75銭
(2) 配当還元価額
　　　$\dfrac{7円75銭}{10\%} \times \dfrac{500円}{50円} = 775円$
(3) 評価額
　　　775円

※ 配当還元価額が，原則的評価方式により計算した価額を超えていませんので，この場合の1株当たりの株式の価額は775円になります。

2　評価会社が記念配当を行っている場合の配当還元方式による価額の計算

（前提条件）
(1) 課税時期　平成29．8．25
(2) 直前期末の資本金額　4,000万円
　　　　（1株当たりの券面額　50円
　　　　　直前期末の発行済株式数　800,000株）
(3) 直前期末以前2年間の1株当たりの配当金額（資本金50円当たり）
　① 直前期（自平成28．1．1～28．12．31）
　　　普通配当　12円
　　　会社創立30周年記念配当　6円
　② 直前々期（自平成27．1．1～27．12．31）
　　　普通配当　10円
(4) 原則的評価方式により計算した価額
　　　1株当たり　155円

（計算過程）
(1) 年配当金額
　　　（12円＋10円）÷2（事業年度数）＝11円
※　記念配当は，将来，毎期継続して行われることが予想できないので，この記念配当の金額6円は除いて年配当金額を計算することになります。
(2) 配当還元価額

$$\frac{11円}{10\%} \times \frac{50円}{50円} = 110円$$

(3) 評価額
　　　110円
※　配当還元価額が，原則的評価方式により計算した価額を超えていませんので，この場合の1株当たりの株式の価額は110円になります。

5 比準要素数1の会社の評価方法

(1) 説　明

　比準要素数1の会社とは，直前期末を基とした場合の3つの比準要素のうち，いずれか2が0であり，かつ，直前々期末を基とした場合の3要素についてもいずれか2以上が0である会社をいいます。

(注)　「配当金額」及び「利益金額」については，直前期末以前3年間の実績を反映して判定することになり，「比準要素数0の会社」の判定とは異なりますので注意してください。

(2) 評価方法

　原則として，純資産価額方式により評価します（評基通189(1)，189－2）。

　ただし，納税者の選択により，類似業種比準方式の適用割合（Lの割合）を「0.25」として類似業種比準方式と純資産価額方式との併用方式により評価することができることとされています（評基通189－2ただし書）。

　同族株主等以外の株主等（いわゆる少数株主）が取得した株式については，配当還元方式によって評価することとされています（評基通189－2なお書）。

(3) 根　拠

　比較要素1の会社の株式については，上場会社に比準する3要素のうち半分以上が0であるため，類似業種比準方式を適用する前提を欠いているものと考えられますので，純資産価額方式により評価することとされています。

　一方，休業中の会社や清算中の会社の株式について純資産価額方式により評価する（後述）こととのバランスからすれば，比準要素数1の会社は，事業を継続していますから，その株式の評価においてある程度収益性を考慮することにも合理性があると考えられ，収益性に配慮することとしても，小会社の株式

の評価において2分の1のウエイトで類似業種比準方式を併用していることとのバランスからみて，これよりも低いウエイトで収益性の観点を採り入れることが適当であると考えられます。

　そこで，比準要素数1の会社の株式については，納税者の選択により，25％の併用方式により評価することができることとされています。

6 土地保有特定会社の評価方法

(1) 説　明

① 概　要

　取引相場のない株式の評価は，原則的には，まず第一に，株主及び評価方式の判定を行い，同族株主等については原則的評価方式，同族株主等以外の株主等については配当還元方式により評価します。原則的評価方式による場合は，さらに，会社の規模の判定を行い，それぞれ，類似業種比準価額，1株当たりの純資産価額により評価します。

　しかし，平成2年の通達改正で，会社の純資産価額の中で土地等の占める比率の高い会社を「土地保有特定会社」と定義し，その会社の株式の評価に当たっては，類似業種比準価額方式を加味せず，100％純資産価額方式で評価することとなりました（同族株主等の議決権割合が50％以下の場合，1株当たりの純資産価額の80％で評価します）。

　これは，会社の総資産に占める土地等の割合が高い会社の場合，一般の評価会社に適用される類似業種比準価額方式では適正な株価の算定を行うことが困難であることから，その資産価値を反映する純資産価額方式により評価するべきとの考え方によるものです。

② 土地保有特定会社の定義

　「土地保有特定会社」とは，資産の中に占める土地等の比率が高い会社をいうのは前述のとおりです。

$$\frac{\text{土地等の価額}※}{\text{総資産価額}※} = \text{土地保有割合}$$

　　※　相続税評価額によります。

具体的には，大会社については土地保有割合が70％以上，中会社については土地保有割合が90％以上が土地保有特定会社となり，小会社については一定の割合により土地保有特定会社に該当することになります。

図1　土地保有特定会社の判定

会社区分		土地保有割合
大会社		70％以上
中会社		90％以上
小会社	（注1）	70％以上
	（注2）	90％以上
		該当なし

（注1）
総資産価額15億円（卸売業は20億円）以上で従業員が5人以下の会社

（注2）
総資産価額5,000万円以上（小売サービス業は4,000万円以上）15億円（卸売業は7,000万円以上20億円）未満で従業員数が5人以下の会社

③　土地等の範囲

総資産のうちの土地等の占める比率（土地保有割合）を算出する上での土地等とは，「土地及び土地の上に存する権利」をいいます（評基通185）。

図2　土地等の範囲

土　地　等	
土　　地	土地の上に存する権利
①　宅　　　地 ②　田・畑 ③　山林・原野 ④　雑　種　地　など	①　借　地　権 ②　地　上　権 ③　永小作権 ④　耕　作　権 ⑤　賃　借　権　など

よって，固定資産に限らず，販売用の棚卸資産についても「土地等」に含まれます。

(2) 計 算 例

① 土地保有特定会社となる場合の評価

〈前提条件〉

不動産賃貸業を営む㈱本郷エステートの決算報告書及び法人税申告書（一部省略）は，以下のとおりです。

株式会社　本郷エステート

貸 借 対 照 表

平成29年3月31日現在

資　産　の　部		負　債　の　部	
科　目	金　額	科　目	金　額
	円		円
【流 動 資 産】	【　18,894,000】	【流 動 負 債】	【　59,447,000】
現 金 及 び 預 金	2,219,000	買　　掛　　金	35,445,100
前 払 費 用	737,000	未　　払　　金	12,598,000
短 期 貸 付 金	15,597,000	預　　り　　金	4,614,000
未　収　入　金	341,000	未 払 事 業 税	2,559,900
		未 払 法 人 税 等	4,230,000
【固 定 資 産】	【　394,090,000】	【固 定 負 債】	【　236,647,000】
（有形固定資産）	（　364,393,000）	長 期 借 入 金	136,647,000
建　　　　　物	7,088,000	預 り 保 証 金	100,000,000
車 輌 運 搬 具	6,163,000	負 債 の 部 合 計	296,094,000
工 具 器 具 備 品	4,032,000	純　資　産　の　部	
土　　　　　地	347,110,000		
（投資その他の資産）	（　29,697,000）	【株 主 資 本】	【　116,890,000】
投 資 有 価 証 券	25,255,000	（資　本　金）	（　10,000,000）
敷　　　　　金	921,000	資　　本　　金	10,000,000
保 険 積 立 金	3,521,000	（利益剰余金）	（　106,890,000）
		利 益 準 備 金	700,000
		別 途 積 立 金	22,300,000
		繰 越 利 益 剰 余 金	83,890,000
		純 資 産 の 部 合 計	116,890,000
資 産 の 部 合 計	412,984,000	負債及び純資産の部合計	412,984,000

株式会社　本郷エステート

損 益 計 算 書

自　平成28年4月1日
至　平成29年3月31日

科　　　　目	金	額　　（円）
【純売上高】		
賃　貸　料　収　入	217,755,000	217,755,000
売　上　総　利　益		（　217,755,000）
【販売費及び一般管理費】		
役　員　報　酬	50,000,000	
給　料　手　当	106,185,000	
交　際　費	1,750,000	
租　税　公　課	6,663,000	
貸　倒　損　失	132,900	164,730,900
営　業　利　益		（　53,024,100）
【営業外収益】		
受　取　利　息	1,238,982	
雑　収　入	9,281,700	10,520,682
【営業外費用】		
支　払　利　息	15,470,000	
手　形　売　却　損	581,564	
雑　損　失	379,418	16,430,982
経　常　利　益		（　47,113,800）
【特別利益】		
投資有価証券売却益	19,064,100	19,064,100
【特別損失】		
固定資産売却損	9,451,000	9,451,000
税引前当期利益		（　56,726,900）
法人税,住民税及び事業税		20,699,900
当　期　利　益		（　36,027,000）

株式会社　本郷エステート

販売費及び一般管理費

自　平成28年4月1日
至　平成29年3月31日

科　　　　目	金	額　　（円）
役　員　報　酬	50,000,000	
給　料　手　当	106,185,000	
交　際　費	1,750,000	
租　税　公　課	6,663,000	
貸　倒　損　失	132,900	
販売費及び一般管理費		（　164,730,900）

株式会社　本郷エステート

株主資本等変動計算書
自　平成28年4月1日　至　平成29年3月31日（単位：円）

	株　主　資　本						純資産の部
	資本金	利　益　剰　余　金				株主資本	
		利益準備金	その他利益剰余金		利益剰余金		
			別途積立金	繰越利益剰余金			
前期末残高	10,000,000	500,000	22,300,000	50,063,000	72,863,000	82,863,000	82,863,000
当期変動額							
利益剰余金の配当		200,000		-2,200,000	-2,000,000	-2,000,000	-2,000,000
当期純損益金				36,027,000	36,027,000	36,027,000	36,027,000
当期変動額合計				33,827,000	34,027,000	34,027,000	34,027,000
当期末残高	10,000,000	700,000	22,300,000	83,890,000	106,890,000	116,890,000	116,890,000

株主資本等変動計算書に関する注記
(1) 発行済株式の種類及び総数並びに自己株式の種類及び株式数に関する事項

（単位：株）

	前期末株式数	当期末株式数	摘　　要
発行済株式数			
普通株式	20,000	20,000	
合計	20,000	20,000	

(2) 配当に関する事項
　① 配当金支払額
　　平成28年5月25日の定時株主総会において次のとおり決議しています。
　　　配当金の総額　　　　　2,000,000円
　　　配当の原資　　　　　　利益剰余金
　　　1株当たり配当額　　　 100円
　　　基準日　　　　　　　　平成28年3月31日
　　　効力発生日　　　　　　平成28年5月25日
　② 基準日が当期に属する配当のうち，配当の効力発生日が翌日となるもの
　　平成29年5月25日開催の定時株主総会において次の議案を付議いたします。
　　　配当金の総額　　　　　2,000,000円
　　　配当の原資　　　　　　利益剰余金
　　　1株当たりの配当額　　 100円
　　　基準日　　　　　　　　平成29年3月31日
　　　効力発生日　　　　　　平成29年5月25日

基礎編／V 株式評価 169

納税地	東京都新宿区○○7-11-18 電話(03)1234_5678			
(フリガナ) 法人名	カブシキカイシャホンゴウエステート 株式会社本郷エステート			
(フリガナ) 代表者 自署押印	ホンゴウ タロウ 本郷 太郎			
代表者 住所	東京都新宿区○○7-11-18			

税務署長殿: 新宿
事業種目: 不動産賃貸管理業
期末現在の資本金の額又は出資金の額: 10,000,000円
売上金額: 6 4 7

平成 28 年 4 月 1 日
平成 29 年 3 月 31 日
事業年度分の法人税 確定 申告書
課税事業年度分の地方法人税 確定 申告書

この申告書による法人税額の計算

1 所得金額又は欠損金額	57220850
2 法人税額	12717480
3	
4 差引法人税額	12717480
5	
6 課税土地譲渡利益金額	000
7 同上に対する税額	
8 課税留保金額	
9 同上に対する税額	
10 法人税額計	12717480
11	
12 控除税額	189750
13 差引所得に対する法人税額	12527700
14 中間申告分の法人税額	8724000
15 差引確定法人税額	3803700

16 所得税の額	189750
17 外国税額	
18 計 (16)+(17)	189750
19 控除した金額	189750
20 控除しきれなかった金額	
21 土地譲渡税額	
22 同上	
23 同上	
24 所得税額等の還付金額	
25 中間納付額 (14)-(13)	
26 欠損金の繰戻しによる還付請求税額	
27 計 (24)+(25)+(26)	
28	
29	
30	
31	

この申告書による地方法人税額の計算

32 課税標準法人税額	12717480
33	
34 課税標準法人税額 (32)+(33)	12717000
35 地方法人税額	559548
36	
37 所得地方法人税額 (35)+(36)	559548
38 外国税額の控除額	
39	
40 差引地方法人税額 (37)-(38)-(39)	559548
41 中間申告分の地方法人税額	396000
42 差引確定地方法人税額	163500

43 この申告による還付金額	
44	
45	
46	000
47	

剰余金・利益の配当(剰余金の分配)の金額: 2000000
決算確定の日: 29 5 25

同族会社等の判定に関する明細書

| 事業年度又は連結事業年度 | 28・4・1 〜 29・3・31 | 法人名 | 株式会社本郷エステート |

別表二 平二十八・四・一以後終了事業年度又は連結事業年度分

同族会社の判定

期末現在の発行済株式の総数又は出資の総額	1	内 20,000
(19)と(21)の上位3順位の株式数又は出資の金額	2	20,000
株式数等による判定 (2)/(1)	3	100.0 %
期末現在の議決権の総数	4	内 20,000
(20)と(22)の上位3順位の議決権の数	5	
議決権の数による判定 (5)/(4)	6	%
期末現在の社員の総数	7	
社員の3人以下及びこれらの同族関係者の合計人数のうち最も多い数	8	
社員の数による判定 (8)/(7)	9	%
同族会社の判定割合 (3)、(6)又は(9)のうち最も高い割合	10	100.0 %

特定同族会社の判定

(21)の上位1順位の株式数又は出資の金額	11	
株式数等による判定 (11)/(1)	12	%
(22)の上位1順位の議決権の数	13	
議決権の数による判定 (13)/(4)	14	%
(21)の社員の1人及びその同族関係者の合計人数のうち最も多い数	15	
社員の数による判定 (15)/(7)	16	%
特定同族会社の判定割合 (12)、(14)又は(16)のうち最も高い割合	17	

| 判定結果 | 18 | 特定同族会社 / **同族会社** / 非同族会社 |

判定基準となる株主等の株式数等の明細

順位（株式数等）	順位（議決権数）	判定基準となる株主（社員）及び同族関係者 住所又は所在地	氏名又は法人名	判定基準となる株主等との続柄	被支配会社でない法人株主等 株式数又は出資の金額 (19)	被支配会社でない法人株主等 議決権の数 (20)	その他の株主等 株式数又は出資の金額 (21)	その他の株主等 議決権の数 (22)
1		新宿区〇〇7-11-18	本郷 太郎	本人			7,000	
1		同上	本郷 花子	配偶者			5,000	
1		同上	本郷 一郎	父			3,000	
1		同上	本郷 猛	長男			2,000	
2		江東区〇〇1-1-1	橋本 龍之介	その他			2,000	
3		調布市〇〇1-1-1	田中 次郎	その他			1,000	

基礎編／V　株式評価　171

所得の金額の計算に関する明細書（簡易様式）

| 事業年度 | 28・4・1 ～ 29・3・31 | 法人名 | 株式会社本郷エステート |

別表四（簡易様式）平二十八・四・一以後終了事業年度分

区　分		総額 ①	処分	
			留保 ②	社外流出 ③

区分		総額	留保	社外流出	
当期利益又は当期欠損の額	1	36,027,000 円	34,027,000 円	配当	2,000,000 円
				その他	
加算	損金経理をした法人税及び地方法人税（附帯税を除く。）	2	9,120,000	9,120,000		
	損金経理をした道府県民税（利子割を除く。）及び市町村民税	3	1,880,000	1,880,000		
	損金経理をした道府県民税利子割額	4				
	損金経理をした納税充当金	5	6,789,900	6,789,900		
	損金経理をした附帯税（利子税を除く。）、加算金、延滞金（延納分を除く）及び過怠税	6			その他	
	減価償却の償却超過額	7				
	役員給与の損金不算入額	8	6,794,200		その他	6,794,200
	交際費等の損金不算入額	9	0		その他	0
		10				
	次葉合計					
	小計	11	24,584,100	17,789,900		6,794,200
減算	減価償却超過額の当期認容額	12				
	納税充当金から支出した事業税等の金額	13	3,580,000	3,580,000		
	受取配当等の益金不算入額（別表八（一）「13」又は「26」）	14			※	
	外国子会社から受ける剰余金の配当等の益金不算入額(別表八（二）「26」)	15			※	
	受贈益の益金不算入額	16			※	
	適格現物分配に係る益金不算入額	17			※	
	法人税等の中間納付額及び過誤納に係る還付金額	18				
	所得税額等及び欠損金の繰戻しによる還付金額等	19			※	
		20				
	次葉合計					
	小計	21	3,580,000	3,580,000		0
仮計 (1)+(11)-(21)		22	57,031,100	48,236,900	外※	8,794,200
関連者等に係る支払利子等の損金不算入額（別表十七（二の二）「25」又は「30」）		23			その他	
超過利子額の損金算入額（別表十七（二の三）「10」）		24	△		※	△
仮計 (22)から(24)までの計		25	57,031,100	48,236,900	外※	8,794,200
寄附金の損金不算入額（別表十四（二）「24」又は「40」）		26			その他	
法人税額から控除される所得税額（別表六（一）「13」）		29	189,750		その他	189,750
税額控除の対象となる外国法人税の額（別表六（二の二）「7」）		30			その他	
合計 (25)+(26)+(29)+(30)		33	57,220,850	48,236,900	外※	8,983,950
契約者配当の益金算入額（別表九（一）「13」）		34				
非適格合併又は残余財産の全部分配等による移転資産等の譲渡利益額又は譲渡損失額		36			※	
差引計 (33)+(34)+(36)		37	57,220,850	48,236,900	外※	8,983,950
欠損金又は災害損失金等の当期控除額（(別表七(一)「4の計」)+(別表七(二)「9」若しくは「21」又は別表七(三)「10」))		38	△		※	△
総計 (37)+(38)		39	57,220,850	48,236,900	外※	8,983,950
新鉱床探鉱費又は海外新鉱床探鉱費の特別控除額（別表十（三）「43」）		40	△		※	△
残余財産の確定の日の属する事業年度に係る事業税の損金算入額		46	△	△		
所得金額又は欠損金額		47	57,220,850	48,236,900	外※	8,983,950

利益積立金額及び資本金等の額の計算に関する明細書

| 事業年度 | 28・4・1 〜 29・3・31 | 法人名 | 株式会社本郷エステート |

別表五(一) 平二十八・四・一以後終了事業年度分

I 利益積立金額の計算に関する明細書

区　分		期首現在利益積立金額 ①	当期の増減 減 ②	当期の増減 増 ③	差引翌期首現在利益積立金額 ①-②+③ ④
利益準備金	1	500,000円	円	200,000円	700,000円
別途積立金	2	22,300,000			22,300,000
	3				
	4				
	5				
	6				
	7				
	8				
	9				
	10				
	11				
	12				
	13				
	14				
	15				
	16				
	17				
	18				
	19				
	20				
	21				
	22				
	23				
	24				
次葉合計	25				
繰越損益金(損は赤)	26	50,063,000	50,063,000	83,890,000	83,890,000
納税充当金	27	17,100,000	17,100,000	6,789,900	6,789,900
未納法人税等(通算法人税等の額に係るものを除く。) 未納法人税、未納地方法人税及び未納復興特別法人税(附帯税を除く。)	28	△11,250,000	△20,370,000	中間 △9,120,000 確定 △3,967,200	△3,967,200
未納道府県民税(均等割及び利子割額を含む。)	29	△2,270,000	△4,150,000	中間 △1,880,000 確定 △262,800	△262,800
未納市町村民税(均等割額を含む。)	30	△	△	中間 △ 確定 △	△
差引合計額	31	76,443,000	42,643,000	75,649,900	109,449,900

II 資本金等の額の計算に関する明細書

区　分		期首現在資本金等の額 ①	当期の増減 減 ②	当期の増減 増 ③	差引翌期首現在資本金等の額 ①-②+③ ④
資本金又は出資金	32	10,000,000円	円	円	10,000,000円
資本準備金	33				
	34				
	35				
差引合計額	36	10,000,000			10,000,000

基礎編／V 株式評価

租税公課の納付状況等に関する明細書

| 事業年度 | 28・4・1 ～ 29・3・31 | 法人名 | 株式会社本郷エステート |

別表五(二) 平二十八・四・一以後終了事業年度分

税目及び事業年度				期首現在未納税額 ①	当期発生税額 ②	当期中の納付税額			期末現在未納税額 ①+②-③-④-⑤ ⑥
						充当金取崩しによる納付 ③	仮払経理による納付 ④	損金経理による納付 ⑤	
法人税及び地方法人税・復興特別法人税	・ ・		1	円		円	円	円	円
	平27・4・1 平28・3・31		2	11,250,000		11,250,000			0
	当期分	中間	3		9,120,000			9,120,000	
		確定	4		3,967,200				3,967,200
	計		5	11,250,000	13,087,200	11,250,000		9,120,000	3,967,200
道府県民税	・ ・		6						
	平27・4・1 平28・3・31		7	2,270,000		2,270,000			0
	当期分	利子割	8						
		中間	9		1,880,000			1,880,000	0
		確定	10		262,800				262,800
	計		11	2,270,000	2,142,800	2,270,000		1,880,000	262,800
市町村民税	・ ・		12						
	・ ・		13						
	当期分	中間	14						
		確定	15						
	計		16						
事業税	・ ・		17						
	平27・4・1 平28・3・31		18		3,580,000	3,580,000			0
	当期中間分		19		2,910,000			2,910,000	
	計		20		6,490,000	3,580,000		2,910,000	
その他	損金算入のもの	利子税	21						
		延滞金（延納に係るもの）	22						
		固定資産税	23		3,500,000			3,500,000	0
			24						
	損金不算入のもの	加算税及び加算金	25						
		延滞税	26						
		延滞金（延納分を除く。）	27						
		過怠税	28						
		源泉所得税	29		189,750			189,750	0
			30						

納税充当金の計算

期首納税充当金	31	17,100,000 円			損金算入のもの	37	円
繰入額	損金経理をした納税充当金	32	6,789,900	取崩額	その他	損金不算入のもの	38	
		33					39	
	計 (32)+(33)	34	6,789,900			仮払税金消却	40	
取崩額	法人税額等 (5の③)+(11の③)+(16の③)	35	13,520,000			計 (35)+(36)+(37)+(38)+(39)+(40)	41	17,100,000
	事業税 (20の③)	36	3,580,000		期末納税充当金 (31)+(34)-(41)		42	6,789,900

土地相続税評価額	608,321千円
建物相続税評価額	7,988千円
投資有価証券相続税評価額	13,255千円

② **評価手順**

イ　評価明細書1表の各欄への転記例

第1表の1　評価上の株主の判定及び会社規模の判定の明細書

整理番号

会社名	株式会社 本郷エステート（電話03-1234-5678）	本店の所在地	新宿区○○7-11-18		
代表者氏名	本郷　太郎	取扱品目及び製造、卸売、小売等の区分	不動産賃貸業	業種目番号 94	取引金額の構成比 100%
課税時期	平成29年 8月 25日	事業内容			
直前期	自 平成28年 4月 1日 至 平成29年 3月 31日				

平成二十九年一月一日以降用

1. 株主及び評価方式の判定

氏名又は名称	続柄	会社における役職名	④株式数（株式の種類）	⑤議決権数	⑥議決権割合（⑤/④）
本郷　太郎	納税義務者	代表取締役	10,000	10,000	50%
本郷　花子	配偶者	監査役	5,000	5,000	25
本郷　猛	長男		2,000	2,000	10

納税義務者の属する同族関係者グループの議決権割合（⑤の割合）を基として、区分します。

区分	筆頭株主グループの議決権割合（⑥の割合）			株主の区分
判定基準	50%超の場合	30%以上50%以下の場合	30%未満の場合	
	(50%超)	30%以上	15%以上	同族株主等
	50%未満	30%未満	15%未満	同族株主等以外の株主

判定　同族株主等（原則的評価方式等）　　同族株主等以外の株主（配当還元方式）

「同族株主等」に該当する納税義務者のうち、議決権割合⑤の割合）が5%未満の者の評価方式は、「2. 少数株式所有者の評価方式の判定」欄により判定します。

2. 少数株式所有者の評価方式の判定

所有状況	自己株式	0		株主（又は役員）	氏名
	納税義務者の属する同族関係者グループの議決権の合計数	② 17,000	⑤ (②/④) 85	判定	原則的評価方式等・配当還元方式
	筆頭株主グループの議決権の合計数	③ 17,000	⑥ (③/④) 85		
	評価会社の発行済株式又は議決権の総数	① 20,000	④ 20,000	100	

基礎編／V 株式評価 175

第1表の2 評価上の株主の判定及び会社規模の判定の明細書（続）

会社名 **株式会社 本郷エステート**

平成二十九年一月一日以降用

3. 会社の規模（Lの割合）の判定

（取引相場のない株式（出資）の評価明細書）

判定要素	項目	金額	項目	人数
	直前期末の総資産価額（帳簿価額）	412,984 千円	直前期末以前1年間における従業員数	30.79人 [従業員数の内訳] (継続勤務従業員数 30人) + (継続勤務従業員以外の従業員の労働時間の合計時間数 1,412.00時間 / 1,800時間)
	直前期末以前1年間の取引金額	217,755 千円		

判定基準

㋑ 直前期末以前1年間における従業員数に応ずる区分

70人以上の会社は、大会社（㋺及び㋩は不要）
㊀**70人未満の会社は、㋺及び㋩により判定**

㋺ 直前期末の総資産価額（帳簿価額）及び直前期末以前1年間における従業員数に応ずる区分

㋩ 直前期末以前1年間の取引金額に応ずる区分

総資産価額（帳簿価額）			従業員数	取引金額			会社規模とLの割合（中会社）の区分
卸売業	小売・サービス業	卸売業、小売・サービス業以外		卸売業	小売・サービス業	卸売業、小売・サービス業以外	
20億円以上	15億円以上	15億円以上	35人超	30億円以上	20億円以上	15億円以上	大会社
4億円以上 20億円未満	5億円以上 15億円未満	5億円以上 15億円未満	35人超	7億円以上 30億円未満	5億円以上 20億円未満	4億円以上 15億円未満	0.90 中会社
2億円以上 4億円未満	2億5,000万円以上 5億円未満	**2億5,000万円以上 5億円未満**（〇）	**20人超 35人以下**（〇）	3億5,000万円以上 7億円未満	2億5,000万円以上 5億円未満	**2億円以上 4億円未満**（〇）	0.75
7,000万円以上 2億円未満	4,000万円以上 2億5,000万円未満	5,000万円以上 2億5,000万円未満	5人超 20人以下	2億円以上 3億5,000万円未満	6,000万円以上 2億5,000万円未満	8,000万円以上 2億円未満	0.60
7,000万円未満	4,000万円未満	5,000万円未満	5人以下	2億円未満	6,000万円未満	8,000万円未満	小会社

・「会社規模とLの割合（中会社）の区分」欄は、㋺欄の区分（「総資産価額（帳簿価額）」と「従業員数」とのいずれか下位の区分）と㋩欄（取引金額）の区分とのいずれか上位の区分により判定します。

判定	大会社	中会社			小会社	
		Lの割合				
		0.90	**0.75**（〇）	0.60		

4. 増（減）資の状況その他評価上の参考事項

同族会社等の判定に関する明細書

事業年度又は連結事業年度: 28・4・1 〜 29・3・31
法人名: 株式会社　本郷エステート
別表二　平二十八・四・一以後終了事業年度又は連結事業年度分

同族会社の判定

1 期末現在の発行済株式の総数又は出資の総額	内 20,000	
2 (19)と(21)の上位3順位の株式数又は出資の金額	20,000	
3 株式数等による判定 (2)/(1)	100.0 %	
4 期末現在の議決権の総数	内 20,000	
5 (20)と(22)の上位3順位の議決権の数		
6 議決権の数による判定 (5)/(4)	%	
7 期末現在の社員の総数		
8 社員の3人以下及びこれらの同族関係者の合計人数のうち最も多い数		
9 社員の数による判定 (8)/(7)	%	
10 同族会社の判定割合 (3)、(6)又は(9)のうち最も高い割合	100.0 %	

特定同族会社の判定

11 (21)の上位1順位の株式数又は出資の金額		
12 株式数等による判定 (11)/(1)	%	
13 (22)の上位1順位の議決権の数		
14 議決権の数による判定 (13)/(4)	%	
15 (21)の社員の1人及びその同族関係者の合計人数のうち最も多い数		
16 社員の数による判定 (15)/(7)	%	
17 特定同族会社の判定割合 ((12)、(14)又は(16)のうち最も高い割合)		

判　定　結　果　18　特定同族会社／**同族会社**／非同族会社

判定基準となる株主等の株式数等の明細

順位 株式数等	順位 議決権数	判定基準となる株主（社員）及び同族関係者		判定基準となる株主等との続柄	株式数又は出資の金額等			
					被支配会社でない法人株主等		その他の株主等	
		住所又は所在地	氏名又は法人名		株式数又は出資の金額 19	議決権の数 20	株式数又は出資の金額 21	議決権の数 22
1		新宿区○○7-11-18	本郷　太郎	本　人			7,000	
1		同上	本郷　花子	配偶者			5,000	
1		同上	本郷　一郎	父			3,000	
1		同上	本郷　猛	長男			2,000	
2		江東区○○1-1-1	橋本　龍之介	その他			2,000	
3		調布市○○1-1-1	田中　次郎	その他			1,000	

株式会社　本郷エステート

貸 借 対 照 表

平成29年3月31日現在

資　産　の　部		負　債　の　部	
科　　目	金　　額	科　　目	金　　額
	円		円
資産の部合計	412,984,000	負債及び純資産の部合計	412,984,000

Ⓓ

株式会社　本郷エステート

損 益 計 算 書

自　平成28年4月1日
至　平成29年3月31日

科　　目	金　　　額　　　（円）	
【純売上高】 　賃貸料収入	217,755,000	217,755,000
売上総利益		(217,755,000)

Ⓔ

ロ 評価明細書2表の各欄への転記例

第2表 特定の評価会社の判定の明細書　会社名 株式会社 本郷エステート

（平成二十九年一月一日以降用）

1. 比準要素数1の会社

判定要素						判定基準	
(1)直前期末を基とした判定要素			(2)直前々期末を基とした判定要素			①欄のいずれか2の判定要素が0であり、かつ、②欄のいずれか2以上の判定要素が0	
第4表の⑧の金額	第4表の⑥の金額	第4表の⑩の金額	第4表の⑧の金額	第4表の⑥の金額	第4表の⑩の金額	である（該当）・でない（非該当）	
円銭 10|0₀	円 209	円 597	円銭 10|0₀	円 153	円 432	該当	(非該当)

2. 株式保有特定会社

総資産価額（第5表の①の金額）	株式及び出資の価額の合計額（第5表の⑦の金額）	株式保有割合（②/①）	判定基準		
① 千円 662,358	② 千円 13,255	③ % 2	判定	③の割合が50%以上である 該当	③の割合が50%未満である (非該当)

3. 土地保有特定会社

総資産価額（第5表の①の金額）	土地等の価額の合計額（第5表の⑦の金額）	土地保有割合（⑤/④）	会社の規模の判定（該当する文字を○で囲んで表示します。）
④ 千円 662,358	⑤ 千円 608,321	⑥ % 92	大会社・(中会社)・小会社

判定基準	会社の規模	大会社	中会社	小会社（総資産価額（帳簿価額）が次の基準に該当する会社）・卸売業 7,000万円以上20億円未満・小売・サービス業 4,000万円以上15億円未満・上記以外の業種 5,000万円以上15億円未満
		・卸売業 20億円以上・小売・サービス業 15億円以上・上記以外の業種 15億円以上		
⑥の割合	70%以上	70%未満	90%以上	90%未満	70%以上	70%未満	90%以上	90%未満
判定	該当	非該当	(該当)	非該当	該当	非該当	該当	非該当

4. 開業後3年未満の会社等

(1)開業後3年未満の会社

判定要素	判定基準	課税時期において開業後3年未満である	課税時期において開業後3年未満でない
開業年月日 平成14年4月1日	判定	該当	(非該当)

(2)比準要素数0の会社

判定要素	直前期末を基とした判定要素			判定基準	直前期末を基とした判定要素がいずれも0である（該当）・でない（非該当）	
	第4表の⑧の金額	第4表の⑥の金額	第4表の⑩の金額			
	円銭 10 00	円 209	円 597	判定	該当	(非該当)

5. 開業前又は休業中の会社

開業前の会社の判定	休業中の会社の判定
該当 (非該当)	該当 (非該当)

6. 清算中の会社

判定	
該当	(非該当)

7. 特定の評価会社の判定結果

1. 比準要素数1の会社　　2. 株式保有特定会社
3. (土地保有特定会社)　　4. 開業後3年未満の会社等
5. 開業前又は休業中の会社　6. 清算中の会社

該当する番号を○で囲んでください。なお、上記の「1．比準要素数1の会社」欄から「6．清算中の会社」欄の判定において2以上に該当する場合には、後の番号の判定によります。

第5表 1株当たりの純資産価額(相続税評価額)の計算明細書

会社名 株式会社本郷エステート

平成二十九年一月一日以

1. 資産及び負債の金額（課税時期現在）

	資産の部				負債の部			
科目	相続税評価額	帳簿価額	備考	科目	相続税評価額	帳簿価額	備考
	千円	千円			千円	千円	
現金及び預金	2,219	2,219		買掛金	35,445	35,445	

〜〜

合計	① 662,358	② 412,247		合計	③ 298,092	④ 298,092	
株式及び出資の価額の合計額	㋺ 13,255	㋩ 25,255					
土地等の価額の合計額	㋑ 608,321						
現物出資等受入れ資産の価額の合計額	㊁	㋥					

（取引相場のない株）

<解説>
　本郷商事は，中会社で純資産価額（相続税評価額ベース）の割合が90％以上であることから土地保有特定会社に該当します。

ハ 評価明細書4表の各欄への転記例

第4表 類似業種比準価額等の計算明細書

会社名 株式会社 本郷エステート

		直前期末の資本金等の額 ①	直前期末の発行済株式数 ②	直前期末の自己株式数 ③	1株当たりの資本金等の額 (①÷(②−③)) ④	④を50円とした場合の発行済株式数 (①÷50円) ⑤
1．1株当たりの資本金等の額等の計算		10,000 千円	20,000 株	0 株	500 円	200,000 株

2．比準要素等の金額の計算		直前期末以前2(3)年間の年平均配当金額				比準要素数1の会社・比準要素0の会社の判定要素の金額
	事業年度 ⑥	年配当金額 ⑦	左のうち非経常的な配当金額 ⑧	差引経常的な年配当金額(⑦−⑧) ⑨	年平均配当金額	⑨ / ⑤ ⑧ 円 銭 10 0 0
	直前期	2,000 千円	千円	千円	⑨(⑦+⑦)÷2 千円 2,000	1株(50円)当たりの年配当金額 ⑧の金額 ⑧ 円 銭 10 00
	直前々期	2,000 千円	千円	千円		
	直前々期の前期	2,000 千円	千円	千円	⑩(⑦+⑦)÷2 千円 2,000	

		直前期末以前2(3)年間の利益金額				比準要素数1の会社・比準要素0の会社の判定要素の金額
	事業年度	⑪法人税の課税所得金額	⑫非経常的な利益金額	⑬受取配当等の益金不算入額	⑭左の所得税額 ⑮損金算入した繰越欠損金の控除額	⑯差引利益金額 (⑪−⑫+⑬−⑭+⑮) ⑰ 又は (⑪+⑫)÷2 円 209
	直前期	57,220 千円	9,613 千円	千円	千円 千円	47,607 千円 ⑰ 153
	直前々期	51,870 千円	15,600 千円	千円	千円 千円	36,270 千円 1株(50円)当たりの年利益金額 ⑱ 又は (⑯+⑯)÷2 の金額 ⓒ 円 209
	直前々期の前期	25,242 千円	千円	千円	千円 千円	25,242 千円

		直前期末(直前々期末)の純資産価額				比準要素数1の会社・比準要素0の会社の判定要素の金額
純資産価額の計算	事業年度	⑰資本金等の額	⑱利益積立金額	⑲純資産価額 (⑰+⑱)		⑲ / ⑤ 円 597
	直前期	10,000 千円	109,449 千円	119,449 千円		ⓓ 432
	直前々期	10,000 千円	76,443 千円	86,443 千円		1株(50円)当たりの純資産価額 ⑲の金額 ⓓ 597 円

3．類似業種比準価額の計算	類似業種と業種目番号	不動産賃貸業,管理業 (No. 94)		区分	1株(50円)当たりの年配当金額	1株(50円)当たりの年利益金額	1株(50円)当たりの純資産価額	1株(50円)当たりの比準価額
	類似業種	課税時期の属する月	8月 ㋐ 394	比準割合の計算	円 銭 10 0	円 209	円 597	⑳×㉑×0.7 ※中会社は0.6 小会社は0.5 とします。
		課税時期の属する月の前月	7月 ㋑ 391		円 銭	円	円	
		課税時期の属する月の前々月	6月 ㋒ 382	類似業種	B 4 2 0	C 20	D 156	
		前年平均株価	㋓ 392	要素別比準割合	B/B 2.38	C/C 10.45	D/D 3.82	
		課税時期の属する月以前2年間の平均株価	㋔ 402	比準割合	(B/B + C/C + D/D) / 3	—	5.55	1,272 0 0
		A ㋐,㋑,㋒,㋓及び㋔のうち最も低いもの	382					
	類似業種と業種目番号	不動産業,物品賃貸業 (No. 92)		区分	1株(50円)当たりの年配当金額	1株(50円)当たりの年利益金額	1株(50円)当たりの純資産価額	1株(50円)当たりの比準価額
	類似業種	課税時期の属する月	8月 ㋐ 317	比準割合の計算	円 銭 10 0	円 209	円 597	㉓×㉑×0.7 ※中会社は0.6 小会社は0.5 とします。
		課税時期の属する月の前月	7月 ㋑ 300		円 銭	円	円	
		課税時期の属する月の前々月	6月 ㋒ 285	類似業種	B 3 5 0	C 24	D 177	
		前年平均株価	㋓ 300	要素別比準割合	B/B 2.85	C/C 8.70	D/D 3.37	
		課税時期の属する月以前2年間の平均株価	㋔ 310	比準割合	(B/B + C/C + D/D) / 3	—	4.97	849 8 0
		A ㋐,㋑,㋒,㋓及び㋔のうち最も低いもの	285					

比準価額の計算	1株当たりの比準価額	比準価額(㉒と㉖とのいずれか低い方) 849 円 8 0銭 × ④の金額 500円 / 50円						8,498 円
比準価額の修正	直前期末の翌日から課税時期までの間に配当金交付の効力が発生した場合	比準価額(㉗) 8,498 円 −	1株当たりの配当金額 100 円 00 銭					修正比準価額 8,398 円
	直前期末の翌日から課税時期までの間に株式の割当て等の効力が発生した場合	比準価額(㉗があるときは㉘) (8,398 円)+	割当株式1株当たりの払込金額 0 円 00 銭 ×	1株当たりの割当株式数 0.000 株	÷ (1株+	1株当たりの割当株式数 0.000 株)		修正比準価額 ㉙ 円

基礎編／Ⅴ　株式評価　*181*

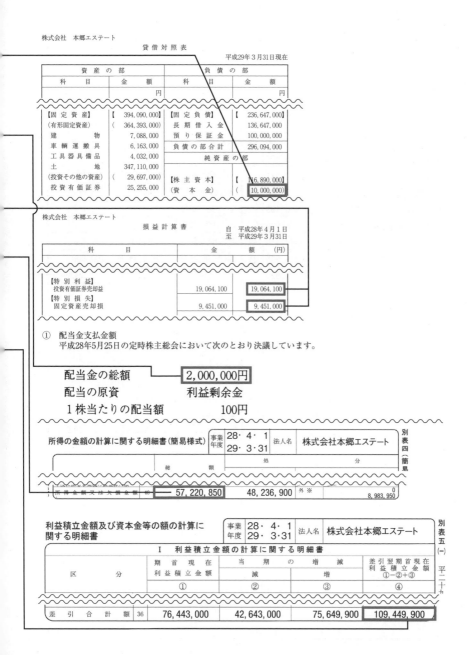

二 評価明細書5表の各欄への転記例

第5表 1株当たりの純資産価額(相続税評価額)の計算明細書　会社名 株式会社 本郷エステート

（平成二十九年一月一日以降用）

1. 資産及び負債の金額（課税時期現在）

<取引相場のない株式（出資）の評価明細書>

資産の部				負債の部			
科目	相続税評価額	帳簿価額	備考	科目	相続税評価額	帳簿価額	備考
現金及び預金	2,219 千円	2,219 千円		買掛金	35,445 千円	35,445 千円	
前払費用	0	0	❶	未払金	12,598	12,598	
短期貸付金	15,597	15,597		預り金	4,614	4,614	
未収入金	341	341		未払事業税	2,559	2,559	
建物	7,988	7,088	❷	未払法人税	3,967	3,967	
車輛運搬具	6,163	6,163		未払都道府県民税	262	262	
工具器具備品	4,032	4,032		未払市町村民税	0	0	
土地	608,321	347,110	❸	長期借入金	136,647	136,647	
投資有価証券	13,255	25,255	❹	預り保証金	100,000	100,000	
敷金	921	921		未払配当金	2,000	2,000	
保険積立金	3,521	3,521					
合計 ① 662,358		② 412,247		合計 ③ 298,092		④ 298,092	
株式及び出資の価額の合計額	ⓐ 13,255	ⓑ 25,255					
土地等の価額の合計額	ⓒ 608,321						
現物出資等受入れ資産の価額の合計額	ⓓ	ⓔ					

2. 評価差額に対する法人税額等相当額の計算

			3. 1株当たりの純資産価額の計算		
相続税評価額による純資産価額 (①-③)	⑤	364,266 千円	課税時期現在の純資産価額 (相続税評価額) (⑤-⑧)	⑨	271,725 千円
帳簿価額による純資産価額 ((②+ⓔ-ⓓ)-④)、マイナスの場合は0	⑥	114,155 千円	課税時期現在の発行済株式数 ((第1表の1の①)-自己株式数)	⑩	20,000 株
評価差額に相当する金額 (⑤-⑥、マイナスの場合は0)	⑦	250,111 千円	課税時期現在の1株当たりの純資産価額 (相続税評価額) (⑨÷⑩)	⑪	13,586 円
評価差額に対する法人税額等相当額 (⑦×37%)	⑧	92,541 千円	同族株主等の議決権割合(第1表の1の⑤の割合)が50%以下の場合 (⑪×80%)	⑫	0 円

② 基準日が当期に属する配当のうち，配当の効力発生日が翌日となるもの
平成29年5月25日開催の定時株主総会において次の議案を付議いたします。

　　　　配当金の総額　　　2,000,000円
　　　　配当の原資　　　　利益剰余金
　　　　１株当たりの配当額　　100円

租税公課の納付状況等に関する明細書

事業年度　28・4・1　29・3・31　法人名　株式会社本郷エステート

別表五(二)　平二十八・四・一以後終了事業年度分

税目及び事業年度				期首現在未納税額 ①	当期発生税額 ②	当期中の納付税額			期末現在未納税額 ⑥ (①+②-③-④-⑤)
						充当金取崩しによる納付 ③	仮払経理による納付 ④	損金経理による納付 ⑤	
法人税及び地方法人税・復興特別法人税	平27・4・1 平28・3・31		1	円	円	円	円	円	円
			2	11,250,000		11,250,000			0
	当期分	中間	3		9,120,000			9,120,000	0
		確定	4		3,967,200				3,967,200
	計		5	11,250,000	13,087,200	11,250,000		9,120,000	3,967,200
道府県民税			6						
	平27・4・1 平28・3・31		7	2,270,000		2,270,000			0
		利子割	8						
	当期分	中間	9		1,880,000			1,880,000	0
		確定	10		262,800				262,800
	計		11	2,270,000	2,142,800	2,270,000		1,880,000	262,800

❶ 財産性のないものは，相続税評価額，帳簿価額とも記載しません。

❷ 固定資産税評価額を記載します。
　　（３年内取得のものは，取得価額から減価償却費相当額を控除した金額）

❸ 相続税評価額を記載します。
　　（３年内取得のものは取得価額）

❹ 相続税評価額を記載します。

ホ 評価明細書6表の各欄への転記例

第6表 特定の評価会社の株式及び株式に関する権利の価額の計算明細書

会社名 株式会社 本郷エステート

平成二十九年一月一日以降用

		類似業種比準価額 (第4表の㉖、㉗又は㉘の金額)	1株当たりの純資産価額 (第5表の⑪の金額)	1株当たりの純資産価額の80%相当額（第5表の⑫の記載がある場合のその金額）
	1株当たりの価額の計算の基となる金額	① 8,398 円	② 13,586 円	③ 円

1. 純資産価額方式等による価額（取引相場のない株式（出資）の評価明細書）

株式の区分	1株当たりの価額の算定方法等	1株当たりの価額
比準要素数1の会社の株式	②の金額（③の金額があるときは③の金額）と次の算式によって計算した金額とのいずれか低い方の金額 (①の金額 円×0.25)＋(②の金額（③の金額があるときは③の金額）円×0.75)＝ 円	④ 円
株式保有特定会社の株式	(第8表の㉘の金額)	⑤ 円
土地保有特定会社の株式	(②の金額（③の金額があるときはその金額）)	⑥ 13,586 円
開業後3年未満の会社等の株式	(②の金額（③の金額があるときはその金額）)	⑦ 円
開業前又は休業中の会社の株式	(②の金額)	⑧ 円

株式の価額の修正

	株式の価額	1株当たりの配当金額	修正後の株式の価額
課税時期において配当期待権の発生している場合	④、⑤、⑥、⑦又は⑧	円 銭	⑨ 円
課税時期において株式の割当てを受ける権利、株主となる権利又は株式無償交付期待権の発生している場合	株式の価額（④、⑤、⑥、⑦又は⑧（⑨があるときは⑨）円＋	割当株式1株当たりの払込金額 円× 1株当たりの割当株式数 株)÷(1株＋ 交付株式数 株)	⑩ 修正後の株式の評価又は交付株式数 円

2. 配当還元方式による価額

	1株当たりの資本金等の額、発行済株式数等	直前期末の資本金等の額	直前期末の発行済株式数	直前期末の自己株式数	1株当たりの資本金等の額を50円とした場合の発行済株式数（⑪÷50円）	1株当たりの資本金等の額（⑪÷(⑫−⑬)）
		⑪ 千円	⑫ 株	⑬ 株	⑭ 株	⑮ 円

直前期末以前2年間の配当金額	事業年度	⑯ 年配当金額	⑰ 左のうち非経常的な配当金額	⑱ 差引経常的な年配当金額（⑯−⑰）	年平均配当金額
	直前期	㋑ 千円	千円	㋩ 千円	⑲ (㋩+㋥)÷2 千円
	直前々期	㋺ 千円	千円	㋥ 千円	

1株(50円)当たりの年配当金額	年平均配当金額(⑲)	⑭の株式数	⑳
	千円 ÷	株 ＝	円 銭

配当還元価額	⑳の金額	⑮の金額	㉑	この金額が2円50銭未満の場合は2円50銭とします。
	円 銭 ÷ 10% × 円 / 50円 ＝		円	㉑の金額が、純資産価額方式等により計算した価額を超える場合には、純資産価額方式等により計算した価額とします。

3. 株式に関する権利の価額（1.及び2.に共通）

配当期待権	1株当たりの予想配当金額 源泉徴収されるべき所得税相当額	㉒ 円	4. 株式及び株式に関する権利の価額 (1.及び2.に共通)
	(円 銭)−(円 銭)		
株式の割当てを受ける権利 (割当株式1株当たりの価額)	(⑩(配当還元方式の場合は㉑)の金額 割当株式1株当たりの払込金額 円 −	㉓ 円	株式の評価額 ㉔ 13,586 円
株主となる権利 (割当株式1株当たりの価額)	⑩(配当還元方式の場合は㉑)の金額（課税時期後にその株主となる権利につき払い込むべき金額があるときは、その金額を控除した金額)	㉔ 円	株式に関する権利の評価額 (円 銭)
株式無償交付期待権 (交付される株式1株当たりの価額)	⑩(配当還元方式の場合は㉑)の金額	㉕ 円	

基礎編／V　株式評価　185

第5表　1株当たりの純資産価額(相続税評価額)の計算明細書　会社名 株式会社本郷エステート

平成二十九年一月

1. 資産及び負債の金額(課税時期現在)								
資　産　の　部				負　債　の　部				
科　目	相続税評価額	帳簿価額	備考	科　目	相続税評価額	帳簿価額	備考	

2. 評価差額に対する法人税額等相当額の計算			3. 1株当たりの純資産価額の計算		
相続税評価額による純資産価額 (①－③)	⑤	364,266 千円	課税時期現在の純資産価額 (相続税評価額) (⑤－⑧)	⑨	271,725 千円
帳簿価額による純資産価額 ((②+⊖－⊖)－④)、マイナスの場合は0)	⑥	114,155 千円	課税時期現在の発行済株式数 ((第1表の1の①)－自己株式数))	⑩	20,000 株
評価差額に相当する金額 (⑤－⑥、マイナスの場合は0)	⑦	250,111 千円	課税時期現在の1株当たりの純資産価額 (相続税評価額) (⑨÷⑩)	⑪	13,586 円
評価差額に対する法人税額等相当額 (⑦×37%)	⑧	92,541 千円	同族株主等の議決権割合(第1表の1の⑤の割合)が50%以下の場合 (⑪×80%)	⑫	0 円

株式の評価額となります。

ヘ 評価明細書完成図

第1表の1 評価上の株主の判定及び会社規模の判定の明細書

整理番号：

(取引相場のない株式(出資)の評価明細書) 平成二十九年一月一日以降用

会社名	株式会社 本郷エステート (電話 03-1234-5678)	本店の所在地	新宿区〇〇7-11-18
代表者氏名	本郷 太郎		
課税時期	平成29年 8月 25日	事業内容	取扱品目及び製造、卸売、小売等の区分：不動産賃貸業 / 業種目番号：94 / 取引金額の構成比：100%
直前期	自 平成28年 4月 1日 至 平成29年 3月 31日		

1. 株主及び評価方式の判定

氏名又は名称	続柄	会社における役職名	①株式数(株式の種類)	②議決権数	③議決権割合(②/④)
本郷 太郎	納税義務者	代表取締役	10,000 株	10,000 個	50 %
本郷 花子	配偶者	監査役	5,000	5,000	25
本郷 猛	長男		2,000	2,000	10

自己株式：0

	②株式数	⑤(②/④)
納税義務者の属する同族関係者グループの議決権の合計数	17,000	85
筆頭株主グループの議決権の合計数	③ 17,000	⑥(③/④) 85
評価会社の発行済株式又は議決権の総数	① 20,000 / ④ 20,000	100

納税義務者の属する同族関係者グループの議決権割合(⑤の割合)を基として、区分します。

区分	筆頭株主グループの議決権割合(⑥の割合)			株主の区分
判定基準	50%超の場合	30%以上50%以下の場合	30%未満の場合	
	50%超	30%以上	15%以上	同族株主等
	50%未満	30%未満	15%未満	同族株主等以外の株主
判定	同族株主等(原則的評価方式等)		同族株主等以外の株主(配当還元方式)	

「同族株主等」に該当する納税義務者のうち、議決権割合(⑤の割合)が5%未満の者の評価方式は、「2. 少数株式所有者の評価方式の判定」欄により判定します。

2. 少数株式所有者の評価方式の判定

項目	判定内容
氏名	
役員	である(原則的評価方式等)・でない(次の⑳へ)
⑳納税義務者が中心的な同族株主	である(原則的評価方式等)・でない(次の㉑へ)
㉑納税義務者以外に中心的な同族株主(又は株主)	がいる(配当還元方式)・がいない(原則的評価方式等) (氏名　　　)
判定	原則的評価方式等 ・ 配当還元方式

第1表の2　評価上の株主の判定及び会社規模の判定の明細書（続）　会社名 株式会社 本郷エステート

（平成二十九年一月一日以降用）

（取引相場のない株式（出資）の評価明細書）

3．会社の規模（Ｌの割合）の判定

項目	金額	項目	人数
直前期末の総資産価額（帳簿価額）	412,984 千円	直前期末以前1年間における従業員数	30.79人 ［従業員数の内訳 継続勤務従業員　継続勤務従業員以外の従業員の労働時間の合計時間数］ (30人) + 1,412.00時間 / 1,800時間
直前期末以前1年間の取引金額	217,755 千円		

判定要素

① 直前期末以前1年間における従業員数に応ずる区分　70人以上の会社は、大会社(㋑及び㋺は不要)　70人未満の会社は、㋺及び㋩により判定

	㋺ 直前期末の総資産価額（帳簿価額）及び直前期末以前1年間における従業員数に応ずる区分				㋩ 直前期末以前1年間の取引金額に応ずる区分			会社規模とＬの割合（中会社）の区分
	総資産価額（帳簿価額）			従業員数	取引金額			
	卸売業	小売・サービス業	卸売業、小売・サービス業以外		卸売業	小売・サービス業	卸売業、小売・サービス業以外	
判定基準	20億円以上	15億円以上	15億円以上	35人超	30億円以上	20億円以上	15億円以上	大会社
	4億円以上 20億円未満	5億円以上 15億円未満	5億円以上 15億円未満	35人超	7億円以上 30億円未満	5億円以上 20億円未満	4億円以上 15億円未満	0.90 中会社
	2億円以上 4億円未満	2億5,000万円以上 5億円未満	2億5,000万円以上 5億円未満	20人超 35人以下	3億5,000万円以上 7億円未満	2億5,000万円以上 5億円未満	2億円以上 4億円未満	0.75
	7,000万円以上 2億円未満	4,000万円以上 2億5,000万円未満	5,000万円以上 2億5,000万円未満	5人超 20人以下	2億円以上 3億5,000万円未満	6,000万円以上 2億5,000万円未満	8,000万円以上 2億円未満	0.60
	7,000万円未満	4,000万円未満	5,000万円未満	5人以下	2億円未満	6,000万円未満	8,000万円未満	小会社

・「会社規模とＬの割合（中会社）の区分」欄は、㋺欄の区分（「総資産価額（帳簿価額）」と「従業員数」とのいずれか下位の区分）と㋩欄（取引金額）の区分とのいずれか上位の区分により判定します。

判定	大会社	中会社			小会社			
		Ｌの割合						
		0.90	0.75	0.60				

4．増（減）資の状況その他評価上の参考事項

第2表 特定の評価会社の判定の明細書

会社名 株式会社　本郷エステート

平成二十九年一月一日以降用

1. 比準要素数1の会社

判定要素					判定基準	(1)欄のいずれか2の判定要素が0であり、かつ、(2)欄のいずれか2以上の判定要素が0
(1)直前期末を基とした判定要素			(2)直前々期末を基とした判定要素			である(該当)・でない(非該当)
第4表のⒷの金額	第4表のⒸの金額	第4表のⒹの金額	第4表のⒷの金額	第4表のⒸの金額	第4表のⒹの金額	
円　銭	円	円	円　銭	円	円	判定	該当 ・ (非該当)
10　00	209	597	10　00	153	432		

2. 株式保有特定会社

判定要素			判定基準	③の割合が50％以上である	③の割合が50％未満である
総資産価額(第5表の①の金額)	株式及び出資の価額の合計額(第5表の②の金額)	株式保有割合(②/①)			
① 千円	② 千円	③ ％	判定	該当 ・ (非該当)	
662,358	13,255	2			

3. 土地保有特定会社

判定要素			会社の規模の判定(該当する文字を○で囲んで表示します。)
総資産価額(第5表の①の金額)	土地等の価額の合計額(第5表の⑥の金額)	土地保有割合(⑤/④)	
④ 千円	⑤ 千円	⑥ ％	大会社・(中会社)・小会社
662,358	608,321	92	

判定基準	会社の規模	大会社		中会社		小会社 (総資産価額(帳簿価額)が次の基準に該当する会社)	
						・卸売業　　　　20億円以上 ・小売・サービス業　15億円以上 ・上記以外の業種　15億円以上	・卸売業　　　7,000万円以上20億円未満 ・小売・サービス業　4,000万円以上15億円未満 ・上記以外の業種　5,000万円以上15億円未満
	⑥の割合	70％以上	70％未満	90％以上	90％未満	70％以上　　70％未満	90％以上　　90％未満
判定		該当	非該当	(該当)	非該当	該当　　　非該当	該当　　　非該当

4. 開業後3年未満の会社等

(1) 開業後3年未満の会社

判定要素	判定基準	課税時期において開業後3年未満である	課税時期において開業後3年未満でない
開業年月日 平成 14年 4月 1日	判定	該当	(非該当)

(2) 比準要素数0の会社

判定要素			判定基準	直前期末を基とした判定要素がいずれも0である(該当) ・ でない(非該当)
直前期末を基とした判定要素				
第4表のⒷの金額	第4表のⒸの金額	第4表のⒹの金額		
円　銭	円	円	判定	該当 ・ (非該当)
10　00	209	597		

5. 開業前又は休業中の会社

開業前の会社の判定	休業中の会社の判定
該当 ・ (非該当)	該当 ・ (非該当)

6. 清算中の会社

判定
該当 ・ (非該当)

7. 特定の評価会社の判定結果

1. 比準要素数1の会社
2. 株式保有特定会社
3. (土地保有特定会社)
4. 開業後3年未満の会社等
5. 開業前又は休業中の会社
6. 清算中の会社

該当する番号を○で囲んでください。なお、上記の「1. 比準要素数1の会社」欄から「6. 清算中の会社」欄の判定において2以上に該当する場合には、後の番号の判定によります。

基礎編／V 株式評価 189

第4表 類似業種比準価額等の計算明細書

会社名 株式会社 本郷エステート

平成二十九年一月一日以降用

1. 1株当たりの資本金等の額等の計算

	直前期末の資本金等の額 ①	直前期末の発行済株式数 ②	直前期末の自己株式数 ③	1株当たりの資本金等の額 ④ (①÷(②−③))	1株当たりの資本金等の額を50円とした場合の発行済株式数 ⑤ (①÷50円)
	10,000 千円	20,000 株	0 株	500 円	200,000 株

2. 比準要素等の金額の計算

1株(50円)当たりの年配当金額

事業年度	⑥年配当金額	⑦左のうち非経常的な配当金額	⑧差引経常的な年配当金額(⑥−⑦)	年平均配当金額	比準要素数1の会社・比準要素数0の会社の判定要素の金額
直前期	2,000 千円	千円	2,000 千円	⑨(㋑+㋺)÷2 = 2,000 千円	⑧ ⑨/⑤ = 10円 00銭
直前々期	2,000 千円	千円	2,000 千円		⑧ ⑨/⑤ = 10円 00銭
直前々々期	2,000 千円	千円	2,000 千円		1株(50円)当たりの年配当金額 ⑧の金額 = 10円 00銭

1株(50円)当たりの年利益金額

事業年度	⑩法人税の課税所得金額	⑪非経常的な利益金額	⑫受取配当等の益金不算入額	⑬左の所得税額	⑭損金算入した繰越欠損金の控除額	⑮差引利益金額 (⑩−⑪+⑫−⑬+⑭)	比準要素数1の会社・比準要素数0の会社の判定要素の金額
直前期	57,220 千円	9,613 千円	千円	千円	千円	47,607 千円	⑯ 又は ⑯+⑰÷2 / ⑤ = 209円 / 153円
直前々期	51,870 千円	15,600 千円	千円	千円	千円	36,270 千円	1株(50円)当たりの年利益金額 ⑯又は⑯+⑰÷2の金額 = 209円
直前々々期	25,242 千円	千円	千円	千円	千円	25,242 千円	

1株(50円)当たりの純資産価額

事業年度	⑰資本金等の額	⑱利益積立金額	⑲純資産価額(⑰+⑱)	比準要素数1の会社・比準要素数0の会社の判定要素の金額
直前期	10,000 千円	109,449 千円	119,449 千円	⑲/⑤ = 597円 / 432円
直前々期	10,000 千円	76,443 千円	86,443 千円	1株(50円)当たりの純資産価額 ⑲の金額 = 597円

3. 類似業種比準価額の計算

類似業種と業種目番号	不動産賃貸業,管理業 (No. 94)		区分	1株(50円)当たりの年配当金額 ⓑ	1株(50円)当たりの年利益金額 ⓒ	1株(50円)当たりの純資産価額 ⓓ	1株(50円)当たりの比準価額
類似業種の株価	課税時期の属する月	8月 ㋐ 394円	評価会社	10円 0銭	209円	597円	㉕×ⓔ×0.7 ※中会社は0.6 小会社は0.5 とします。
	課税時期の属する月の前月	7月 ㋑ 391円	類似業種 B	4円 2銭	20円	156円	
	課税時期の属する月の前々月	6月 ㋒ 382円	要素別比準割合	2.38	10.45	3.82	
	前年平均株価	㋓ 392円	比準割合	(ⓑ/B+ⓒ/C+ⓓ/D)/3 = 5.55			1,272円 0銭
	課税時期の属する月以前2年間の平均株価	㋔ 402円					
A (㋐、㋑、㋒、㋓及び㋔のうち最も低いもの)	382						

類似業種と業種目番号	不動産業,物品賃貸業 (No. 92)		区分	1株(50円)当たりの年配当金額 ⓑ	1株(50円)当たりの年利益金額 ⓒ	1株(50円)当たりの純資産価額 ⓓ	1株(50円)当たりの比準価額
類似業種の株価	課税時期の属する月	8月 ㋐ 317円	評価会社	10円 0銭	209円	597円	㉓×ⓔ×0.7 ※中会社は0.6 小会社は0.5 とします。
	課税時期の属する月の前月	7月 ㋑ 300円	類似業種 B	3円 5銭	24円	177円	
	課税時期の属する月の前々月	6月 ㋒ 285円	要素別比準割合	2.85	8.70	3.37	
	前年平均株価	㋓ 300円	比準割合	(ⓑ/B+ⓒ/C+ⓓ/D)/3 = 4.97			849円 8銭
	課税時期の属する月以前2年間の平均株価	㋔ 310円					
A (㋐、㋑、㋒、㋓及び㋔のうち最も低いもの)	285						

比準価額の計算

1株当たりの比準価額	比準価額(㉒と㉔とのいずれか低い方)	849円 8銭 × ④の金額 500円 / 50円 = 8,498円

比準価額の修正

直前期末の翌日から課税時期までの間に配当金交付の効力が発生した場合	比準価額(㉕)	1株当たりの配当金額		修正比準価額
	8,498円 −	100円 00銭		8,398円

直前期末の翌日から課税時期までの間に株式の割当て等の効力が発生した場合	比準価額(㉕があるときは㉖)	割当株式1株当たりの払込金額	1株当たりの割当株式数又は交付株式数	修正比準価額
	(8,398円+	0円 00銭×	0.000株)÷(1株+ 0.000株)	円

第5表 1株当たりの純資産価額(相続税評価額)の計算明細書　会社名 株式会社　本郷エステート

(取引相場のない株式(出資)の評価明細書)
(平成二十九年一月一日以降用)

1. 資産及び負債の金額(課税時期現在)

資産の部				負債の部			
科目	相続税評価額	帳簿価額	備考	科目	相続税評価額	帳簿価額	備考
	千円	千円			千円	千円	
現金及び預金	2,219	2,219		買掛金	35,445	35,445	
前払費用	0	0		未払金	12,598	12,598	
短期貸付金	15,597	15,597		預り金	4,614	4,614	
未収入金	341	341		未払事業税	2,559	2,559	
建物	7,988	7,088		未払法人税	3,967	3,967	
車輌運搬具	6,163	6,163		未払都道府県民税	262	262	
工具器具備品	4,032	4,032		未払市町村民税	0	0	
土地	608,321	347,110		長期借入金	136,647	136,647	
投資有価証券	13,255	25,255		預り保証金	100,000	100,000	
敷金	921	921		未払配当金	2,000	2,000	
保険積立金	3,521	3,521					
合計	① 662,358	② 412,247		合計	③ 298,092	④ 298,092	
株式及び出資の価額の合計額	⑦ 13,255	⑨ 25,255					
土地等の価額の合計額	⑦ 608,321						
現物出資等受入れ資産の価額の合計額	㋬	㋭					

2. 評価差額に対する法人税額等相当額の計算

相続税評価額による純資産価額 (①-③)	⑤	千円 364,266
帳簿価額による純資産価額 ((②+㋭-③-④)、マイナスの場合は0)	⑥	千円 114,155
評価差額に相当する金額 (⑤-⑥、マイナスの場合は0)	⑦	千円 250,111
評価差額に対する法人税額等相当額 (⑦×37%)	⑧	千円 92,541

3. 1株当たりの純資産価額の計算

課税時期現在の純資産価額 (相続税評価額) (⑤-⑧)	⑨	千円 271,725
課税時期現在の発行済株式数 ((第1表の1の①)-自己株式数)	⑩	株 20,000
課税時期現在の1株当たりの純資産価額 (相続税評価額) (⑨÷⑩)	⑪	円 13,586
同族株主等の議決権割合(第1表の1の⑤の割合)が50%以下の場合 (⑪×80%)	⑫	円 0

第6表　特定の評価会社の株式及び株式に関する権利の価額の計算明細書

会社名　株式会社　本郷エステート

平成二十九年一月一日以降用

1. 純資産価額方式等による価額（取引相場のない株式（出資）の評価明細書）

1株当たりの価額の計算の基となる金額	類似業種比準価額 （第4表の㉖、㉗又は㉘の金額）	1株当たりの純資産価額 （第5表の⑪の金額）	1株当たりの純資産価額の80%相当額（第5表の⑫の記載がある場合のその金額）
	① 8,398 円	② 13,586 円	③ 円

	株式の区分	1株当たりの価額の算定方法等	1株当たりの価額
1株当たりの計算	比準要素数1の会社の株式	②の金額（③の金額があるときは③の金額）と次の算式によって計算した金額とのいずれか低い方の金額 （①の金額　　　②の金額（③の金額があるときは③の金額） （　　円×0.25）+（　　　　円×0.75）=　　円	④　　円
	株式保有特定会社の株式	（第8表の④の金額）	⑤　　円
	土地保有特定会社の株式	（②の金額（③の金額があるときはその金額））	⑥ 13,586 円
	開業後3年未満の会社等の株式	（②の金額（③の金額があるときはその金額））	⑦　　円
	開業前又は休業中の会社の株式	（②の金額）	⑧　　円

| 株式の価額の修正 | 課税時期において配当期待権の発生している場合 | 株式の価額
（④、⑤、⑥）
⑦又は⑧　　　　　　1株当たりの配当金額
　　円　－　　　　円　銭 | 修正後の株式の価額
⑨　　円 |
| | 課税時期において株式の割当てを受ける権利、株主となる権利又は株式無償交付期待権の発生している場合 | 株式の価額
（④、⑤、⑥、⑦又は⑧
（⑨があるときは⑨））　　割当株式1株当たり
の払込金額　　1株当たりの割当株式数
　　円　＋　　　円　×　　株）÷（1株＋　　株） | 修正後の株式の価額
⑩　　円 |

2. 配当還元方式による価額

1株当たりの資本金等の額、発行済株式数等	直前期末の資本金等の額	直前期末の発行済株式数	直前期末の自己株式数	1株当たりの資本金等の額を50円とした場合の発行済株式数（⑪÷50円）	1株当たりの資本金等の額（⑪÷（⑫－⑬））
	⑪　　千円	⑫　　株	⑬　　株	⑭　　株	⑮　　円

直前期末以前2年間の配当金額	事業年度	⑯年配当金額	⑰左のうち非経常的な配当金額	⑱差引経常的な年配当金額（⑯-⑰）	年平均配当金額
	直前期	千円	千円	㉑ 　千円	⑲（㉑+㉒）÷2 　千円
	直前々期	千円	千円	㉒ 　千円	

1株(50円)当たりの年配当金額	年平均配当金額(⑲)	⑭の株式数	⑳	この金額が2円50銭未満の場合は2円50銭とします。
	千円　÷	株　=	円　銭	

配当還元価額	⑳の金額 　　円　銭　　　　⑮の金額 ――――　×　――――　= 10%　　　　　　50円	㉓ 　円	㉓の金額が、純資産価額方式等により計算した価額を超える場合には、純資産価額方式等により計算した価額とします。

3. 株式に関する権利の価額（1. 及び2. に共通）

配当期待権	1株当たりの予想配当金額 （　　円　銭）-（	源泉徴収されるべき所得税相当額 　　円　銭）	㉔ 　円　銭	4. 株式及び株式に関する権利の価額（1. 及び2. に共通） 株式の評価額　13,586 円
株式の割当てを受ける権利（割当株式1株当たりの価額）	⑩（配当還元方式の場合は㉓）の金額　　割当株式1株当たりの払込金額 　　円　　　-　　　　円		㉕ 　円	
株主となる権利（割当株式1株当たりの価額）	⑩（配当還元方式の場合は㉓）の金額（課税時期後にその株主となる権利につき払い込むべき金額があるときは、その金額を控除した金額）		㉖ （円）　　円　銭	株式に関する権利の評価額
株式無償交付期待権（交付される株式1株当たりの価額）	⑩（配当還元方式の場合は㉓）の金額		㉗ 　円	

7 株式保有特定会社株式の評価方法

(1) 説　　明

　株式保有特定会社とは，総資産価額のうちに，株式又は出資（「以下株式等」といいます）の価額の合計額の占める割合が，一定割合以上となっている会社をいい，その会社については，その発行する株式等の評価は，類似業種比準価額を考慮しないで，純資産方式の価額100％（同族関係者の議決権割合が50％以下の株主については80％）で評価することとなります。

　これは，例えば，個人がその所有する上場株式を持株会社に譲渡し，その所有形態を上場株式から持株会社の株式という取引相場のない株式に変換し，類似業種比準価額で評価することにより，評価額を引き下げるという方法を排除するための規定です。

　つまり，上場株式等を個人が直接所有している場合と，持株会社を通じて，間接所有している場合との間の課税の公平を図るために設けられた制度ということになります。

① 株式保有特定会社の判定

$$\frac{株式等の価額(B)}{総資産価額(A)} \geqq 50\% となる会社$$

　　※　株式等の価額，総資産価額は，相続税評価額になります。

　上記の割合以上となる会社が株式保有特定会社となります。
※　平成25年５月27日「財産評価基本通達」の一部が改正され，大会社についても判定基準が25％から50％に引き上げられました。

基礎編／Ⅴ 株式評価

第5表 1株当たりの純資産価額(相続税評価額)の計算明細書 　会社名　株式会社　本郷ホールディングス

1. 資産及び負債の金額(課税時期現在)

資産の部				負債の部			
科目	相続税評価額	帳簿価額	備考	科目	相続税評価額	帳簿価額	備考
	千円	千円			千円	千円	
現金及び預金	32,219	32,219		買掛金	11,851	11,851	
受取手形	21,742	21,742		未払金	8,598	8,598	
工具器具備品	1,032	1,032					
土地	221,500	199,260					
投資有価証券	485,690	109,295					
敷金	921	921					
保険積立金	3,521	3,521					
合計	① 822,160	② 423,763		合計	③ 309,092	④ 309,092	
株式及び出資の価額の合計額	㋑ 485,690	㋺ 109,295					
土地等の価額の合計額	㋩ 221,500						
現物出資等受入れ資産の価額の合計額	㋥	㋭					

（平成二十九年一月一日以降用）

第2表　特定の評価会社の判定の明細書　会社名　株式会社　本郷ホールディングス

		判定要素					判定基準	
1. 比準要素数1の会社		(1)直前期末を基とした判定要素			(2)直前々期末を基とした判定要素			①欄のいずれか2の判定要素が0であり、かつ、②欄のいずれか2以上の判定要素が0
		第4表の㋑の金額	第4表の㋺の金額	第4表の㋩の金額	第4表の㋥の金額	第4表の㋭の金額	第4表の㋬の金額	である（該当）・でない（非該当）
		円 銭	円	円	円 銭	円	円	判定　該当　（非該当）
		10 00	185	597	10 00	153	432	
2. 株式保有特定会社		総資産価額 （第5表の①の金額）		株式及び出資の価額の合計額（第5表の㋑の金額）		株式保有割合（②／①）	判定基準	③の割合が 50％以上である／③の割合が50％未満である
		① 千円		② 千円		③ ％		
		822,160		485,690		59	判定	（該当）　非該当

（平成二十九年一月一日以降用）

株式保有特定会社として，純資産価額方式100％で評価されるのは，原則的評価方式が適用される株主，つまり同族株主等に限られます。したがって，少数株主については通常どおり配当還元方式により評価されることになります。

② 簡易評価方式

その評価会社が株式保有特定会社に該当する場合，原則としては，純資産価額方式により評価することにより，その評価会社が所有する株式等の価額が評価額に反映されるようにしています。ただし，株式保有特定会社については，簡易評価方式が認められており，その所有する資産を株式等とそれ以外の資産とに分けて，株式等以外の資産の部分については，類似業種比準価額方式の適用も受けられるようにしています。この簡易評価方式は，納税者の選択によります。

簡易評価方式 = $S_1 + S_2$

S_1 = 株式保有特定会社の所有する株式及びその株式から生ずる受取配当がなかったとした場合のその会社の原則的評価方法による評価額

S_2 = 株式保有特定会社が所有する株式について，純資産価額方式100%で評価した価額

③ S_1の金額の計算

（類似業種比準価額方式での評価額）

$$S_1 = A \times \left(\frac{\frac{Ⓑ-ⓑ}{B} + \frac{Ⓒ-ⓒ}{C} + \frac{Ⓓ-ⓓ}{D}}{3} \right)$$

A		類似業種の株価 ※課税時期の日の属する日以前3か月及び前年の平均株価及び課税時期の属する月以前2年間の平均株価のうち最も低い価格
$\frac{Ⓑ-ⓑ}{B}$	B	類似業種の1株当たりの配当金額
	Ⓑ	評価会社の1株当たりの配当金額 50円×直前期末以前2年間の年平均配当率 ※特別配当や記念配当等の非経常的な配当は除きます。
	ⓑ	Ⓑ×受取配当金収受割合 受取配当金収受割合 = $\frac{\text{直前期末以前2年間の受取配当金額の合計額}}{\text{直前期末以前2年間の受取配当金額の合計額} + \text{直前期末以前2年間の営業利益の合計額}}$ ※1を超える場合は1を限度とする。

基礎編／V 株式評価 195

第7表 株式保有特定会社の株式の価額の計算明細書

会社名 株式会社 本郷ホールディングス

（平成二十九年一月一日以降用）

1. S₁の金額

受取配当金収受割合の計算

事業年度	① 直前期	② 直前々期	合計（①+②）	受取配当金収受割合 (㋑＋㋺㋩＋㋥) ※小数点以下3位未満切り捨て
受取配当金額	2,033 千円	2,100 千円	4,133 千円	0.038
営業利益の金額	50,657 千円	53,219 千円	103,876 千円	

㋑－㋺の金額

	1株（50円）当たりの年配当金額（第4表の⑧）	受取配当金収受割合（㋒）	㋺の金額（③×㋒）	㋑－㋺の金額（③－④）
	③ 10円 00銭		④ 0円 30銭	⑤ 9円 70銭

㋩－㋥の金額

	1株（50円）当たりの年利益金額（第4表の㋑）	0.038	㋥の金額（⑥×㋒）	㋩－㋥の金額（⑥－⑦）
	⑥ 185円		⑦ 7円	⑧ 178円

㋥の金額

	1株（50円）当たりの純資産価額（第4表の⑪）	直前期末の株式及び出資の帳簿価額の合計額	直前期末の総資産価額（帳簿価額）	（イ）の金額（⑨×（⑩÷⑪））
	⑨ 597円	⑩ 109,295 千円	⑪ 425,427 千円	⑫ 153円

	利益積立金額（第4表の㉘「直前期」欄の金額）	1株当たりの資本金等の額を50円とした場合の発行済株式数（第4表の⑤の株式数）	受取配当金収受割合	（ロ）の金額（（⑬÷⑭）×㋒）
	⑬ 109,449 千円	⑭ 200,000 株	0.038	⑮ 20円

㋥の金額（⑫+⑮）	㋩－㋥の金額（⑧－⑯）
⑯ 173円	⑰ 424円

（注）1 ㋒の割合は、1を上限とします。
2 ⑯の金額は、㋺の金額（⑨の金額）を上限とします。

- 評価会社の比準要素（純資産） → ⑰ 424
- 貸借対照表の総資産合計 → ⑪
- 評価会社の比準要素（年利益）
- 評価会社の比準要素（配当）

（純資産価額方式での評価額）

$$S_1 = \frac{\substack{資産の相続\\税評価額} - \substack{株\ 式\\出資金} - \substack{負債の\\金\ 額} - \substack{評価差額（株式以外）\\に対する法人税等（37\%）}}{課税時期における発行済株式数}$$

第8表 株式保有特定会社の株式の価額の計算明細書（続） 会社名 株式会社 本郷ホールディングス

	相続税評価額による純資産価額（第5表の⑤の金額）	課税時期現在の株式及び出資の価額の合計額（第5表の②の金額）	差 引（①－②）
	① 513,068 千円	② 485,690 千円	③ 27,378 千円
	帳簿価額による純資産価額（第5表の⑥の金額）	株式及び出資の帳簿価額の合計額（第5表の⑧＋(⑪－⑨)の金額）(注)	差 引（④－⑤）
	④ 114,671 千円	⑤ 109,295 千円	⑥ 5,376 千円
	評価差額に相当する金額（③－⑥）	評価差額に対する法人税額等相当額（⑦×37%）	課税時期現在の修正純資産価額（相続税評価額）（③－⑧）
	⑦ 22,002 千円	⑧ 8,140 千円	⑨ 19,238 千円
	課税時期現在の発行済株式数（第5表の⑩の株式数）	課税時期現在の修正後の1株当たりの純資産価額（相続税評価額）（⑨÷⑩）	(注) 第5表の⑧及び⑪の金額に株式及び出資以外の資産に係る金額が含まれている場合には、その金額を除いて計算します。
	⑩ 20,000 株	961 円	

（平成二十九年一月一日以降用）
株式・出資以外の資産の評価額
株式・出資以外の資産の帳簿価額

S_1の金額は，通常の原則的評価方式と同じであることから，会社区分によって以下のように評価されることになります。

大 会 社	・類似業種比準価額 ・純資産価額	} どちらか低い方
中 会 社	・類似業種比準価額と純資産価額との折衷方式	
小 会 社	・純資産価額 ・類似業種比準価額と純資産価額との折衷方式	} どちらか低い方

④ S_2の金額の計算

$$S_2 = \frac{\substack{株式等の\\相続税評価額} - \left(\substack{株式等の\\相続税評価額} - \substack{株式等の\\帳簿価額}\right) \times 37\%}{課税時期（相続又は贈与があった日）の評価会社の発行済株式数}$$

上記のS₁の金額の計算	大会社のS₁の金額	⑫の金額と⑬の金額とのいずれか低い方の金額 (⑬の記載がないときは⑫の金額)			⑮	円
	中会社のS₁の金額	⑫と⑬とのいずれか低い方の金額　Lの割合 [961円×0.90] +	⑬の金額　Lの割合 [961円×(1−0.90)]		⑯	961 円
	小会社のS₁の金額	⑬の金額と次の算式によって計算した金額とのいずれか低い方の金額 ⑫の金額　　　　⑬の金額 (円×0.50) + (円×0.50) = 円			⑰	円
2．S₂の金額	課税時期現在の株式及び出資の価額の合計額 (第5表の㉖の金額)	株式及び出資の帳簿価額の合計額 (第5表の㉝+㉞−㉟の金額)(注)	株式及び出資に係る評価差額に相当する金額 (⑱−⑲)	㉑評価差額に対する法人税額等相当額 (⑳×37%)		
	⑱ 485,690 千円	⑲ 109,295 千円	⑳ 376,395 千円	㉑ 139,266 千円		
	S₂の純資産価額相当額 (⑱−㉑)	課税時期現在の発行済株式数 (第5表の㊳の株式数)	S₂の金額 (㉒÷㉓)	(注)第5表の㉝及び㉟の金額に株式及び出資以外の資産に係る金額が含まれている場合には、その金額を除いて計算します。		
	㉒ 346,424 千円	㉓ 20,000 株	㉔ 17,321 円			
3．株式保有特定会社の株式の価額	1株当たりの純資産価額(第5表の⑪の金額)(第5表の⑫の金額があるときはその金額)	S₁の金額とS₂の金額との合計額 ((⑮、⑯、⑱又は⑰)+㉔)	株式保有特定会社の株式の価額 (㉕と㉖とのいずれか低い方の金額)			
	㉕ 18,283 円	㉖ 18,282 円	㉗ 18,282 円			

(2) 計　算　例

株式保有特定会社となる場合の評価

《前提条件》

5．取引相場のない株式の評価方法，(2)具体的計算の方法の設例の条件と同一の条件で次の点を変更します。

　・雑収入2,033千円とあるのを受取配当金2,033千円とします。

　・土地の相続税評価額を221,500千円とします。

　・有価証券の相続税評価額を485,690千円とします。

　・建物の相続税評価額を6,850千円とします。

修正後の貸借対照表，損益計算書及び株主資本等変動計算書注記表は次のとおりとなります。

なお申告書は，**6**の(2)の設例と同様とします。

株式会社　本郷ホールディングス

貸 借 対 照 表

平成29年3月31日現在

資　産　の　部		負　債　の　部	
科　　　目	金　　額	科　　　目	金　　額
	円		円
【流　動　資　産】	【　　99,704,000】	【流　動　負　債】	【　　31,852,900】
現 金 及 び 預 金	32,219,000	買　　掛　　金	11,851,000
受　取　手　形	21,742,000	未　　払　　金	8,598,000
売　　掛　　金	24,664,000	預　　り　　金	4,614,000
商　　　　　品	4,920,000	未 払 事 業 税	2,559,900
前　払　費　用	1,664,000	未 払 法 人 税 等	4,230,000
短 期 貸 付 金	15,597,000	【固　定　負　債】	【　275,241,100】
未　収　入　金	341,000	長 期 借 入 金	275,241,100
貸 倒 引 当 金	△1,443,000		
【固　定　資　産】	【　324,280,000】	負 債 の 部 合 計	307,094,000
（有形固定資産）	（　210,543,000)	純　資　産　の　部	
建　　　　　物	7,088,000		
車 輌 運 搬 具	3,163,000	【株　主　資　本】	【　116,890,000】
工 具 器 具 備 品	1,032,000	（資　本　金）	（　 10,000,000)
土　　　　　地	199,260,000	資　　本　　金	10,000,000
(投資その他の資産)	（　113,737,000)	（利 益 剰 余 金）	（　106,890,000)
投 資 有 価 証 券	109,295,000	利 益 準 備 金	700,000
敷　　　　　金	921,000	別 途 積 立 金	22,300,000
保 険 積 立 金	3,521,000	繰越利益剰余金	83,890,000
		純資産の部合計	116,890,000
資 産 の 部 合 計	423,984,000	負債及び純資産の部合計	423,984,000

株式会社　本郷ホールディングス

損 益 計 算 書

自　平成28年4月1日
至　平成29年3月31日

科　　　　目	金　　　額　　（円）	
【純 売 上 高】		
売　　上　　高	647,672,000	647,672,000
【売 上 原 価】		
売　上　原　価	429,917,000	
合　　　　計	(429,917,000)	(429,917,000)
売 上 総 利 益		(217,755,000)
【販売費及び一般管理費】		167,098,000
営　業　利　益		(50,657,000)
【営 業 外 収 益】		
受　取　利　息	1,238,982	
受　取　配　当　金	2,033,000	3,271,982
【営 業 外 費 用】		
支　払　利　息	15,470,000	
手　形　売　却　損	581,564	
雑　　損　　失	379,418	16,430,982
経　常　利　益		(37,498,000)
【特 別 利 益】		
投資有価証券売却益	28,679,900	28,679,900
【特 別 損 失】		
固定資産売却損	9,451,000	9,451,000
税引前当期純利益		(56,726,900)
法人税,住民税及び事業税		20,699,900
当　期　純　利　益		(36,027,000)

株式会社　本郷ホールディングス
株主資本等変動計算書
自　平成28年4月1日　至　平成29年3月31日　（単位：円）

		株　主　資　本						純資産の部
	資本金	利益剰余金				利益剰余金	株主資本	
		利益準備金	その他利益剰余金					
			別途積立金	繰越利益剰余金				
前期末残高	10,000,000	500,000	22,300,000	50,063,000		72,863,000	82,863,000	82,863,000
当期変動額								
利益剰余金の配当		200,000		-2,200,000		-2,000,000	-2,000,000	-2,000,000
当期純損益金				36,027,000		36,027,000	36,027,000	36,027,000
当期変動額合計				33,827,000		34,027,000	34,027,000	34,027,000
当期末残高	10,000,000	700,000	22,300,000	83,890,000		106,890,000	116,890,000	116,890,000

株主資本等変動計算書に関する注記
(1) 発行済株式の種類及び総数並びに自己株式の種類及び株式数に関する事項

（単位：株）

	前期末株式数	当期末株式数	摘　　要
発行済株式数			
普通株式	20,000	20,000	
合計	20,000	20,000	

(2) 配当に関する事項
　① 配当金支払額
　　平成28年5月25日の定時株主総会において次のとおり決議しています。
　　　配当金の総額　　　　2,000,000円
　　　配当の原資　　　　　利益剰余金
　　　1株当たり配当額　　100円
　　　基準日　　　　　　　平成28年3月31日
　　　効力発生日　　　　　平成28年5月25日
　② 基準日が当期に属する配当のうち，配当の効力発生日が翌日となるもの
　　平成29年5月25日開催の定時株主総会において次の議案を付議いたします。
　　　配当金の総額　　　　2,000,000円
　　　配当の原資　　　　　利益剰余金
　　　1株当たりの配当額　 100円
　　　基準日　　　　　　　平成29年3月31日
　　　効力発生日　　　　　平成29年5月25日

この前提条件をもとにして，取引相場のない株式の評価明細書を記載すると，次のとおりになります。

基礎編／V 株式評価 201

第1表の1 評価上の株主の判定及び会社規模の判定の明細書

整理番号：

会社名	株式会社 本郷ホールディングス（電話 03-1234-5678）	本店の所在地	新宿区○○7-11-18		
代表者氏名	本郷 太郎	事業内容	取扱品目及び製造、卸売、小売等の区分：衣料品小売業	業種目番号：81	取引金額の構成比：100%
課税時期	平成29年 8月 25日				
直前期	自 平成28年 4月 1日 至 平成29年 3月 31日				

（取引相場のない株式（出資）の評価明細書）
（平成二十九年一月一日以降用）

1. 株主及び評価方式の判定

氏名又は名称	続柄	会社における役職名	ⓐ 株式数（株式の種類）	ⓑ 議決権数	議決権割合（ⓑ/④）
本郷 太郎	納税義務者	代表取締役	10,000	10,000	50%
本郷 花子	配偶者	監査役	5,000	5,000	25
本郷 猛	長男		2,000	2,000	10

納税義務者の属する同族関係者グループの議決権割合（ⓒの割合）を基として、区分します。

区分	筆頭株主グループの議決権割合（ⓑの割合）			株主の区分
	50%超の場合	30%以上50%以下の場合	30%未満の場合	
判定基準	50%超	30%以上	15%以上	同族株主等
	50%未満	30%未満	15%未満	同族株主等以外の株主

判定：同族株主等（原則的評価方式等） ・ 同族株主等以外の株主（配当還元方式）

「同族株主等」に該当する納税義務者のうち、議決権割合（ⓒの割合）が5%未満の者の評価方式は、「2. 少数株式所有者の評価方式の判定」欄により判定します。

2. 少数株式所有者の評価方式の判定

項目	判定内容
判定要素 氏名	
㋑ 役員	である（原則的評価方式等） ・ でない（次の㋺へ）
㋺ 納税義務者が中心的な同族株主	である（原則的評価方式等） ・ でない（次の㋩へ）
㋩ 納税義務者以外に中心的な同族株主（又は株主）	がいる（配当還元方式） ・ がいない（原則的評価方式等）（氏名　　　）
判定	原則的評価方式等 ・ 配当還元方式

自己株式	0		
納税義務者の属する同族関係者グループの議決権の合計数	② 17,000	⑤ 85	(②/④)
筆頭株主グループの議決権の合計数	③ 17,000	⑥ 85	(③/④)
評価会社の発行済株式又は議決権の総数	① 20,000	④ 20,000	100

第1表の2　評価上の株主の判定及び会社規模の判定の明細書（続）　　会社名 株式会社 本郷ホールディングス

3．会社の規模（Ｌの割合）の判定

項　目	金　　額	項　目	人　　　数
直前期末の総資産価額（帳簿価額）	425,427 千円	直前期末以前1年間における従業員数	35.22 人 ［従業員数の内訳　継続勤務従業員数（33人）＋ 継続勤務従業員以外の従業員の労働時間の合計時間数 3,984.00時間 ÷ 1,800時間］
直前期末以前1年間の取引金額	647,672 千円		

㋺ 直前期末以前1年間における従業員数に応ずる区分
　70人以上の会社は、大会社(㋑及び㋺は不要)
　70人未満の会社は、㋑及び㋺により判定

	㋑ 直前期末の総資産価額（帳簿価額）及び直前期末以前1年間における従業員数に応ずる区分				㋺ 直前期末以前1年間の取引金額に応ずる区分			会社規模とＬの割合（中会社）の区分	
	総資産価額（帳簿価額）			従業員数	取　引　金　額				
	卸売業	小売・サービス業	卸売業、小売・サービス業以外		卸売業	小売・サービス業	卸売業、小売・サービス業以外		
判定基準	20億円以上	15億円以上	15億円以上	35人超	30億円以上	20億円以上	15億円以上	大会社	
	4億円以上 20億円未満	5億円以上 15億円未満	5億円以上 15億円未満	35人超	7億円以上 30億円未満	5億円以上 20億円未満	4億円以上 15億円未満	0.90	中
	2億円以上 4億円未満	2億5,000万円以上 5億円未満	2億5,000万円以上 5億円未満	20人超 35人以下	3億5,000万円以上 7億円未満	2億5,000万円以上 5億円未満	2億円以上 4億円未満	0.75	会
	7,000万円以上 2億円未満	4,000万円以上 2億5,000万円未満	5,000万円以上 2億5,000万円未満	5人超 20人以下	2億円以上 3億5,000万円未満	6,000万円以上 2億5,000万円未満	8,000万円以上 2億円未満	0.60	社
	7,000万円未満	4,000万円未満	5,000万円未満	5人以下	2億円未満	6,000万円未満	8,000万円未満	小会社	

・「会社規模とＬの割合（中会社）の区分」欄は、㋑欄の区分（「総資産価額（帳簿価額）」と「従業員数」とのいずれか下位の区分）と㋺欄（取引金額）の区分とのいずれか上位の区分により判定します。

判定	大会社	中　会　社			小　会　社	
		Ｌ　の　割　合				
		0.90	0.75	0.60		

4．増（減）資の状況その他評価上の参考事項

第2表 特定の評価会社の判定の明細書

会社名 株式会社 本郷ホールディングス

平成二十九年一月一日以降用

(取引相場のない株式(出資)の評価明細書)

1. 比準要素数1の会社

判定要素						判定基準	判定
(1)直前期末を基とした判定要素			(2)直前々期末を基とした判定要素			(1)欄のいずれか2の判定要素が0であり、かつ、(2)欄のいずれか2以上の判定要素が0である(該当)・でない(非該当)	
第4表の⑥の金額	第4表の⓪の金額	第4表の⑨の金額	第4表の⑥の金額	第4表の⓪の金額	第4表の⑨の金額		該当 / (非該当)
10円00銭	185円	597円	10円00銭	153円	432円		

2. 株式保有特定会社

判定要素			判定基準	判定
総資産価額(第5表の①の金額) ①	株式及び出資の価額の合計額(第5表の⑦の金額) ②	株式保有割合 (②/①) ③	③の割合が50%以上である / ③の割合が50%未満である	(該当) / 非該当
822,160千円	485,690千円	59%		

3. 土地保有特定会社

判定要素			会社の規模の判定(該当する文字を○で囲んで表示します。)
総資産価額(第5表の①の金額) ④	土地等の価額の合計額(第5表の⑥の金額) ⑤	土地保有割合 (⑤/④) ⑥	大会社・(中会社)・小会社
822,160千円	221,500千円	27%	

判定基準	会社の規模		小 会 社 (総資産価額(帳簿価額)が次の基準に該当する会社)		
	大会社	中会社	・卸売業 20億円以上 / 7,000万円以上20億円未満 ・小売・サービス業 15億円以上 / 4,000万円以上15億円未満 ・上記以外の業種 15億円以上 / 5,000万円以上15億円未満		
⑥の割合	70%以上 / 70%未満	90%以上 / 90%未満	70%以上 / 70%未満	90%以上 / 90%未満
判定	該当 / 非該当	該当 / (非該当)	該当 / 非該当	該当 / 非該当

4. 開業後3年未満の会社等

(1) 開業後3年未満の会社

判定要素	判定基準	判定
開業年月日 平成14年4月1日	課税時期において開業後3年未満である / 課税時期において開業後3年未満でない	該当 / (非該当)

(2) 比準要素数0の会社

判定要素			判定基準	判定
直前期末を基とした判定要素			直前期末を基とした判定要素がいずれも0である(該当)・でない(非該当)	
第4表の⑥の金額	第4表の⓪の金額	第4表の⑨の金額		該当 / (非該当)
10円00銭	185円	597円		

5. 開業前又は休業中の会社

開業前の会社の判定	休業中の会社の判定
該当 / (非該当)	該当 / (非該当)

6. 清算中の会社

判定
該当 / (非該当)

7. 特定の評価会社の判定結果

1. 比準要素数1の会社
2. 株式保有特定会社
3. 土地保有特定会社
4. 開業後3年未満の会社等
5. 開業前又は休業中の会社
6. 清算中の会社

該当する番号を○で囲んでください。なお、上記の「1. 比準要素数1の会社」欄から「6. 清算中の会社」欄の判定において2以上に該当する場合には、後の番号の判定によります。

第4表　類似業種比準価額等の計算明細書

会社名　株式会社　本郷ホールディングス

平成二十九年一月一日以降用

（取引相場のない株式（出資）の評価明細書）

1. 1株当たりの資本金等の額等の計算

1．1株当たりの資本金等の額等の計算	直前期末の資本金等の額 ① 千円	直前期末の発行済株式数 ② 株	直前期末の自己株式数 ③ 株	1株当たりの資本金等の額 (①÷(②-③)) ④ 円	1株とした場合の発行済株式数 (①÷50円) ⑤ 株
	10,000	20,000	0	500	200,000

2. 比準要素等の金額の計算

直前期末以前2(3)年間の年平均配当金額

事業年度	⑥年配当金額	⑦左のうち非経常的な配当金額	⑧差引経常的な配当金額(⑥-⑦)	年平均配当金額	比準要素数1の会社・比準要素数0の会社の判定要素の金額
直前期	2,000 千円	千円 ㋑	2,000 千円	㋥(㋑+㋺)÷2 2,000 千円	⑨/⑤ 10 円 0 銭
直前々期	2,000 千円	千円 ㋺	2,000 千円		⑩/⑤ 10 円 0 銭
直前々期の前期	2,000 千円	千円 ㋩	2,000 千円	㋭(㋺+㋩)÷2 2,000 千円	1株(50円)当たりの年配当金額 ⑧(㋥の金額) 10 円 00 銭

直前期末以前2(3)年間の利益金額

事業年度	⑬法人税の課税所得金額	⑭非経常的な利益金額	⑮受取配当等の益金不算入額	⑯左の所得税額	⑰損金算入した繰越欠損金の控除額	差引利益金額(⑬-⑭+⑮-⑯+⑰)	1株(50円)当たりの年利益金額
直前期	57,220 千円	19,228 千円	千円	千円	千円	㋬ 37,992 千円	㋬又は(㋬+㋣)÷2 © 185 円
直前々期	51,870 千円	15,600 千円	千円	千円	千円	㋣ 36,270 千円	© 153 円
直前々期の前期	25,242 千円	千円	千円	千円	千円	25,242 千円	比準要素数1の会社・比準要素数0の会社の判定要素の金額 © 185 円

直前期末(直前々期末)の純資産価額

事業年度	⑰資本金等の額	⑱利益積立金額	⑲純資産価額(⑰+⑱)	1株(50円)当たりの純資産価額
直前期	10,000 千円	109,449 千円	㋦ 119,449 千円	Ⓓ 597 円
直前々期	10,000 千円	76,443 千円	86,443 千円	Ⓓ 432 円
			1株(50円)当たりの純資産価額(㋦の金額)	Ⓓ 597 円

3. 類似業種比準価額の計算

	類似業種と業種目番号	織物・衣服・身の回り品小売業 (No. 81)		区分	1株(50円)当たりの年配当金額	1株(50円)当たりの年利益金額	1株(50円)当たりの純資産価額	1株(50円)当たりの比準価額
1株(50円)当たりの比準価額の計算	類似業種の株価	課税時期の属する月 8月 ㋐	279	評価会社	Ⓑ 10 円 0 銭	© 185 円	Ⓓ 597 円	㉒×㉓×0.7 ※中会社は0.6小会社は0.5とします。
		課税時期の属する月の前月 7月 ㋑	266	類似業種	B 4 円 7 銭	C 24 円	D 222 円	
		課税時期の属する月の前々月 6月 ㋒	262	要素別比準割合	Ⓑ/B 2.12	©/C 7.70	Ⓓ/D 2.68	
		前年平均株価 ㋓	304	比準割合	(Ⓑ/B+©/C+Ⓓ/D)/3 = 4.16			653 円 9 銭
		課税時期の属する月以前2年間の平均株価 ㋔	314					
		A (㋐,㋑,㋒,㋓及び㋔のうち最も低いもの)	262					
	類似業種と業種目番号	小売業 (No. 79)		区分	1株(50円)当たりの年配当金額	1株(50円)当たりの年利益金額	1株(50円)当たりの純資産価額	1株(50円)当たりの比準価額
	類似業種の株価	課税時期の属する月 8月 ㋐	395	評価会社	Ⓑ 10 円 0 銭	© 185 円	Ⓓ 597 円	㉒×㉓×0.7 ※中会社は0.6小会社は0.5とします。
		課税時期の属する月の前月 7月 ㋑	387	類似業種	B 4 円 0 銭	C 28 円	D 226 円	
		課税時期の属する月の前々月 6月 ㋒	385	要素別比準割合	Ⓑ/B 2.50	©/C 6.60	Ⓓ/D 2.64	
		前年平均株価 ㋓	369	比準割合	(Ⓑ/B+©/C+Ⓓ/D)/3 = 3.91			865 円 6 銭
		課税時期の属する月以前2年間の平均株価 ㋔	379					
		A (㋐,㋑,㋒,㋓及び㋔のうち最も低いもの)	369					

1株当たりの比準価額の計算

1株当たりの比準価額	比準価額(㉒と㉓とのいずれか低い方) 653 円 90 銭 × ④の金額 500円/50円	㉔ 6,539 円
比準価額の修正	直前期末の翌日から課税時期までの間に配当金交付の効力が発生した場合	比準価額(㉔) 6,539 円 - 1株当たりの配当金額 100 円 00 銭	修正比準価額 ㉗ 6,439 円
	直前期末の翌日から課税時期までの間に株式の割当て等の効力が発生した場合	比準価額(㉔)(㉗があるときは㉗) (円 + 割当株式1株当たりの払込金額 0 円 00 銭 × 1株当たりの割当株式数 0.000 株) ÷ (1株 + 1株当たりの割当株式数又は交付株式数 0.000 株)	修正比準価額 ㉘ 円

第5表 1株当たりの純資産価額(相続税評価額)の計算明細書

会社名 株式会社 本郷ホールディングス

平成二十九年一月一日以降用

(取引相場のない株式(出資)の評価明細書)

1. 資産及び負債の金額(課税時期現在)

資産の部					負債の部			
科目	相続税評価額	帳簿価額	備考		科目	相続税評価額	帳簿価額	備考
	千円	千円				千円	千円	
現金及び預金	32,219	32,219			買掛金	11,851	11,851	
受取手形	21,742	21,742			未払金	8,598	8,598	
売掛金	24,664	24,664			預り金	4,614	4,614	
商品	4,920	4,920			未払事業税	2,559	2,559	
前払費用	0	0			未払法人税	3,967	3,967	
短期貸付金	15,597	15,597			未払都道府県民税	262	262	
未収入金	341	341			未払市町村民税	0	0	
建物	6,850	7,088			長期借入金	275,241	275,241	
車輌運搬具	3,163	3,163			未払配当金	2,000	2,000	
工具器具備品	1,032	1,032			貸倒引当金	0	0	
土地	221,500	199,260						
投資有価証券	485,690	109,295						
敷金	921	921						
保険積立金	3,521	3,521						
合計	① 822,160	② 423,763			合計	③ 309,092	④ 309,092	
株式及び出資の価額の合計額	㋑ 485,690	㋺ 109,295						
土地等の価額の合計額	㋩ 221,500							
現物出資等受入れ資産の価額の合計額	㊁							

2. 評価差額に対する法人税額等相当額の計算

相続税評価額による純資産価額 (①-③)	⑤	千円 513,068
帳簿価額による純資産価額 ((②+㋺-㊁)-④)、マイナスの場合は0)	⑥	千円 114,671
評価差額に相当する金額 (⑤-⑥、マイナスの場合は0)	⑦	千円 398,397
評価差額に対する法人税額等相当額 (⑦×37%)	⑧	千円 147,406

3. 1株当たりの純資産価額の計算

課税時期現在の純資産価額 (相続税評価額) (⑤-⑧)	⑨	千円 365,662
課税時期現在の発行済株式数 ((第1表の1の①)-自己株式数)	⑩	株 20,000
課税時期現在の1株当たりの純資産価額 (相続税評価額) (⑨÷⑩)	⑪	円 18,283
同族株主等の議決権割合(第1表の1の⑤の割合)が50%以下の場合 (⑪×80%)	⑫	円 0

第6表 特定の評価会社の株式及び株式に関する権利の価額の計算明細書　会社名 株式会社　本郷ホールディングス

		類似業種比準価額 (第4表の㉖, ㉗又は㉘の金額)	1株当たりの純資産価額 (第5表の⑪の金額)	1株当たりの純資産価額の80%相当額(第5表の⑫の記載がある場合のその金額)
	1株当たりの価額の計算の基となる金額	① 円	② 18,283 円	③ 円

株式の区分	1株当たりの価額の算定方法等	1株当たりの価額
比準要素数1の会社の株式	②の金額(③の金額があるときは③の金額)と次の算式によって計算した金額とのいずれか低い方の金額 ①の金額　　②の金額(③の金額があるときは③の金額) (　円×0.25) + (　円×0.75) = 　円	④ 円
株式保有特定会社の株式	(第8表の㉑の金額)	⑤ 18,282 円
土地保有特定会社の株式	(②の金額(③の金額があるときはその金額))	⑥ 円
開業後3年未満の会社等の株式	(②の金額(③の金額があるときはその金額))	⑦ 円
開業前又は休業中の会社の株式	(②の金額)	⑧ 円

株式の価額の修正

	株式の価額	1株当たりの配当金額	修正後の株式の価額
課税時期において配当期待権の発生している場合	(④, ⑤, ⑥⑦又は⑧) 円 −	円　銭	⑨ 円
課税時期において株式の割当てを受ける権利、株主となる権利又は株式無償交付期待権の発生している場合	株式の価額 (④,⑤,⑥,⑦又は⑧ (⑨があるときは⑨)) (　円 + 割当株式1株当たりの払込金額 　円 × 1株当たりの割当株式数 　株) ÷ (1株 + 1株当たりの割当株式数又は交付株式数 　株)	⑩ 円

2. 配当還元方式による価額

1株当たりの資本金等の額、発行済株式数等	直前期末の資本金等の額	直前期末の発行済株式数	直前期末の自己株式数	1株当たりの資本金等の額を50円とした場合の発行済株式数 (⑪÷50円)	1株当たりの資本金等の額 (⑪÷(⑫−⑬))
	⑪ 千円	⑫ 株	⑬ 株	⑭ 株	⑮ 円

直前期末以前2年間の配当金額	事業年度	⑯ 年配当金額	⑰ 左のうち非経常的な配当金額	⑱ 差引経常的な年配当金額 (⑯−⑰)	年平均配当金額
	直前期	千円	千円	㋑ 千円	⑲ (㋑+㋺)÷2 千円
	直前々期	千円	千円	㋺ 千円	

1株(50円)当たりの年配当金額	年平均配当金額(⑲)	⑭の株式数	⑳	この金額が2円50銭未満の場合は2円50銭とします。
	千円 ÷	株 =	円　銭	

配当還元価額	⑳の金額	⑮の金額	㋩		⑳の金額が、純資産価額方式等により計算した価額を超える場合には、純資産価額方式等により計算した価額とします。
	円　銭 / 10% × 円 / 50円 =		円		

3. 株式に関する権利の価額

配当期待権	1株当たりの予想配当金額 (　円　銭) − 源泉徴収されるべき所得税相当額 (　円　銭)	㋥ 円　銭	4. 株式及び株式に関する権利の価額 (1.及び2.に共通)
株式の割当てを受ける権利 (割当株式1株当たりの価額)	(配当還元方式の場合は㉒の金額) 割当株式1株当たりの払込金額 円 − 円	㋭ 円	株式の評価額 18,282 円
株主となる権利 (割当株式1株当たりの価額)	⑩(配当還元方式の場合は㋩)の金額(課税時期後にその株主となる権利につき払い込むべき金額があるときは、その金額を控除した金額)	㋬ 円	株式に関する権利の評価額 (円　銭)
株式無償交付期待権 (交付される株式1株当たりの価額)	⑩(配当還元方式の場合は㋩)の金額	㋣ 円	

基礎編／V 株式評価 207

第7表 株式保有特定会社の株式の価額の計算明細書　会社名 株式会社 本郷ホールディングス

(平成二十九年一月一日以降用)

受取配当金受取割合の計算	事業年度	① 直前期	② 直前々期	合計(①+②)	受取配当金受取割合	
	受取配当金額	2,033 千円	2,100 千円	4,133 千円	ⓐ (②+ⓑ)÷② ※小数点以下3位未満切り捨て 0.038	
	営業利益の金額	50,657 千円	53,219 千円	103,876 千円		

1. S₁の金額

ⓐ-ⓑの金額	1株(50円)当たりの年配当金額(第4表のⓑ)	受取配当金収受割合(ⓐ)	ⓑの金額(③×ⓐ)	ⓑ-ⓑの金額(③-④)	
	③ 10円 0銭		④ 0円 30銭	⑤ 9円 70銭	
ⓒ-ⓓの金額	1株(50円)当たりの年利益金額(第4表のⓒ) 0.038	ⓓの金額(ⓒ×ⓐ)	ⓒ-ⓓの金額(ⓒ-ⓓ)		
	⑥ 185円		⑦ 7円	⑧ 178円	

金額

(イ)の金額	1株(50円)当たりの純資産価額(第4表のⓓ)	直前期末の株式及び出資の帳簿価額の合計額	直前期末の総資産価額(帳簿価額)	(イ)の金額(ⓕ×(⑩÷⑪))	
	⑨ 597円	⑩ 109,295 千円	⑪ 425,427 千円	⑫ 153円	
(ロ)の金額	利益積立金額(第4表のⓖの「直前期」欄の金額)	1株当たりの資本金等の額を50円とした場合の発行済株式数(第4表のⓔの株式数)	受取配当金収受割合	(ロ)の金額((⑬÷⑭)×ⓐ)	
	⑬ 109,449 千円	⑭ 200,000 株	0.038	⑮ 20円	
	ⓗの金額(⑫+⑮)	⑪-ⓔの金額(⑨-ⓗ)	(注) 1 ⓐの割合は、1を上限とします。 2 ⑫の金額は、ⓕの金額(⑨の金額)を上限とします。		
	⑯ 173円	⑰ 424円			

類似業種比準価額の修正計算

類似業種と業種目番号	織物・衣服・身の回り品小売業 (No. 81)		区分	1株(50円)当たりの年配当金額	1株(50円)当たりの年利益金額	1株(50円)当たりの純資産価額	1株(50円)当たりの比準価額
	課税時期の属する月	8 ⓐ 279	評価会社	(⑤) 9円 70銭	(⑧) 178円	(⑰) 424円	ⓧ×ⓨ×0.7 ※中会社は0.6 小会社は0.5 とします。
	課税時期の属する月の前月	7 ⓑ 266	類似業種	B 4円 70銭	C 24円	D 222円	
	課税時期の属する月の前々月	6 ⓒ 262	要素別比準割合	(⑤)/B 2.06	(⑧)/C 7.41	(⑰)/D 1.90	
	前年平均株価	ⓓ 304	比準割合	(B/⑤ + C/⑧ + D/⑰)/3 = 3.79			595円 70銭
	課税時期の属する月以前2年間の平均株価	ⓔ 314					
	A ⓐⓑⓒⓓⓔのうち最も低いもの	262					
類似業種と業種目番号	小売業 (No. 79)		区分	1株(50円)当たりの年配当金額	1株(50円)当たりの年利益金額	1株(50円)当たりの純資産価額	1株(50円)当たりの比準価額
	課税時期の属する月	8 ⓐ 395	評価会社	(⑤) 9円 70銭	(⑧) 178円	(⑰) 424円	ⓧ×ⓨ×0.7 ※中会社は0.6 小会社は0.5 とします。
	課税時期の属する月の前月	7 ⓑ 387	類似業種	B 4円 00銭	C 28円	D 226円	
	課税時期の属する月の前々月	6 ⓒ 385	要素別比準割合	(⑤)/B 2.42	(⑧)/C 6.35	(⑰)/D 1.87	
	前年平均株価	ⓓ 369	比準割合	(B/⑤ + C/⑧ + D/⑰)/3 = 3.54			783円 70銭
	課税時期の属する月以前2年間の平均株価	ⓔ 379					
	A ⓐⓑⓒⓓⓔのうち最も低いもの	369					

1株当たりの比準価額　比準価額(㉓)と㉔のいずれか低い方　595円 70銭 × (第4表のⓔの金額 500円 / 50円) = ㉕ 5,957円

比準価額の修正

	直前期末の翌日から課税時期までの間に配当金交付の効力が発生した場合	比準価額(㉕) 5,957円 − 1株当たりの配当金額 100円 00銭	修正比準価額 5,857円
	直前期末の翌日から課税時期までの間に株式の割当て等の効力が発生した場合	比準価額(㉕があるときは㉖) (円 + 割当株式1株当たりの払込金額 円 × 1株当たりの割当株式数 株) / (1株 + 1株当たりの割当株式数又は交付株式数 株)	修正比準価額 円

第8表 株式保有特定会社の株式の価額の計算明細書（続）

会社名　株式会社 本郷ホールディングス

（平成二十九年一月一日以降用）

（取引相場のない株式（出資）の評価明細書（続））

1. S₁の金額

純資産価額（相続税評価額）の修正計算

相続税評価額による純資産価額（第5表の⑤の金額）	課税時期現在の株式及び出資の価額の合計額（第5表の②の金額）	差引（①−②）
① 513,068 千円	② 485,690 千円	③ 27,378 千円

帳簿価額による純資産価額（第5表の⑥の金額）	株式及び出資の帳簿価額の合計額（第5表の⑧+（⑨−⑩）の金額）（注）	差引（④−⑤）
④ 114,671 千円	⑤ 109,295 千円	⑥ 5,376 千円

評価差額に相当する金額（③−⑥）	評価差額に対する法人税額等相当額（⑦×37%）	課税時期現在の修正純資産価額（相続税評価額）（③−⑧）
⑦ 22,002 千円	⑧ 8,140 千円	⑨ 19,238 千円

課税時期現在の発行済株式数（第5表の⑪の株式数）	課税時期現在の修正後の1株当たりの純資産価額（相続税評価額）（⑨÷⑩）	（注）第5表の②及び⑨の金額に株式及び出資以外の資産に係る金額が含まれている場合には、その金額を除いて計算します。
⑩ 20,000 株	⑪ 961 円	

1株当たりのS₁の金額の計算の基となる金額

修正後の類似業種比準価額（第7表の㉑、㉒又は㉓の金額）	修正後の1株当たりの純資産価額（相続税評価額）（⑪の金額）
⑫ 5,857 円	961 円

1株当たりのS₁の金額の計算

区分	1株当たりのS₁の金額の算定方法	1株当たりのS₁の金額
比準要素数1である会社のS₁の金額	⑬の金額と次の算式によって計算した金額とのいずれか低い方の金額 ⑫の金額　　　　⑬の金額 （　円×0.25）+（　円×0.75）= 　円	⑭ 　円
上記以外の会社 大会社のS₁の金額	⑫の金額と⑬の金額とのいずれか低い方の金額 （⑬の記載がないときは⑫の金額）	⑮ 　円
中会社のS₁の金額	⑫と⑬とのいずれか低い方の金額　Lの割合　　　⑬の金額　　Lの割合 [961 円×0.90] + [961 円×(1−0.90)]	⑯ 961
小会社のS₁の金額	⑬の金額と次の算式によって計算した金額とのいずれか低い方の金額 ⑫の金額　　　　⑬の金額 （　円×0.50）+（　円×0.50）= 　円	⑰ 　円

2. S₂の金額

課税時期現在の株式及び出資の価額の合計額（第5表の②の金額）	株式及び出資の帳簿価額の合計額（第5表の⑧+（⑨−⑩）の金額）（注）	株式及び出資に係る評価差額に相当する金額（⑱−⑲）	㉑の評価差額に対する法人税額等相当額（㉑×37%）
⑱ 485,690 千円	⑲ 109,295 千円	⑳ 376,395 千円	㉑ 139,266 千円

S₂の純資産価額相当額（⑱−㉑）	課税時期現在の発行済株式数（第5表の⑪の株式数）	S₂の金額（㉒÷㉓）	（注）第5表の②及び⑨の金額に株式及び出資以外の資産に係る金額が含まれている場合には、その金額を除いて計算します。
㉒ 346,424 千円	㉓ 20,000 株	㉔ 17,321 円	

3. 株式保有特定会社の株式の価額

1株当たりの純資産価額（第5表の⑪の金額（第5表の⑫の金額があるときはその金額））	S₁の金額とS₂の金額との合計額（（⑭、⑮、⑯又は⑰）+㉔）	株式保有特定会社の株式の価額（㉕と㉖とのいずれか低い方の金額）
㉕ 18,283 円	㉖ 18,282 円	18,282 円

8 開業後3年未満等の会社,又は休業中,清算中の会社の評価方法

(1) 開業後3年未満の会社

① 説　明

　開業後3年未満の会社,比準要素数0の会社とは次のイ又はロに該当する会社をいう。

　イ　課税時期において開業後3年未満の会社
　ロ　直前期末を基とした1株当たりの「配当金額」「利益金額」及び「純資産価額（帳簿価額によって計算した価額）」がいずれも0である会社
　(注)「配当金額」及び「利益金額」については,直前期末以前2年間の実績を反映して判定することになり,「比準要素数1の会社」の判定とは異なりますので注意してください。

② 評価方法

　開業後3年未満の会社等の評価方法は,1株当たりの純資産価額によって評価します。

　ただし,株式の取得者の属する同族関係者の議決権割合が発行済株式総数の50％以下の場合には,「1株当たりの純資産価額×80％」により評価します。

　なお,株式の取得者が,同族株主に該当しない場合には,配当還元価額によって評価します。

③ 根　拠

　類似業種比準方式は,正常な営業活動を行っている状態にあることを前提として上場会社と評価会社とを比較して評価額を計算するものであるため,その前提を欠くと認められる株式の評価は,原則として,純資産価額方式により評価することとされています（評基通189(4), 189－4）。

(2) 休業中の会社

① 評価方法

　休業中の会社の評価方法は，1株当たりの純資産価額によって評価します（評基通189―5）。

② 根　　拠

　休業中の会社を純資産価額方式によって評価するのは，1株当たりの配当金額等を評価することができないために，株式の実質の価値に着目して評価するので，純資産価額方式によって評価するのが妥当と考えられるためです。

(3) 清算中の会社

① 評価方法

　清算中の会社の評価方法は，清算の結果分配を受ける見込みの金額の課税時期から分配を受けると見込まれる日までの期間（期間が1年未満の端数があるときは，1年とします）に対応する基準年利率による複利現価の額によって評価します。

　ただし，2回以上にわたって分配を受ける見込みの場合には，その合計額で評価します（評基通189-6）。

② 計算例

イ　清算により分配を受けると見込まれる金額　5,000円
ロ　3年後に分配を受けると見込まれる場合の0.5％の複利現価率　0.985
ハ　解　答
　　　5,000円×0.985＝4,925円

9 医療法人出資金の評価方法

　医療法人（社団たる医療法人で持分の定めのあるもの）の出資金は，同族会社等の取引相場のない株式の評価方法に準じて評価されます。
　つまり，医療法人の規模に応じて，類似業種比準方式，純資産価額方式，及び類似業種比準方式と純資産価額方式との併用方式によって評価されます（評基通194―2）。しかし，医療法人は剰余金の配当が禁止されていることから，類似業種比準価額の計算上，配当金は比準要素からは除かれています。
　また，医療法人の場合であっても，その医療法人が比準要素数1の会社，株式保有特定会社，土地保有特定会社や開業後3年未満の会社等に該当する場合には，通常の取引相場のない株式の評価の場合と同様に，原則として純資産価額方式により評価されることになります（評基通194―2）。
　なお，株式の取得者の属する同族関係者の持分割合が50％以下の場合の，「1株当たりの純資産価額×80％」評価の適用はありません。

(1) 医療法人規模の決定

　医療法人の規模については，「小売・サービス業」の基準により決定します。

(2) 評価方式の決定

　会社規模が決定されると，各々の会社規模に応じた評価方式を決定することになります。医療法人の類似業種目は「その他の産業」に該当するものとして取り扱います。

① 小　会　社
　純資産価額方式を原則としますが，併用方式の評価金額が低い場合には，その金額によることができます。

② 中　会　社
　併用方式によることとなります。併用割合は会社規模に応じて「Lの割合」

により算定されます。

③ 大 会 社

類似業種比準方式を原則として、純資産価額方式の評価金額が低い場合には、その金額によることもできます。

(3) 類似業種比率価額の算式

$$A \times \left(\frac{\frac{Ⓒ}{C} + \frac{Ⓓ}{D}}{2} \right) \times \begin{matrix} 0.7 & (大会社) \\ 0.6 & (中会社) \\ 0.5 & (小会社) \end{matrix}$$

医療法人の場合、配当比準値がないため、利益比準値と純資産比準値により類似業種比準価額を算定します。算式のとおり、分母が2（通常は3）となります。

なお、利益比準値がゼロの場合でも分母は2のままとなります。

10 その他

(1) 特例有限会社の株式の評価方法

特例有限会社に対する株式の評価は、取引相場のない株式の評価方法に準じて行います。

(2) 合名会社、合資会社及び合同会社の出資の評価方法

合名会社、合資会社及び合同会社の出資持分自体の評価は、取引相場のない株式の評価方法に準じて行われます（評基通194）。持分会社のうち合名会社、合資会社についての適用にあたっては、社員の責任の範囲により以下のとおり取扱いに留意が必要です。

① 無限責任社員の場合

　無限責任社員が死亡した場合には，定款に相続に関する定めがない限り，人的信用を会社存立の基礎としている人的会社の性格を反映して，死亡と同時に退社することに定められています（会社法607①）。したがって，この場合には，相続人は，出資持分自体ではなく，その出資に係わる財産の払戻しを受ける権利（＝持分払戻請求権）を相続することになります。この持分の払戻価額は，課税時期における純資産価額によって評価します（会社法611，民法681）。

　ただし，定款において社員の相続人がその社員の持分を承継する旨の定めがある場合，出資金の評価は，会社規模等による通常の評価方式を適用できます（会社法608）。

② 有限責任社員の場合

　有限責任社員が死亡した場合にも，死亡と同時に退社することになります（会社法607①）。したがって，死亡した社員の持分払戻請求権を相続することとなるのか，その社員の持分を相続することになるのかは，定款によって定めることができます。

会社の種類	社員の種類	評価方法			
		持分払戻請求権（＝退社のケース）		出資持分（＝事業承継）	
合　資	有限責任社員	債権（定款に相続の定めなし）	純資産価額評価	持分（定款に相続の定めあり）	取引相場のない株式の評価方法
合　名	無限責任社員／社　員		通常のケース：純資産価額評価		取引相場のない株式の評価方法
			債務超過のケース／債務超過部分の負担部分を債務控除		

⑶ 農業協同組合等の出資の評価方法

　農業協同組合や漁業協同組合など，専ら組合員に対するサービス業務の提供を行うような組合に対する出資の価額は，原則として，払込済出資金額により評価します（評基通195）。

⑷ 企業組合等の出資の評価方法

　企業組合，漁業生産組合等の自ら事業を行う組合に対する出資の価額は，課税時期における実情により相続税評価額によって計算した純資産価額により評価します（評基通196）。

〈参考文献〉
　「株式・公社債評価の実務」　編者　鬼塚太美　財団法人　大蔵財務協会
　「自社株評価のポイントと改正点」　編者　山田淳一郎　株式会社　税務経理協会
　「論点解説 新・会社法」　編者　相澤哲，葉玉匡美，郡谷大輔　株式会社　商事法務
　「図解財産評価」　鬼塚太美編　財団法人　大蔵財務協会

《参考》相続税評価額と帳簿価額の計算方法

資産　　　　　　　　　　　　　　　　　　　　　　　　　　　　（単位：千円）

（科　目）	（貸借対照表計上額）	（相続税評価額）	（帳簿価額）
現　　金	500	500	500
預　　金	7,000	7,200 7,000千円＋200千円＝7,200千円 （注）課税時期において解約した場合に既経過利子の額として支払を受けることができる金額から，源泉徴収されるべき所得税の金額を控除した金額　　（評基通203） ※ただし，定期預金，定期郵便貯金及び定額郵便貯金以外の預貯金については，課税時期現在の預け入れ高により評価	7,000
受取手形	5,000	4,950 3,000千円＋1,950千円＝4,950千円 （注1）支払期限が到来している受取手形又は課税時期から6か月以内に支払期限が到来する受取手形（B／S計上額3,000千円） →券面額　　（評基通206(1)） （注2）（注1）以外の受取手形（B／S計上額2,000千円） →課税時期において銀行等で割引を行った場合に回収できる金額 　　（評基通206(2)）	5,000
売掛金	6,000	5,200 6,000千円－800千円＝5,200千円 （注）課税時期において回収不能の金額　　（評基通205） （会社更生手続の開始の決定等）	6,000 6,000千円 　回収不能であっても仕訳処理していない場合は，帳簿価額の計算上控除しない
未収入金	300	270 300千円－30千円＝270千円 （注）課税時期において回収不能の金額　　（評基通205）	

(科　目)	(貸借対照表計上額)	(相続税評価額)	(帳簿価額)
			300千円 　回収不能であっても仕訳処理していない場合は，帳簿価額の計算上控除しない
貸　付　金	500	(注1)　　(注2)　490 500千円＋20千円－30千円＝490千円 (注1) 課税時期における既経過利子の額 (注2) 課税時期において回収不能の金額　　(評基通204, 205)	500
仮　払　金	70	70	70
前　払　金	60	60	60
前 払 費 用	30	― 保険料の未経過分のように，財産性のないもの →相続税評価額，帳簿価額ともに記載しない	―
商　　　品	1,800	1,800 たな卸商品等（商品，貯蔵品のほか，製品，半製品，仕掛品，原材料など）	1,800
貯　蔵　品	50	50 →相続税評価額，帳簿価額ともに，その会社が所得の金額の計算上選定している評価方法によることができる　　(評基通133)	50
土　　　地	5,000	7,200 課税時期の属する年の路線価（または倍率）により評価 ※課税時期前3年以内に取得した土地は除く（「課税時期前3年以内に取得した土地」参照）	700

(科　目)	(貸借対照表 計上額)	(相続税評価額)	(帳簿価額)
			5,000千円－4,000千円(注1)－500千円(注2)＋200千円(注3)＝700千円 (注1) 課税時期前3年以内に取得した土地のB／S計上額 (注2) 土地圧縮記帳引当金の額（法人税申告書別表十三㈤の18） (注3) 土地圧縮限度超過額（法人税申告書別表十三㈤の25）
課税時期前3年以内に取得した土地	─	4,000 課税時期前3年以内に取得した土地→通常の取引価額　（評基通185）	4,000 相続税価額と同じ
借　地　権	0	5,600 無償で取得した借地権であっても課税時期の属する年の路線価（または倍率）により評価する	0 無償取得による借地権の場合には「0」と記載する
建　　　物	3,000	1,500 1,500千円×1.0＝1,500千円(注) (注) 固定資産税評価額 ※課税時期前3年以内に取得した建物は除く（「課税時期前3年以内に取得した建物」参照） （評基通89）	760 3,000千円－2,000千円(注1)－250千円(注2)＋10千円(注3)＝760千円 (注1) 課税時期前3年以内に取得した建物のB／S計上額 (注2) 建物減価償却累計額 (注3) 建物減価償却超過額（法人税申告書別表十六㈠の37）

(科　目)	(貸借対照表計上額)	(相続税評価額)	(帳簿価額)
課税時期前3年以内に取得した建物	—	1,700 2,000千円(注1)－300千円(注2)＝1,700千円 (注1) 取得価額 (注2) 課税時期までの償却費の合計額　　　　　(評基通185)	1,700 相続税評価額と同じ
構築物	500	245 350,400円×70％＝245,280円 構築物の価額は課税時期の価額の100分の70で評価　　(評基通97)	350 500千円－150千円(注)＝350千円 (注) 減価償却累計額 ※減価償却超過額があれば加算し，税務上の帳簿価額とする
車輛運搬具	250	180	180 250千円－70千円(注)＝180千円 (注) 減価償却累計額 ※減価償却超過額があれば加算し，税務上の帳簿価額とする
器具備品	100	80	80 100千円－20千円(注)＝80千円 (注) 減価償却超過額があれば加算し，税務上の帳簿価額とする
機械装置	1,700	1,100	1,100 1,700千円－500千円(注1)－100千円(注2)＝1,100千円 (注1) 圧縮記帳引当金 (注2) 減価償却累計額 ※圧縮限度超過額，減価償却超過額があれば加算し，税務上の帳簿価額とする

（科　　目）	（貸借対照表計上額）	（相続税評価額）	（帳簿価額）
借　家　権	300	0 借家権は，その権利が権利金等の名称をもって取引される慣行のある地域にあるものを除き，相続税評価額はゼロ　　　　　（評基通94）	300
有 価 証 券	2,000	2,800 株式，公社債などの種類に応じそれぞれに定める評価方法により評価 　　　　　　　（評基通168〜196）	2,000
ゴルフ会員権	1,500	9,800 14,000千円×70％＝9,800千円　　（注） 　　　　　　　　　（評基通210） （注）課税時期における取引価格 　　　　　　　　　（評基通211）	1,500
特　許　権	1,000	― 権利者が自ら特許発明を実施している場合の特許権 →営業権にまとめて評価するため記載しない　　　　（評基通145） ※実用新案権，意匠権，商標権などの権利も特許権と同様に取扱う 　　　（評基通145〜148，154，163）	― 相続税評価額と同じ
営　業　権	0	800 超過利益金額をもとに計算した価額と，課税時期を含む年の前年の所得の金額とのいずれか低い金額により評価　　　　　（評基通165）	1,000
電話加入権	100	3 1.5千円×2本＝3千円　　（注） （注）電話取扱局ごとに国税局長が定める標準価額　（評基通161）	100

(科　目)	(貸借対照表計上額)	(相続税評価額)		(帳簿価額)
創　立　費	80	─		─
開　業　費	30	財産性のない繰延資産 →相続税評価額，帳簿価額ともに記載しない ─		─
新株発行費	30	─		─
試験研究費	400	─		─
役員保険積　立　金	900	0 課税時期において取り崩されるためゼロ		0 相続税評価額と同じ
生命保険金請　求　権	─	5,000 被相続人の死亡を保険事故として会社が受け取った生命保険金		5,000 相続税評価額と同じ

負債 (単位：千円)

（科　　目）	(貸借対照表 計　上　額)	（相続税評価額）	（帳　簿　価　額）
支 払 手 形	1,500	1,500	1,500
買　掛　金	1,600	1,600	1,600
短 期 借 入 金	5,000	5,000	5,000
未　払　金	50	50	50
前　受　金	20	20	20
仮　受　金	10	10	10
預　り　金	20	20	20
未 払 費 用	30	30	30
前 受 収 益	50	50	50
貸 倒 引 当 金	300	― 対外的な，確実な債務のみを計算上負債とするため，記載しない	― 相続税評価額と同じ
賞 与 引 当 金	450	― 貸倒引当金と同じ	―
債権償却特別勘定	150	― 貸倒引当金と同じ	―
納 税 充 当 金	900	― 貸倒引当金と同じ	―
退 職 給 与 引　当　金	1,700	― 貸倒引当金と同じ	―
未 払 退 職 金	―	2,000 被相続人に支給することが確定した死亡退職金　　（評基通186）	2,000
保険差益に対する法人税等	―	777 (5,000千円-900千円-2,000千円) 　　(注1)　　　(注2)　　　(注3) ×37％＝777千円 （注1）生命保険金額 （注2）役員保険積立金 （注3）死亡退職金	777 相続税評価額と同じ

(科　目)	(貸借対照表計上額)	(相続税評価額)	(帳簿価額)
土地圧縮記帳引当金	500	― 「資産」の土地の帳簿価額から控除し，「負債」には計上しない	― 相続税評価額と同じ
機械装置圧縮記帳引当金	500	― 「資産」の機械装置の帳簿価額から控除し，「負債」には計上しない	― 相続税評価額と同じ
減価償却累計額	2,640	― 「資産」の各減価償却資産の帳簿価額から控除し，「負債」には計上しない	― 相続税評価額と同じ
未納法人税	―	ⓐ450	450
未納住民税	―	ⓑ100	100
未納事業税	―	250	250
未納消費税	―	110	110
		課税時期において仮決算を行った場合 →仮決算により算出された，課税時期の属する事業年度分の法人税額等 課税時期において仮決算を行わない場合 →直前期分の法人税額等で，課税時期において未納のもの ⓐ法人税申告書別表五㈡3の⑥，4の⑥ ⓑ法人税申告書別表五㈡8の⑥，9の⑥，13の⑥，14の⑥	
未納固定資産税	―	40 課税時期以前に賦課期日のあったもののうち，課税時期において未納のもの	40 相続税評価額と同じ
未払配当金	―	200 直前期の剰余金の配当として確定した金額のうち，課税時期において未払いのもの	200 相続税評価額と同じ
未払役員賞与	―	150	150

（科　　目）	(貸借対照表 計上額)	（相続税評価額）	（帳簿価額）
社　葬　費　用	―	1,000 相続税法上の葬式費用に該当するもの	1,000 相続税評価額と同じ

実 践 編
(Q & A)

Question 1　代表訴訟とその対応

株主からの代表訴訟が簡単におこされるようになったそうですが，当社も経営に参加しないものが株式を一部持っており，今後のことを考えると心配な面があります。代表訴訟とはどのようなもので，どう対応すればいいのでしょうか。

Answer

1　代表訴訟とは

株主は，取締役・監査役に対し会社に対する責任を追及し訴えを起こすことができます。例えば，取締役が会社に損害を与えたような場合，株主が会社にかわって，取締役の責任を追及するというものです。これを代表訴訟といいます。

訴訟の対象となる取締役の責任の範囲は，取締役が会社に対し行わなければならない一切の責任が含まれるとされています。したがって，株主総会の招集手続や取締役会の決議方法などで瑕疵があり，会社が損害を蒙った場合も，その対象とされます。

2　代表訴訟の手続

代表訴訟の概略は次表のとおりです。

代表訴訟は，株主が会社に対し書面または電磁的方法をもって取締役等の責任を追及する訴えを提起することを請求することから始まります。これを受けて，会社が請求より60日以内に提訴しない場合，株主が会社にかわり提訴することになります。ただし，この期間内に会社に回復できないほどの損害が生じる恐れがあるときは，期間内でも訴えを起こすことができます。

なお，公開会社でない会社については，訴えを起こせる株主は6か月以上引き続き株主となっていなければならないという制限がありません。また，その要件を満たしていれば1株の株主でも提訴できます。

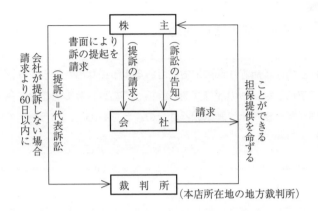

(本店所在地の地方裁判所)

3 代表訴訟費用

　裁判所に納付する手数料は13,000円です。以前は，代表訴訟の目的価額の算定において議論が分かれていたために，手数料が多額になるケースもあり，結果として代表訴訟の道がとざされていた状況でしたが，代表訴訟を実効性あるものとするために，目的価額を160万円とみなし，現在の手数料は13,000円となっています。

4 実務対応

　前述したように代表訴訟は，会社に対して取締役等の負担する一切の責任をその対象としています。

　オーナー会社の場合，会社の重要事項はすべてオーナー一人が意思決定し，オーナー以外は事後報告だけといったのが現状だろうと思われます。つまり，取締役会や株主総会といったものも，法に沿った形で開催されることはないという状況です。この結果，万一，会社に損害を与える（例えば，会社の所有資産をオーナーが安く借りたり，会社が買ったゴルフ会員権が値下がりしたりなど）ことにでもなれば，オーナーの責任を問われることになります。

　オーナー会社だからこそ代表訴訟の対象になりやすい，このことを肝に銘じて少なくとも法に沿った会社経営を進めなければならない時期になっているようです。

なお，会社法においても，以前の商法と同様に役員の賠償責任に枠が設けられるようになっており，その責任が軽減できるようになっています。具体的には，代表取締役または代表執行役の場合，報酬の6年分，取締役または執行役の場合，報酬の4年分，社外取締役，会計参与，監査役または会計監査人については，報酬の2年分までに，株主総会または取締役会の判断で軽減できます。

Question 2 譲渡承認とその対応策

当社にいた元従業員が当社の株式を若干持っています。このたび，元従業員から株を売却したい旨の話があり，については譲渡を承認してほしいとの申請がありました。当社としては，見ず知らずの第三者へ株式が移転するのは回避したいのですが，どうすればよいでしょうか。

Answer

1 譲渡制限と譲渡承認申請

オーナー会社にあっては，通常，株式についての譲渡制限を定款で規定しています。この場合，株式譲渡は当事者間で勝手に行うことはできず，その譲渡につき取締役会の承認を受けなければなりません。

したがって，株式を譲渡しようとするものは，次のいずれかの申請を会社（取締役会）宛に行うことになります。

申請内容	取締役会の対応
譲渡の承認	(1) 承認しない場合 →2週間内にその旨通知（期限内に通知がない場合，譲渡承認とみなされます）
譲渡の承認及び承認しない場合の買取人指定申請	(1) 承認しない場合 同上 2週間以内に譲渡相手方指定通知
株式譲受者からの取得の承認	同上

いずれも，譲渡ないし取得を取締役会が承認しない場合は，2週間以内に承認しない旨の通知や買受人の指定を行わなければ，譲渡を承認したものとみなされます。

表の最後の取得の承認は，売買が行われた後に取得した新株主から承認が求められるものです。この場合も，不承認であれば買受人を指定しなければなりません。

譲渡人からの譲渡承認申請があった場合の概略は次のとおりです。

〈譲渡承認の流れ〉

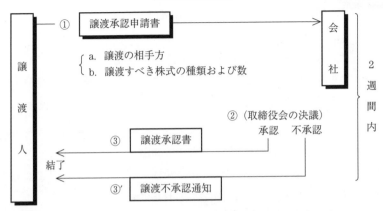

(出典)「小さな会社の正しい株式実務」中西敏和著 中経出版(P116)

2 買受人の指定

　取締役会が買受人を指定する場合、通常は、会社の社長等の役員が多いと思われます。また、会社を買受人に指定することもできますが、この場合、買取財源は分配可能額の範囲内とされています。

　なお、平成13年度改正により、会社の所有する自己株式について、消却及び処分の義務は課されなくなり、その保有を認められることになりました。さらに会社法では、手続面での緩和が行われています。

3 実務対応

　実務的に最も問題となるのは売買価格です。当事者間で話がまとまればよいのですが、そうでない場合、裁判所に価格の決定を請求することになります。裁判所は、会社の資産状態その他いっさいの事情を斟酌して決定することになりますが、なかなか困難なのが実情です。

Question 3 社長一族の所有割合を増やしたい

当社は，社長一族の持株割合が，50％以下の会社です。
オーナー権を保持するため，増資などによって社長一族の所有割合を増やしたいのですが，税務上問題とならない方法を教えてください。

Answer

1 所有割合を増やす増資の方法と税務上の問題

株主に平等に割当する"株主割当"の方法は，ここではとれません。そこで，所有割合を増やす増資の方法は，次表のとおりです。

	実務上の留意点	関連ページ
第三者割当増資	① 増資の目的…単なる経営安定のためか，事業継承を意識してやるのか ② 他の株主の説得（特別決議が必要） ③ 発行価格…｛時価発行…課税なし／有利発行…課税｝ ④ 時価発行の場合，時価が高額になるため資金負担が大変 ⑤ 同族会社（持株会社等）で引き受けるのか，個人で引き受けるのか	235
自己株式の買取	① 自己株式の買取に同意する株主の発見 ② 買取価格をいくらにするのか ③ 買取をする株主の課税上の問題をどうするのか（みなし配当課税）	233
無議決権株式の発行	① 議決権株式を無議決権株式に移行することによって社長一族の議決権割合を増加させる手法 ② 同族以外の株主を従業員持株会等にまとめ，管理しやすいようにする	240

2 第三者割当増資の態様と課税関係

第三者割当増資の態様と課税関係は，次表のとおりです。
第三者割当増資は，下記のように決議されます。

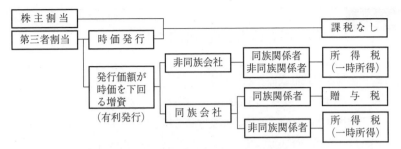

(注) 1　法人株主の場合は法人税（受贈益課税）として課税される。
　　　2　個人が給与，賞与又は退職金として新株引受権を付与された場合は，同族会社，非同族会社を問わず，所得税（給与所得又は退職所得）が課税される。

　株式の譲渡制限がある会社は，株主総会特別決議，その他の会社は，有利発行（株主総会特別決議）を除き，取締役会決議

　※株主総会特別決議……議決権を有する株主の過半数の出席で３分の２以上の決議

3　実践対策

① 社長一族の所有割合を高めることは，買取価額が高額になったり，また贈与税等課税の問題をクリアーしなければならず，実務上，対策がとりにくいといえます。

② 赤字会社に，「有利な発行価額」で第三者割当増資をする。

　法人に，"有利発行"をした場合，法人課税（受贈益）が起こります。

　しかし，赤字法人が，その赤字の範囲内の"受贈益"でしたら，法人税の課税は生じません。ただし，場合によっては贈与税の課税問題が生じることがあります。

③ 事業承継者への第三者割当増資

　事業承継者へ，あえて，第三者割当増資を行い，社長の所有株式のシェアーの引下げをはかります。

　一方，社長一族の所有割合は，他の株主に対し，上昇します。

　相続対策，所有割合の増加と一石二鳥の効果が生じます。

　（贈与課税には注意してください）

Question 4 兄弟の所有株式を買い取りたい

現状の株主構成は次のとおりです。
　母　4,000株　　長男　15,000株　　長女　1,000株
発行済株式20,000株，長男，長女は父の相続により取得したものです。
　当社は，長男が代表取締役を務め，長女は，一切事業にタッチしていません。そこで，長女は長男に対して，自分の所有する株式を買い取ってくれるよう依頼してきました。長男としては，現状のままでも会社運営に支障はないと考えましたが，母の相続等後々のことを考え，長女の所有株式1,000株を買い取りたいのですが。

Answer

　株式は，一般的に，取引相場のある上場株式とそれ以外の未上場株式等に分けることができます。上場株式については，取引相場による時価が存在するため，その取引価額について，税務上トラブルが生じることは，あまりありません。一方，未上場株式等については，その"時価"というものについて，唯一絶対というものが存在しません。例えば，相続税や贈与税の課税のための財産評価基本通達に定める評価は，相続税や贈与税の課税のための評価にしかすぎません。

　ではここで，未上場株式等の評価方法について，少し整理しておきます。

---
① 配当還元方式
② 類似業種比準価額方式
③ 純資産価額方式 ── 相続税法上の純資産
　　　　　　　　　＼ 時価純資産

　それぞれの評価方法の詳細については，ここでは省かせていただきますが，通常，未上場株式等を売買する場合には，時価純資産価額が一応の目安となり

ます。ただし，売買といっても，その売り手と買い手がそれぞれ異なれば，その売買価格も，おのずと異なると考えられます。それは，法人税法と所得税法における"時価"の違いや，売り手と買い手の立場の違いによって，その株式のもつ価格の違い，などの理由からです。したがって，株式の売買を，経済行為の原則としてとらえるならば，売り手と買い手の交渉により決められた価格が，その株式の時価となると考えられるべきです。しかしながら，同族会社の株式については，その価格の決定に恣意性が介入する余地があり，客観的判断ができないことから，税務上のトラブルが発生する危険性があるわけです。

　ご質問の場合，長女から長男への売却価格は，どの価格が適正となるのでしょうか。長女がこの株式を所有していても，実際問題としては，その配当を期待するぐらいの価値しかない。しかし，長男にとっては，この会社の正味財産価値に相当する価値があるといえます。したがって，この場合の売買価格の算定には，この会社の時価純資産価額が基礎となると考えられます。財産評価基本通達においては，未上場株式の純資産価格の算定上，その法人の清算所得に対する法人税相当額として，正味財産価格から37％相当額を控除することを認めていますが，所得税法及び法人税法においては，課税上のトラブルを避けるため，37％控除をしないことが多いと思われます。ただし，個人間の売買については，課税上弊害がない限り，相続税評価額による売買も認められると思われます。つまり相続税評価額による売買で，売主は譲渡税を支払うことで，課税関係は終了することになります。いずれにしろ，売買価格は時価純資産価額を基礎とするものの，ケースバイケースでその他事項を加味した価格をもって売買価格を算定することになります。

Question 5 第三者割当増資の場合の引受価額

第三者割当増資の場合"引受価額"を，いくらにするかによって，課税が生ずると聞いています。
どのように"引受価額"を決定したら税務上の問題は生じないのでしょうか。

Answer

1 第三者割当増資の時価とは

株主割当のように，旧株主の持株割合に変動のない場合は，時価発行をしなくても課税が生じません。

一方，第三者割当では，旧株主の持株割合に，変動を生じてしまいます。

したがって，発行価額を"時価"にすることにより，持株割合は変動しても，株主の資産割合を変動させないことになりますから，課税の問題を生じさせません。

問題は，時価以下（有利な発行といいます）での発行の課税の問題と，時価とは何かということです。

そのポイントをまとめますと，次のとおりです。

2 時価のポイント

(1) 法人の引受価額（238頁参照）

時価純資産価額（清算法人税37％控除しない）を斟酌した価額

時価以下で，引き受けた場合は，時価との差額が受贈益として収益に計上されます。

(2) 個人の引受価額

同族関係者が引き受ける場合は，課税上弊害がない限り，相続税評価額の原則的評価方式，それ以外（従業員等）は，配当還元方式で行うことができます（一部，同族関係者でも，配当還元方式を採用できる場合があります）。

これをまとめると，次表のとおりです。

発行会社の区分	株主の態様 株主区分				株主の種類	発行会社の規模	評価方式
同族株主のいる会社	同族株主	取得後の議決権割合5％以上			原則的評価方式により評価する株主	大会社	類似業種比準価額方式
						中会社	類似業種比準価額方式と純資産価額方式の併用
		取得後の議決権割合5％未満	中心的な同族株主がいない場合			小会社	純資産価額方式（Lの割合を0.5とする併用方式の選択可）
			中心的な同族株主がいる場合	中心的な同族株主			
				役員			
				その他	例外的評価方式により評価する株主	無関係	配当還元価額方式
	同族株主以外の株主						
同族株主のいない会社	議決権割合の合計が15％以上のグループに属する株主	取得後の議決権割合5％以上			原則的評価方式により評価する株主	大会社	類似業種比準価額方式
						中会社	類似業種比準価額方式と純資産価額方式の併用
		取得後の議決権割合5％未満	中心的な株主がいない場合			小会社	純資産価額方式（Lの割合を0.5とする併用方式の選択可）
			中心的な株主がいる場合	役員			
				その他	例外的評価方式により評価する株主	無関係	配当還元価額方式
	議決権割合の合計が15％未満のグループに属する株主						

（注）特別な評価方式（土地保有特定会社，株式保有特定会社）の場合は，その評価は原則として純資産価額方式となります。

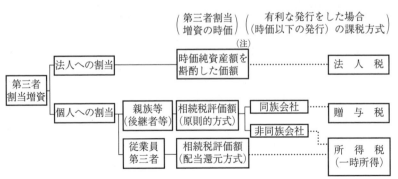

（注）通常，清算法人税（37％）を控除しない金額

2 実践対策

(1) 従業員持株会の設立と第三者割当増資 (235頁参照)

① 従業員は"配当還元方式"で，第三者割当増資ができます。

これにより，次のような効果があります。

　㋑　社長一族の株価対策（株価引下げ効果）ができます。

　㋺　従業員の，福利厚生プラン（配当することにより，貯蓄効果）とすることができます。

従業員株主が増え，議決権が心配な場合は，無議決権とする方法があります。

② 第三者（例えば，中小企業投資育成会社）に引き受けてもらいます（283頁参照）

　㋑　中小企業投資育成会社に第三者割当増資で引き受けてもらいます。これにより，社長一族の持株割合が下がり，株価対策がとれます。

　㋺　同社は，政府系の機関であり，経営に口出ししない。安定株主となりえます。

③ 同族関係者でも，配当還元方式の発行が可能

　㋑　伝統のある会社で，比較的株式が分散している会社では，同族関係者でも，配当還元方式の発行が可能です。

　㋺　対策のポイント

---

(1) 筆頭株主のグループの議決権割合30％以上
(2) 本人議決権割合5％未満
(3) 中心的同族株主がいる
(4) 本人は中心的同族株主に該当しない
(5) 本人が役員でない

　　　場合には，「配当還元方式による株式評価」を適用できます。

Question 6　同族関連会社へ割当増資をしたい

社長一族の事業承継対策もかねて，同族関連会社へ増資の割当をしたい。その場合の，課税上の問題，実務対応について，考えられることを教えてください。

Answer

1　法人税法上の時価とは

同族関連会社に，株式を引き受けさせる場合，次の２つの方法が考えられます。

(1) 株主割当増資……時価に関係なしで発行できる……課税なし
(2) 第三者割当増資……時価発行増資……課税なし

事業承継対策としての増資は，持株会社として実務上，(2)のケースがほとんどです。

さて，同族会社の株式の時価について，法人税法は下記のように決めております。

非上場株式で気配相場のない株式	法人税法上の時価
① 売買実例のあるもの	最近の適正な取引価額
② 売買実例のないもの	類似する会社に比準した価額
③ 同族会社の場合 （その会社が，その株式の発行会社の「中心的な同族株主」に該当する場合）	時価純資産価額 （清算法人税37％控除なし） （法基通９−１−13, 14）

2　時価を下回った場合の第三者割当増資

時価以下（有利な発行価額）で，第三者割当増資（235頁）をすると，時価と発行価額との差額について，受贈益として，引受けをした同族会社に，法人税が課税されます。

3 実戦対策

(1) 時価のきめ方

実務上の発行価額は，次のように決められているようです。

① 同族会社……時価純資産額を斟酌した価額
② 同族会社以外の会社……時価純資産価額をはじめ合理的な方式により算定した価額

しかし，①の方法で，第三者割当増資をする場合，発行価額が高くなり，株価の高い同族会社では，事実上増資が不可能となってしまいます。

実際，時価の決定要因は，かならずしも，時価純資産価額のみといえず，収益方式，配当方式，類似業種比準方式等の側面から株価が決定されることもあります。

同族会社の第三者割当増資でも，合理的な根拠があれば，時価純資産価額方式にとらわれない方式の採用も一考の余地があるといえます。

(2) 持株会社と第三者割当増資

事業承継対策として，持株会社（通称）は必要なものの1つです。

下記のやり方も，その一法といえます。

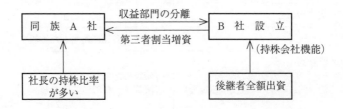

Question 7 　従業員の所有株式を無議決権株式にかえたい

現在，従業員が所有している株式を，無議決権株式とし，会社の経営権はオーナー一族により行いたいと考えていますが，その場合の留意点を教えてください。

Answer

1 無議決権株式についての会社法上の制限

以前は，無議決権株式を含む議決権制限株式は，発行済株式総数の2分の1を超えない範囲において発行することができました。しかし，会社法においては，譲渡制限会社の場合には無制限に議決権制限株式を発行することができます。

2 無議決権株式による自社株評価への影響

(1) 株主及び評価方式の判定

無議決権株式の数を発行済株式から控除して評価会社の発行済株式数とします。よって，同族会社からぬけるために，無議決権株式を大量に発行しても，判定上の比率には影響ないことになります。

(2) 類似業種比準価額の計算時の発行済株式数

直前期までの発行済株式総数によりますので無議決権株式があっても，発行済株式総数の中に算入されたままとなります。

(3) 純資産価額の計算時の発行済株式数

課税時期現在の発行済株式数によることになりますから，無議決権株式があっても，発行済株式総数の中に算入されたままとなります。

(4) 自社株評価

配当優先の無議決権株式については，普通株式と同様に評価することになります。ただし，その他の多種多様な種類株式については，普通株式と比べて発行価額，権利の内容，転換条件等が大幅に異なるため，個別に権利内容等を判断して評価することになります。

3 無議決権株式の発行による活用等

　無議決権株式の発行については，オーナー株主の相対的な持株比率が少ない場合，または分散している場合に，従業員の持株について配当優先の無議決権株式に転換することにより，オーナー一族または，その中心となる株主（後継者等）の支配権を実質的に高めることになります。

　この点からは，無議決権株式の活用があります。

　ただし，自社株評価上においては，無議決権株式があることによる影響は排除されていますので，自社株評価対策として無議決権株式を活用することは効果の面で問題がありますので，十分な検討が必要です。

Question 8 子供の増資資金を親が立て替えたい

当社の株主は次のとおりです。
資 本 金　1,000万円（発行価額5万円，発行済株式数200株）
株式総数　A氏（オーナー）150株，A氏の妻25株，
　　　　　　　　　　　A氏の子供25株

1,000万円（200株）の増資を考えていますが，子供等の増資資金をA氏が出してもいいのでしょうか。

Answer

　未上場の，いわゆるオーナー企業の場合には，株主構成が親族で占められているというケースが数多く見受けられます。このようなケースで，会社の資本金を，金銭出資により増資したい場合に，いくつかの税務トラブルが見受けられます。

① 名義株式が存在する場合
② オーナー以外の親族株主に所得がない場合等

　①のケースについては，他でふれることとし，ここでは，②のケースについて考えてみたいと思います。このケースにおける問題点は，後述のとおり，いくつかに整理されますが，いずれの場合であっても問題となるのが"贈与"の問題です。

　ご質問の場合，単純に，A氏個人が，全額出資して増資した場合には，2つのケースの贈与が発生します。株式を金銭出資により増資する場合には，現状の出資割合に比例して出資することが原則です。したがって，このケースの場合には，A氏750万円，妻125万円，子125万円の出資により増資すべきですので，A氏から，妻及び子へそれぞれ，125万円の金銭贈与があったとされるのが第一の場合です。次に，上記例示の条件に，この株式の時価を1株当たり50万円というのをつけ加えて，考えてみます。この場合，もしA氏が，1,000万円の金銭出資を行ったとした場合，所有株式の時価は，1億1,000万円（株式

時価総額）÷400株（増資後の発行済株式数）＝27.5万円／株となります。したがって，各人の株式時価を，増資前と増資後で比較してみますと，

	増 資 前	増 資 後	増 減 額
A氏	7,500万円	9,625万円	2,125万円
妻	1,250万円	687.5万円	△562.5万円
子	1,250万円	687.5万円	△562.5万円

となります。結果として，妻及び子からA氏に対して，それぞれ562.5万円の贈与があったものとみなされます。ちなみに，これが時価発行により増資された場合には，当然，この贈与の問題は生じません。

　以上のように，オーナーが，株主である妻や子供の増資資金を立て替えた場合には，税務上のトラブルが発生するケースがありますので，このようなトラブルを事前に防ぐためには，以下の点に留意する必要があります。

① 増資資金を立て替えた場合には，金銭の贈与なのか，立替金（貸付金）なのかを明確にします。

② この場合，金銭贈与ならば，贈与税の申告を，貸付金ならば，金銭消費貸借契約書の締結及び返済の事実を明確にしなくてはなりません。

③ さらに，貸付金とした場合に，妻や子に返済原資がない場合には，その原資をつくる必要がありますが，その方法としては，(イ)報酬を支払う，(ロ)配当金をだす，(ハ)毎年金銭贈与を行う等の方法が考えられます。いずれの方法を選択するかは，ケースバイケースによって異なりますが，子供が未成年者の場合には，(ロ)又は(ハ)の方法によると思います。

　いずれの場合であっても，安易な増資は，トラブルの元となりますので，上述した注意点を十分理解した上で，適正な方法で，かつ適法な手続をふまえた上で実行することが必要です。

Question 9　古くからの名義株を子供名義にしたい

会社設立時に株主として名義を貸してもらった従業員がいます。今は１人株主でもいいということで名義を変えたいと思っています。この際，従業員名義の株式を私の子供の名義にしてもいいでしょうか。

Answer

　同族会社の定義をひと言でいいあらわせば，「上位３株主のグループの持株の合計が，その法人の発行済株式数の50％超となる法人」となります。

　そもそも名義株とは，株主の所有名義人は他の者であっても，その株主の実際の出資者は，その法人の同族株主であるケースをいいます。名義株であるのか，そうではなく，実際にその所有株主が実際の出資者であるのかは，実務上問題となる場合が多く見受けられます。

　例えば，その中でも最も多く税務上のトラブルが表面化するのが，相続発生時です。ご存じのとおり，被相続人の所有する株式については，単価×株数＝財産価額として求められますので，当然，相続人は株数が少ない方が有利と考えます。そこで，名義株の存在を認識していたとしても，その株式は，被相続人の株式ではなく，その名義人の株式であるとして，相続税の申告をするのです。

　ここで未上場会社の株主について，通常どのように認識するのかと考えてみます。一般的に株主が公になるのは，その法人が毎年法人税の申告をする際に，法人税の別表二というものに株主及びその出資額を記載しますが，これがまず第一でしょう。しかしながら，この別表二に毎年記載されているから，これは名義株ではなく，その出資者本人の所有株式であるとはいいがたいと思います。実務上は，その株主本人が，自分自身がその会社の株式を保有していることを認識していないことも，決してめずらしいことでもありません。では，どのような事実によって，その株主を認定したらよいのでしょうか。ケースバイケースによっていくつかの方法が考えられますが，一般的には，配当金を交付する

方法が一つ考えられます。過去において株主が，その出資の割合に応じて，配当金の交付を受け，これを毎年の所得として認識している場合には，これを現実の株主とすることは問題ありません。

　ご質問のように，名義株であるものを，子供名義にするようなケースではどのような問題が生じてくるかを考えてみましょう。名義株は，本来，本人（この場合は子供の父）所有の株式です。これを，子供名義に勝手に変更することができるならば，財産の移転上，非常に有利であると考えられます。しかし，当然のことながら，これは税務上，認められる行為にはなりません。まずはじめに考えられることは，この時点で，父から子への株式の贈与があったものとみなされます。更にすすめて考えてみますと，この父が，この株式を先代から相続により取得したとすれば，本来その時点で，名義株を真の所有名義に改め，これを相続により取得したものとしなければならなかったことになります。このように，名義株の問題は，その時点に限らず，過去にさかのぼり又は後年にわたって，税務上のトラブルのもととなりますので，その所有，移転等をはっきりさせておくことが必要です。

Question 10 持株会社へ株を移転

当社は，オーナー会社で，社長の持株割合が90%を超えています。

将来の事業承継対策，相続対策を考えて社長の持株の一部を持株会社に移転したいと考えています。

その場合の，税務上，移転手続上の注意点を教えてください。

Answer

1 持株会社設立の留意点

持株会社については，現行その設立が認められています。

オーナー企業にとっての持株会社の運用（以前は独禁法による制限がありました）は，個人の持株を会社所有の持株とし，安定株主対策と相続対策による効果を主な目的として設立されているのが実情です。

よって，その運営資金は，持株からの配当及びその他事業収益によることになります。

ここにおいて，持株会社設立後，その運営上の資金をどのようにするかということが重要です。通常は配当だけではまかないきれないところから，不動産賃貸業務，保険代理業務等により運営していく場合が通例です。

2 持株会社への自社株移転の方法

(1) 譲渡の場合

個人株主から，持株会社への譲渡の場合には，次の点に留意してください。

① 譲渡価額

② 個人の譲渡所得税

③ 持株会社の取得資金

①については，個人と法人との売買取引となりますから，原則として時価による取引となります。非上場の株式の場合には時価の算定が困難となるため，税務上問題とならない価額として，法人税基本通達9-1-14，上場有価証券以外の株式の価額の特例によって計算した価額によるのが一般的です。

②については，オーナー株主の場合は，通常自社株については設立当初の出資価額により取得しているケースが多いので，売却による譲渡所得税が発生してきます。

　よって，この譲渡所得税も考慮して売却株数等の決定をすることが重要です。

　また，この場合に個人所有の上場株式等について含み損が発生している場合には，それらを売却することにより，自社株の売却益と相殺し，譲渡所得税を軽減できる場合もありますから，あわせて検討が必要です。

　③については，持株会社の自己資金の場合には問題ありませんが，借入れによる場合にはその調達方法，返済計画まで考慮のうえ実行してください。また，自社株の取得代金について，売却したオーナーからの借入れによることについて無利息についての税務上の課税のケースもでていますから十分な注意が必要です。

(2) 現物出資の場合

　現物出資の場合には，課税上，個人は譲渡所得税の対象になりますから，その場合の譲渡所得税の負担について検討してから実行することが必要です。

3 効果的な持株会社活用法

(1) 持株会社の株主は後継者に！

　自社株を持株会社に移転することで，将来の自社株評価のアップの影響を軽減することはできますが，持株会社の株主が同一であれば完全に影響を断ち切ったことにはなりません。よって，持株会社の株主については後継者を中心とすることをお推めします。

(2) 持株移転は早めに！

　持株会社への移転については，譲渡価額が時価によるため，その時価が低いときの方が移転にかかわるコストが低くてすみます。また，将来会社が成長した場合に移転時からの値上り部分については，持株会社の株式評価上37％が減額されます。よって，低い価額で移転できれば，その減額金額も多くなり持株会社の評価上有利となります。

Question 11　自社株式を現物出資する場合の価額

現在，個人で所有している自社株式について，現物出資により他の会社に移転したいと考えています。
課税上の取扱い及び手続上の留意点を教えてください。

Answer

1 現物出資者（個人）の取扱い

　個人が自分が所有している自社株式を現物出資して，現物出資した会社の株式を取得することになります。このことは，自社株式を売却して，得た資金で会社に出資した場合と同様ですので，課税上の取扱いもほぼ同様の扱いとなっています。

(1) 現物出資価額

　個人が会社に現物出資する場合の価額は，会社への売却時の価額と同様に時価となります。この価額と同額の現物出資先の会社の株式を取得することになります。

(2) 現物出資による対価

　個人株主は現物出資することにより，出資先会社の株式を取得することになります。よって，譲渡の場合のように金銭の受取りがあるわけではありません。

(3) 現物出資による譲渡課税

　現物出資により，金銭の受取りは生じませんが，個人から会社への譲渡として譲渡所得税の対象になります。

(4) 現物出資の場合の譲渡収入の金額

　現物出資の場合の譲渡収入については，現物出資の対価が出資先の株式となりますから，譲渡収入についても受け取った出資先の株式の時価が譲渡収入ということになります。この場合も，出資時の株式評価と同様の基準により算定することになります。

2 現物出資を受ける会社の取扱い

現物出資を受ける会社については,現金出資にかえて株式による出資を受けるわけですから,現物出資者が仮に自社株を売却してから金銭出資をしたと考えると一連の取引は資本取引となりますので,法人税法上の課税取引になることはありません。

(1) 現物出資株式の受入価額

現物出資株式の受入価額については,受入時の時価となります。

(2) 現物出資の場合の割当株式数

時価受入が一般化すると,出資による割当株式数が問題となります。

割当株式数は,受入会社の時価を算定し,現物出資株式金額をその時価により除することによって,割当株式数を決定することになります。

(3) 現物出資の際の会社法上の制限

現物出資については,原則として裁判所の選任する検査役の検査を受けることが必要です。ただし,現物出資の価額総額が500万円を超えないときや,弁護士,弁護士法人,公認会計士,監査法人,税理士,税理士法人による財産価格証明を受けた場合等には,この検査を必要としません。

Question 12　事業の一部を現物出資により分離独立させたい

当社は，工場を2か所にもっています。会社の今後を考えると，2つの工場のうち一つを分離独立させたいと思っています。税務面などから気をつけなければいけない点を教えてください。

Answer

　現物出資を行う場合には，まず，その資産の出資価額と簿価との差額についての問題及び時価以下で現物出資した場合の，時価と現物出資価額の差額についての問題が生じます。法人税法においては，各事業年度の所得の金額の計算上益金の額に算入すべき収益の額に有償又は無償による資産の譲渡についてあげていますが，現物出資も資産の譲渡の一つですから，原則として資産の現物出資価額と簿価との差額は資産の譲渡益として益金算入され，かつ時価以下で現物出資したときは，時価で譲渡したものとみなして，資産の譲渡益の計算をすべきことになります。

　一方，現物出資を受ける側は，資本等取引ですから，時価以下で資産の現物出資を受けても時価と現物出資額の差額について，税務上課税されることはありません。

　なお，適格現物出資の要件に該当すれば課税が生じることはありませんが，要件に該当しない非適格現物出資の場合，資産・負債は時価により移転したものとして課税が行われることになります。

Question 13 会社に対し，新株を発行

当社は，オーナー株主が90％以上を保有していますが，オーナーの持株比率を下げるために他の関連会社にも株主となってもらおうと考えています。この場合の課税上の取扱いを教えてください。

Answer

1 新株発行の場合の留意点

新株発行の場合，現行の株主に対して行う株主割当による新株の発行の場合には，その株主が個人でも法人でも同様の取扱いとなり，特に課税上の問題は生じません。

しかし，第三者に対しての新株発行については，課税上の問題がありますから検討が必要です。

(1) 新株発行価額

(例)

株主	新株の発行前 株式	新株の発行前 株主持分	新株の発行後 株式	新株の発行後 株主持分
	株		株	
A	10	100	10	75
B	50	500	50	375
C	40	400	40	300
小計	100	1,000	100	750
新株引受会社甲	0	0	100	750
合計	100	1,000	200	1,500
純資産額	1,000	1,000	1,500	1,500

新株発行価額が，発行時の発行会社の時価であれば課税上の問題はありませんが，（例）のように時価より低い場合には株主間の贈与の問題が生じます。

（例）では，発行会社の時価が10の場合に，新株引受会社甲が5で引受けした場合において旧来の株主は，各々自己の持分を結果的に減少させることと

なっています。逆に会社甲は500の価値で750のものを取得したことになります。

この場合には，甲は取得価額と時価の差額について法人税法上の課税がなされます。

(2) 割当株式数

割当株式数の算定についても，発行時の時価により行うことが必要です。

2 発行会社の課税

発行会社については，新株発行にかかわる会社法上の制限（第三者に対する有利発行）をクリアすることは当然ですが，仮に時価よりも低い価額で新株発行がなされた場合には，その発行価額と時価の差額については，損失となるわけですが，新株発行は資本取引であり，法人税上損益は発生しないということから課税取引にはなりません。

また，逆に時価よりも高い発行価額による場合にも同様の趣旨により発行会社に対しての法人税法上の課税はありません。

3 「有利な発行価額」の判定

従来「有利な発行価額」とは，新株発行決定時の時価のおおむね90％以下の（旧法基通6―1―1）取扱いがありましたが，現在は廃止されています。

いずれにしろ，時価の算定が重要となります。新株の時価は，非上場の場合には，発行会社の純資産価額等を参考にして通常取引されるとされる価額（法基通9―1―13），相続税法上の評価方式による価額（法基通9―1―14）等によることが一般的です。

Question 14　個人に対し，新株を発行

既存の株主以外に，新株を発行して持株比率の変更を計画していますが，引受者が個人の場合で，発行価額等の制限はありますか。また，そのことにより個人で課税を受ける場合がありますか，教えてください。

Answer

1 発行会社の課税

発行会社が新株発行する場合には，引受者が個人の場合であっても，会社の場合と同様に，新株発行は資本取引であるので法人税法上の課税は生じません。

ただし，引受者が個人であって会社の役員，従業員である場合に，その給与等または退職金の支給にかえて自社の株式を新株の時価よりも低い価額で取得させた場合には，給与所得，退職所得として所得税の源泉徴収義務が生ずる場合があるので注意が必要です。

2 引受者の課税

(1) 一般の場合

個人が新株発行の引受けについて，新株の時価よりも有利な発行価額による引受けをした場合には，その差額について一時所得，給与所得，退職所得等の課税が考えられます。

(2) 同族会社の場合

同族会社の場合には，オーナー一族の株主が引き受けた場合には，相続税の原則的評価による自社株評価を基準にして，その金額よりも低い価額による場合には，贈与税の課税となります。

この場合は，新株発行前後において持株比率の変動があるケースであり，同族株主間において贈与がなされているということによるものです。例えば，

① 株主割当による新株の発行において，失権株を他の株主が引き受けた場合

② 株主割当による新株の発行で失権株を引き受けないまま新株発行がなさ

れた場合
③　第三者割当による新株の発行で新株の時価よりも著しく低い価額により割当がなされた場合

(3) 同族会社の同族関係者以外の場合

同族関係者以外の場合には，相続税評価上の株価は配当還元価額となりますから，贈与税の課税の判断はその価額を下回るか否かになります。

3 贈与税課税が行われる発行価額

贈与税の課税が行われるのは，新株の発行前後において持株比率の変動があった場合です。また，その持株比率の変動は個人が引き受ける場合は，個人に対する持株比率の変動としてあらわれます。よって，課税上は，個人間の贈与税課税の問題となります。

この場合には，課税の基準は各々の個人が取得したとした場合の相続税の自社株評価金額になります。

よって，同族関係者であれば原則的評価方式（類似業種比準価額，純資産価額の併用又は特例評価価額），それ以外の場合には配当還元方式によることになります。

この場合において，新株の発行価額が時価よりも低い場合には，旧株主から新株主への贈与があったとされ，新株主に贈与税が課せられます。

逆に，新株の発行価額が時価を上回る場合には，新株主から旧株主に贈与があったとして旧株主に贈与税が課せられることになります。

（Question 5 & 6 参照）

Question 15　同族株主が，株主割当による募集株式引受権を失権した場合

当社は，株主割当による新株の発行を行うことになり，株主に呼びかけたところ，一部，募集株式の引受けをしない由の回答をもらいました。
このケースで新株の発行を実行した課税上の問題を下記に分けて教えてください。
① 同族関係者が，その募集株式を引き受けた場合
② 当該株式を切り捨てたまま，新株の発行をした場合

Answer

1　失権株を同族関係者が引き受けた場合

同族会社において，株主割当による新株の発行をし，株主にいったん付与された募集株式引受権を本人が引き受けないで同族関係者に与えた場合（結果的には，第三者割当による新株の発行）は，失権した募集株式引受権に係る株数を引き受けた者が，その新株の申込み（又は引受け）をしなかった者からの募集株式引受権の贈与として課税されます。

ただし，新株を引き受けた者が時価での払込みをした場合は，この限りではありません。

〈算　式〉（相基通9－5）

$A \times \dfrac{C}{B} =$ その者の親族等から贈与より取得したものとする募集株式引受権数

（注）　算式中の符号は，次のとおりです。

　Aは，他の株主又は従業員と同じ条件により与えられる募集株式引受権の数を超えて与えられた者のその超える部分の募集株式引受権の数

　Bは，当該法人の株主又は従業員が他の株主又は従業員と同じ条件により与えられる募集株式引受権のうち，その者の引き受けた新株の数が，当該与えられる募集株式引受権の数に満たない数の総数

　Cは，Bの募集株式引受権の総数のうち，Aに掲げる者の親族等（親族等が2人以上あるときは，当該親族等の1人ごと）の占めているものの数

2 切捨増資

失権株の権利をそのまま切捨てして新株を発行した場合の課税関係は，次のようになります。

切捨増資については，失権株に係る募集株式引受権を第三者に与えてはいないので，募集株式引受権の贈与とはなりません。

しかし，旧株主の中には新株の引受けをした者としない者とが生じ，持株割合が変化します。

したがって，失権株主から新株を引き受けた株主への経済的利益が与えられたことになり，これが，同族会社，親族間等で行われたときは，贈与があったものとみなされて贈与税が課税されます（相基通9－7）。

(1) その者が受けた利益の総額

$$\text{新株の発行後の1株当たりの価額(A)} \times \left(\text{その者の新株の発行前における所有株式数(B)} + \text{その者が取得した新株の数(C)}\right) - \left(\text{新株の発行前の1株当たりの価額(D)}\right)$$

$$\times \text{その者の新株の発行前における所有株式数(B)} + \left(\text{新株の1株当たりの払込金額(E)} \times \text{その者が取得した新株の数(C)}\right)$$

(2) 親族等である失権株主のそれぞれから贈与により取得したものとする利益の金額

$$\text{その者が受けた利益の総額} \times \frac{\text{親族等である各失権株主が与えた利益の金額(G)}}{\text{各失権株主が与えた利益の総額(F)}}$$

(注) 1 (1)の算式中の「A」は次により計算した価額によります。

$$\frac{\left(D \times \text{新株発行前の発行済株式の総数(H)}\right) + \left(E \times \text{新株の発行により出資の履行があった新株の総数(I)}\right)}{(H + I)}$$

2 (2)の算式中の「F」は失権株主のそれぞれについて次により計算した金額の合計額によります。

$$(D \times B + E \times C) - A \times (B + C)$$

3 (2)の算式中の「G」は，失権株主のうち親族等である失権株主のそれぞれについて2の算式により計算した金額によります。

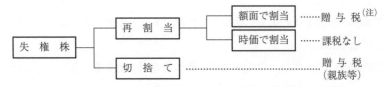

（注）募集株式引受権が，給与所得，退職所得に該当する場合を除く。

3 計算例

簡単な例で，失権株が生じ，それに係る新株が発行されなかった場合をみてみましょう。

〈前提条件〉

(1) A社の株主

　　親　　10,000株

　　子供　10,000株

(2) 新株の発行前の1株当たり株価1,500円

(3) 新株の引受　子供　10,000株（1株500円）

倍額の新株の発行を行い，親が失権した場合，親から子供への贈与が生じます。

（千円）

	新株の発行前	新株の発行額	新株の発行後	贈与となる額
親	株式評価額 15,000	―	11,666	△3,320
子	15,000	5,000	23,333	3,320
計	30,000	5,000	35,000	0

（注）　新株の発行後の1株当たり株価

$$\frac{(1,500円 \times 20,000株) + (500円 \times 10,000株)}{20,000株 + 10,000株} \fallingdotseq 1,166円$$

子供が受けた利益の額

　1,166円×(10,000株+10,000株)−(1,500円×10,000株+500円×10,000株)
　=3,320千円

Question 16　株式の分散を抑えたい

私の親はオーナー会社の社長です。私も取締役として経営に参加しており将来は社長としてやっていくつもりです。親は，会社の株価が高く相続のことを心配して早くから株式の移転を進めてきました。その結果，親の持株は少なくなったのですが，子や孫を含め株式が分散してしまいました。将来，会社経営に支障がでてこないか心配です。

Answer

1 相続は譲渡制限の対象外

相続税を心配され，早くから株式の分散を進められたことは，相続税の軽減には効果的なのですが，会社経営の安定性からみると，不安定要素が大きくなったといえます。会社は株主のものです。株主の数が多くなればなるほど利害調整が難しくなり，結果として，会社経営を危うくさせることになりかねません。

また，オーナー会社の場合，見ず知らずの第三者が株主に入るのを避けるため，通常定款で株式の譲渡を制限する規定を設けています。

しかしながら，その対象は譲渡（無償の譲渡である贈与は含まれます）に限られ，相続は対象外とされています。つまり，分散した株式は相続により，より多くの株主へ分散していくことは避けられないといえます。

会社法においては，相続により株式を取得した者に対し，その株式をその会社に売り渡すことを請求することができる旨を定款で定めることができます。

2 会社が買い取る

既に分散してしまっている株式は，これ以上分散しない手立てが必要です。

ひとつは，現株主の相続を機会に会社が株式を買い取る方法です。方法としては，オーナー社長の株式を自社株式として売却する，もう一つは，自社以外の関連会社などに売却する，があります。前者の自社株式の売却は，税務上，みなし配当課税として取り扱われるため[注]，通常は，税負担が多額になると

思われます。後者の関連会社などへの売却は，譲渡課税の取扱いとなるため，申告分離課税（原則20.315％）が適用されます。いずれの方法がいいのか，税負担，買取代金の負担，売却後の処理等を勘案して決めなければなりません。

3 持株会の設立

次に会社経営に参加している者以外を対象に持株会を設立することで，ある程度分散を防ぐ方法があります。持株会規約の中に，

(1) 理事会の承諾なく譲渡することを禁ずる。

(2) 会員が死亡等した場合，会員の所有する株式は理事会の指定する者へ譲渡する。

(3) 譲渡価額は，理事会が決定した価格による。

(4) 議決権の行使は，理事会へ委任する。

といった内容を盛り込むことで，歯止めをかけることができます。ただし，これにより本来株式のもつ権利が制限されるわけではなく，あくまで紳士協定的な意味しかないのも事実です。

したがって，早めに持株会を設立し，会社経営に対する理解を得られるようにする必要があります。

(注) 平成16年4月1日以後の相続により取得し，次の要件を満たす場合は，株式の譲渡として取り扱われます。

① 相続により取得した非上場株式を

② 納付する相続税がある者が

③ 相続税申告期限後3年以内に

発行法人に譲渡を行う場合に限り，みなし配当課税がされなくなります。また，譲渡として扱われるため，取得費加算の特例を併用できます。

Question 17　赤字会社へオーナーの資産を移したい

> 当社は，業績が振わず，赤字続きで債務が膨らみ悩んでいます。
> そこで，私の財産（現金，不動産など）を会社へ寄附したいと思っているのですが，問題はあるでしょうか。

Answer

個人が法人に対して，その個人の有する資産を無償で提供した場合には，どのような税務解釈または税務トラブルが生じるのでしょうか。この問題を一つ一つ整理しながら考えてみますと，次のようになります。

(1) 課税関係者
　① 資産を無償で提供した個人（贈与者）
　② 資産の提供を受けた法人
　③ 当該法人の株主（出資者）

(2) 税区分と取扱い
　① 贈与者（個人）…資産の譲渡として扱われるため，含み益のある土地などは所得税等の課税が生じます。
　② 受贈した法人…法人の事業年度の所得の金額の計算上，"時価"で譲受けたとされ受贈益が生じます。
　③ 当該法人の株主…贈与税の問題があります。

では次に，上記(2)③の問題について詳しくみてみましょう。

（株式又は出資の価額が増加した場合）
―相続税法基本通達9―2―
　同族会社（法人税法第2条第10号に規定する同族会社をいう。以下同じ。）の株式又は出資の価額が，例えば，次に掲げる場合に該当して増加したときにおいては，その株主又は社員が当該株式又は出資の価額のうち増加部分に相当する金額を，それぞれ次に掲げる者から贈与によって取得したものとして取り扱うものとする。この場合における贈与による財産の取得の時期は，財産の提供があった時，債務の免

除があった時又は財産の譲渡があった時によるものとする。
(1) 会社に対し無償で財産の提供があった場合　当該財産を提供した者
(2) 時価より著しく低い価額で現物出資があった場合　当該現物出資をした者
(3) 対価を受けないで会社の債務の免除，引受け又は弁済があった場合　当該債務の免除，引受け又は弁済をした者
(4) 会社に対し対価より著しく低い価額の対価で財産の譲渡をした場合　当該財産の譲渡をした者

　以上のように，通達により，明文化されていますが，会社に対して，財産の無償提供があった場合には，前記したとおり，当該法人に対して法人税等の課税が生ずることとなるため，当該法人の株式又は出資の価額の増加とは，その負担すべき税額を控除した後の金額となります。しかし，法人に税務上の繰越欠損金がある場合，その範囲内であれば，課税所得が生じないため，法人税等の負担はありません。

　ところが，資産の移転により，会社財産が増加し，会社の株価が上昇するケースを考えてみてください。たとえば，父の所有する土地（場合によっては借地権）を子供が株主の会社に無償で提供するような場合，会社の課税はクリアしたとして株式の評価の上昇はどう考えればいいのでしょうか。このようなケースの場合には，財産の提供者（父）から，株主（子供）に対する贈与税の課税関係は生じないと考えるのでしょうか。前記した通達において，その冒頭で，"同族会社"と規定しています。すなわち，同族会社の場合に限って，このみなし贈与の取扱いをすることとしているのは，同族会社の行為計算の否認（相法64）を前提としているものと考えられます。このことから，その財産を無償で提供することによって，当該法人の株価が増加するようなケースにおいては，その財産の提供者から株主に対して，贈与税の課税関係が生じるケースもあると考えられます。

Question 18 転換社債型新株予約権付社債の評価

生前,父は自社の転換社債型の新株予約権付社債を発行しその一部を引き受けていました。このたび,父が亡くなり,私がその社債を相続することになりました。相続評価はどうなるのでしょうか。また,株式への転換はいつでもできますか。

Answer

1 転換社債型新株予約権付社債評価方法

転換社債型新株予約権付社債(平成14年3月末日以前に発行された転換社債を含む。以下「転換社債」という)とは,株式に転換できる権利を付与されたものであり,当初定められた転換条件により,株式への転換ができます。したがって,社債でありながら,いつでも株式にかえることができることから,評価としては公社債としての評価と株式としての評価の両面から行われることになります。

ここでは,取引相場のない社債(証券取引所に上場されたり,気配相場が公表されない社債)の評価についてお答えします。

〈評価方法〉(評基通197―5)

① 発行会社の株式の価額≦転換社債の転換価格の場合

$$(発行価額+課税時期における源泉所得税控除後の既経過利息) \times \frac{転換社債の券面額}{100円}$$

② 発行会社の株式の価額>転換社債の転換価格の場合

$$\left\{ 株式の価額 \left(\frac{N + P \times Q}{1 + Q} \right) \times \frac{100円}{その転換社債の転換価格} \right\} \times \frac{転換社債の券面額}{100円}$$

「N」=発行会社の課税時期における株式1株当たりの価額(相続税評価額)
「P」=その転換社債の転換価格
「Q」=未転換社債の全てが株式に転換されたものとした場合の増資割合

$$\frac{\dfrac{転換社債のうち課税時期において株式に転換されていないものの券面総額}{その転換社債の転換価格}}{課税時期における発行済株式数}$$

2 計算例

課税時期の発行済株式数	500,000株
転換社債の発行総額	18,000,000円
転換価格	150円
課税時期までに株式に転換した転換社債の券面総額	3,000,000円
課税時期における株式1株当たりの価額	186円

(1) 株式の価額が転換価格を超えるかどうかの判定

イ Q（増資割合）の計算

$$\frac{\dfrac{(18,000,000円 - 3,000,000円)}{150円}}{500,000株} = 0.2$$

ロ 株式の価額

$$\frac{186円 + 150円 \times 0.2}{1 + 0.2} = 180円$$

ハ 判定

株式の価額180円＞転換価格150円

(2) 転換社債の価額

$$180円 \times \frac{100円}{150円} = \underline{120円} \quad（評基通197-5）$$

3 実務対応

転換社債の相続税評価は，以上のとおりです。株式に転換できることから，株価が転換価格を超える場合は，株価を評価の中に織りこむ方法が採られています。

さて，相続後の対応ですが，取得した転換社債を株式に転換するか，逆に転換権を放棄してそのまま社債として持ち続けるかの選択です。公開会社の場合であれば，株式に転換後処分すれば資金化が安易に図れますが，オーナー会社の場合，株式処分は安易ではなく，主に株式所有による会社への支配権の取得を目的とした転換となります。したがって，会社経営上，支配権の確保が必要であれば株式への転換をおすすめしますが，当面その必要がなければ，現状のままとした方がよいと思われます。

Question 19　新株予約権付社債の発行

オーナー会社でも新株予約権付社債を発行したと聞きますが，どのようなメリットがあったのでしょうか。

Answer

平成14年4月1日施行の商法改正により，従来の転換社債とワラント債（新株引受権付社債）の規定は削除され，新株予約権付社債の規定が新設されました。

1　新株予約権付社債とは

一般的に転換社債やワラント債は，株式の公開を予定する会社がオーナー一族向けに発行し，将来における支配権の確保やキャピタルゲインの獲得を目的として利用されています。一方，公開を予定しないオーナー会社にあっては，キャピタルゲインよりも支配権の確保及び事業承継対策にその目的があります。

商法改正後の新株予約権付社債については，新株予約権又は社債の一方のみを譲渡することが禁止されました。したがって，改正前の分離型のワラント債と同様のものは発行できませんが，新株予約権と社債を同時発行，同時割当することにより同じ効果が生じます。非分離型のワラント債，転換社債と同様のものは，新株予約権付社債として発行することができます。

2　オーナー会社が発行するメリット

オーナー会社が新株予約権付社債を発行する目的は，株式を取得する権利をオーナー（特に後継者）に付与することで，将来にわたる支配権の確保を安定的にするためです。

例えば，後継者に新株予約権付社債を割当発行し，新株取得の権利を後継者に留保しておくと，将来，株の取得や相続をめぐる争いが生じたような場合も，その権利を行使することで後継者の支配権が確保できます。また，割当後に株価が高くなり，事業承継に支障が起きる場合でも，発行時の価額により新株を取得できるため，スムーズに事業承継を進めることができます。

3 実務対応

　新株予約権付社債を引き受ける場合，引受側（オーナー等）の資金調達が課題となります。自己資金だけでは間に合わない分は，金融機関等からの借入れとなりますが，借入金利と同率の社債利率を設定することでオーナー等の資金負担が出ないような方法もあります。また，社債部分は，繰上償還することで，実質的な資金負担はなくすことができます。

　なお，取締役又は使用人に対するストックオプション（新株予約権）付与も認められており，付与するための自己株式の取得についても併せて検討する必要があります。

　なお，平成28年1月1日以後については，同族会社が発行した社債の利子でその同族会社の株主等が支払いを受けるものは，社債の発行時期を問わず，総合課税の対象となります。

　また，持株会社へ割り当てる方法も有効です。

Question 20　合併比率の決め方

　同族会社の社長ですが，事業の都合で，数社ある関連会社のうち1社を吸収合併しようと考えています。関連会社の収益力はまあまあですが，含み資産らしいものはないのに対し，わが社は古くからの土地を持っております。単純にみてもわが社の資産内容が圧倒的によいのですが，こんな場合，合併比率はどうするのでしょうか。

Answer

① 合併比率の決め方

　合併比率とは，合併する会社の株式の価値に基づいて，消滅する会社の株式1株に対し存続ないし新設する会社の株式を何株交付するかの割合です。消滅する会社の株式1株に対し存続会社の株式2株を交付する場合の合併比率は1：2となります。逆に，合併比率2：1であれば，消滅会社の株式2株に対し1株を交付することになります。

　ところで，合併比率そのものの決め方は，合併する会社の株式の価値を算定しそれに基づいて決定されるのが本来の決め方です。資産を多くもつ会社とそうでない会社の合併であれば，前者の株式価値は高く，後者のそれはそれほどでもないことになります。つまり，合併比率は1：1とはなりません。

　それでは，株式の価値はどのように決められるでしょうか。これには様々な基準があり，一概にこれはというものはありませんが，例えば次のようなものが参考にされているようです。

　　(ア)　時価純資産による株価
　　(イ)　収益還元価値による株価
　　(ウ)　類似業種比準価額による株価

　特に規定があるわけではないため，個別企業の実態に合わせた評価をしたうえで，合併比率を決めることになります。

　それ以上に，重要な点は，合併に伴う税負担です。

従来，税務上の取扱いは，合併は原則資本取引としてみていたため，みなし配当等の問題はないように合併比率が1：1になるように準備したうえで，合併処理を進めた面がありますが，現在は，合併を原則譲渡としてみているため，合併比率の云々よりも，譲渡とされないための準備が重要になっています。

2 合併比率の考え方

合併については税務上「適格合併」「非適格合併」に区分され，「適格合併」については課税が生じることはなく，「非適格合併」については，資産及び負債を譲渡したものとして課税が行われます。

このため，適格合併の要件を満たすような合併でなければ，そもそも合併の意義がないため（税務上単なる資産の売却と同じ），合併比率の占める重要度は低くなっています。

ただし，株主構成の違う会社相互の合併においては，合併比率によっては，株主間の資産移転による贈与の問題が生じることがありますので注意してください。

Question 21　持分会社を株式会社組織にしたい

わが社は，創業50数年の合資会社です。含み益のある土地を所有しており，業績自体も好調です。このたび子供の希望で，新規事業を始めようと考えていますが，今の合資会社ではなく株式会社としてスタートしたいようです。子供は他にも株式会社を所有しています。
なにかいい方法はないでしょうか。

Answer

1 持分会社から株式会社への組織変更

従来，合名・合資のいわゆる人的会社は，有限・株式といった物的会社とは出資者（もしくは株主）の責任の内容が異なることから人的会社から物的会社への組織変更はできませんでした。

会社法施行後は，合名・合資・合同の持分会社から株式会社への変更が自由になりました。

また，従来は合併においても人的会社と株式会社とを合併する場合には，存続会社は株式会社であることが必要でしたが，会社法施行後は，持分会社と株式会社とが合併する場合には持分会社が存続会社となることが認められ，合併の当事会社となる会社についての制限が撤廃されました。

2 持分会社から株式会社への変更

以上のとおりですから，合資会社から株式会社へ変える方法は次の3つあります。

① 合資会社を解散して新たに株式会社を設立する。
② 合資会社を組織変更して株式会社にする。
③ 合資会社と株式会社を合併し，株式会社を存続会社とする（又は合資会社を存続会社とし，株式会社へ組織変更する）。

合資会社に含み資産がない場合や蓄積された剰余金が多額でないのであれば①の方法も考えられますが，ご質問のように土地の含み益がある場合などは，

解散・清算により多額の税金（法人税等）が生じるため実務的には採用できない方法です。③は合併を用いた方法です。お子様の所有している会社が赤字会社で欠損金がある場合などでは，合併により損益が通算され節税効果も期待できるため有効な方法です。

具体的には次のような合併手続となります（一般的なフロー）。

期　間	合　資　会　社		株　式　会　社	
	手　続	作成書類他	手　続	作成書類他
2週間以内	合併契約の締結	合併契約書	同左	同左
	総社員総会	総社員の同意書（合併契約の承認）	株主総会	株主総会議事録
受理後30日以上	公正取引委員会への届出（届出受理）	合併届出書その他添付資料	同左	同左
	債権者異議申述公告及び催告	合併公告，債権者異議申述の催告書	同左	同左
	（合併禁止期間の経過）			
2か月以内／2週間以内	（合併期日）			
	合併登記		同左	
	公正取引委員会への完了報告		同左	
	合併確定申告書提出	確定申告書		

3　留　意　点

「適格合併」に該当しない場合には，被合併法人の資産及び負債は時価評価され，合併法人への繰越欠損金の引継ぎができません。また，適格合併に該当する場合でも繰越欠損金や含み損のある資産の売却損の利用制限がありますので，ご注意ください。

Question 22 自社株式の物納

自社株式（非上場の同族株式）であっても，物納に充てることができると聞きましたが，本当でしょうか？

Answer

相続税は，物納財産の種類の中に株式を挙げているため，自社株式であっても，一応は物納が可能ということになります。しかし，自社株式は，一般的にはその処分が困難なことから，物納が認められるケースは少ないようです。

1 自社株式の物納要件

自社株式の物納が認められるのは，どのような場合でしょう。当然，一般の物納要件を満たす必要があります。一般の物納要件とは次のようなものです。

① 相続税を延納によっても金銭で納付することが困難であり，その納付困難な金額を限度とする。

② 納税義務者の申請が必要

③ 税務署長の許可が必要

④ 物納できる財産であること

さらに自社株式の物納には，次の要件が必要となります。

⑤ 自社株式より優先して物納に充てるべき財産（国債，地方債，不動産，船舶等）がないこと

⑥ 管理処分不適格財産でないこと

この場合，管理処分不適格財産とは以下の6項目のいずれかに該当する場合を指します。

・譲渡に関して金融商品取引法その他の法令の規定により一定の手続が定められている株式で当該手続がとられていない株式（一般競争入札で売却予定しているにもかかわらず目論見書等の提出見込がないもの）

・譲渡制限株式

・質権その他の担保権の目的となっている株式

- 権利の帰属について争いのある株式
- 二以上の者の共有に属する株式。ただし，共有者全員が持分の全部を物納する場合を除く。
- 暴力団員等によりその事業活動を支配されている株式会社又は暴力団員等を役員とする株式会社が発行した株式

2 物納添付書類

自社株式が収納された場合の添付書類としては，どのようなものが必要なのでしょうか。自社株式の場合には，次の書類を提出することになっています。

① 登記事項証明書
② 発行会社の最近2期の決算書
③ 発行会社の株主名簿の写し
④ 物納財産売却手続書類提出等確約書

なお，物納財産売却手続書類提出等確約書とは，下記の事項を確約する文書で，税務署長から下記の行為を求められたら従うことになります。

- 金融商品取引法等規定により一般競争入札に必要な書類を税務署長に求められた日から6か月以内に提出
- 株式算定書類の速やかな提出

⑤ 役員名簿
⑥ 誓約書（役員が暴力団員等に該当しないことを代表者が誓約）

3 株式譲渡制限の解除

会社定款により，自社株式に譲渡制限が設けられているような場合には，どのようにしたらよいでしょう。 **1**⑥のとおり，このような譲渡制限が設けられている自社株式は，収納後の処分に支障を生じる可能性があることから，物納は認められません。したがって，このような会社の場合には定款変更をして会社の譲渡制限を解除する必要があります。

Question 23　経営参加していない次男の自社株相続を抑えたい

私は，オーナーである会社の株式について，私に相続が発生したときに後継者である長男にスムーズに事業承継をしてほしいと思っています。そのためにも，経営に参加していない次男への株式の相続を抑えたいのですが……。

Answer

経営者が亡くなると，その子供たち，親族の間でトラブルが発生するケースが多くみられますので，オーナーが健在のうちに，株式の移転を行うことは重要です。

1 生前贈与

贈与税は税率が高いのですが，確実に自らが考えている後継者に株式が渡りますので，ご長男に生前贈与をするのがよいと思われます。その場合に考えなくてはならないのは，当然贈与税額の負担です。そのために，①その株価を引き下げる，②贈与の仕方を工夫することなどが大切になります。

同じ贈与でも平成15年度改正により「相続時精算課税」の制度ができました。この制度のポイントは，以下のとおりです。

① 非課税枠が2,500万円（通常の贈与の非課税枠は年110万円）
② 非課税枠を超えた価額に対して20％の贈与税の負担
③ 将来の相続時に贈与した財産も相続財産に含めて相続税の算定（その際の財産評価は相続時の評価額ではなく，過去贈与した時の評価額となります。また，相続税から過去に支払った贈与税を差し引くことができます）
④ この制度を使いはじめると，当事者間では通常の贈与（110万円）の制度はつかえません。
⑤ 贈与者は60歳以上の親や祖父母，受贈者は20歳以上の子や孫

この制度を使うメリットは，

① 将来評価額が上がると予想される財産を，低いタイミングでまとめて贈

与できるため,将来の相続税の負担を軽減できること
② 贈与により株式移転を生前に進めることで,後継者に経営権を委譲して相続争いに会社が巻き込まれないようにすること

ですので,換金性がなく将来の経営権の確保が困難になる恐れが高い自社株式については,この制度の効果的活用をおすすめします。

(1) 純資産価額を引き下げる

$$1株当たりの純資産価額 = \frac{自己資本 + 含み益 \times (1 - 37)\%}{発行済株式数}$$

この算式から分かるように,自己資本(剰余金)と,含み益(不動産の含み益等)を減らすことが,株価引下げのポイントですが,過去の長い間の企業活動の成果である剰余金や主に外的要因による含み益などを短期間に取り除くのは残念ながら困難といわざるを得ません。

(2) 類似業種比準価額を引き下げる

$$類似業種比準価額 = A \times \frac{\frac{Ⓑ}{B} + \frac{Ⓒ}{C} + \frac{Ⓓ}{D}}{3} \times \begin{pmatrix} 0.7(大会社) \\ 0.6(中会社) \\ 0.5(小会社) \end{pmatrix} \times \frac{評価会社の1株当たりの資本金等の額}{50円}$$

A=類似業種の株価
B=類似業種の1株当たりの配当金額　　Ⓑ=評価会社の1株当たりの配当金額
C=類似業種の1株当たりの利益金額　　Ⓒ=評価会社の1株当たりの年利益
D=類似業種の1株当たりの純資産価額　Ⓓ=評価会社の1株当たりの純資産価値

この算式から分かるように,

(イ) 配当を下げる

(ロ) 業績の良好な部門,部署を子会社や別会社等に移行させて,利益を抑える

(ハ) 役員退職金の支払い,減価償却方法の変更等損金を多く発生させ利益を抑える

ことが評価を引き下げることになります。

2 売　買

生前に自社株式を売買により後継者に移転することも有効です。後継者個人での購入は資金的にも困難なのが現実でしょうから,具体的には,後継者の設立した会社が,オーナー個人から株式を取得することをお勧めします。会社で

取得すれば，後継者が個人で資金手当てすることも必要ありませんし，会社の収益の中から株式購入代金を手当てすることができます。

Question 24 株主が亡くなっているケース

亡くなった方が株主のままになっていますが，どうすればよいのでしょうか。

Answer

税務上様々な面において不都合が生じますので，大至急処理すべきです。

1 いない株主

古い会社によくある話ですが，50年間も株主が変わっていない会社がたまに見受けられます。実際には代は変わっているのに，株主からの連絡がないこと等の理由により株主名簿が変わっていないのです。名義株と同じように先々いろいろなトラブルが出てくることが予想されます。

どのようなトラブルが予想されるかといいますと，まず配当が考えられます。配当金を支払う相手先が不明だと大変に困ってしまいます。それ以上に，増資等をする場合に，その決議をどのようにするか，また株主割当を引き受けてくれるかどうか等においても不都合が生じてしまいます。したがって，会社においては，常に正しい株主を把握しておかなければなりません。そのためには，毎年の定時株主総会を開催するなどして，その株主の現状をチェックする必要があります。

2 まず遺産分割

株主に相続が発生しましたら，まず相続人に，その株主についての分割協議をしてもらいます。遺産分割協議がなかなか決まらないようであれば，この段階から，会社が買取価額を明示して，法定相続分で分割させ，その後買い取ることもよいでしょう。

3 次に買取り

遺産分割が決まり，次の株主が決まりましたら，次は買取り交渉です。その時のポイントは，誰が買うか，ということと，いくらで買うかということです。

まず，買い取る人が，オーナー一族の個人であり，その人が個人から買う場

合の価額は，相続税評価の原則的評価額が基準になります。その評価額があまり高くなければ個人で購入してもよろしいかと思います。しかし，その価額が高く，会社に資金的余裕があればその会社自身が購入するのも一つの方法といえるかもしれません。

　また，買取価額ですが，買い手が法人の場合，いわゆる時価（相続税評価額ではありません）となりますので，同族間の取引であれば，対象会社を相続税上の小会社とみなして類似業種比準価額と時価純資産価額の折衷価額がベースとなります。通常，相続税評価額よりも高くなります。

4 増資時は，株主見直しのチャンス

　増資は株主割当の場合には株主平等ですから，株主の方々に払い込んでもらわなければなりません。また，株主であっても経済的等の理由により払込みをしない株主もいます。この場合には，失権株となり，贈与税の課税も出てきます。これらの前提は，全て，現在の株主が正しい株主であるということにより行われるわけです。

　未公開企業において，株主構成を改めて確認する時期はほとんど皆無です。法人税申告書別表二を何の疑問を持たず，提出し続ける会社も多いと思われます。つまり，未公開企業にとって株主構成自体，変えることは希であり，無頓着になっているのが現状といえます。

　増資時は，株主割当であれ第三者割当であれ株主構成を見直す絶好のチャンスです。

Question 25 同族関係役員でも配当還元価額が使える？

同族関係役員であっても配当還元価額が使える場合があると聞きましたが，具体的にはどのような場合でしょうか。

Answer

かなり限定されますが，同族関係者であっても配当還元価額が使える役員がいます。

1 同族株主以外の株主等が取得した株式

中心的な同族株主のいる会社の株主のうち，中心的な同族株主以外の同族株主で，その者の取得後の株式数がその会社の議決権割合の5％未満であるもの（課税時期において評価会社の役員（社長，理事長並びに法人税法施行令第71条第1項第1号，第2号及び第4号に掲げる者をいう）である者及び課税時期の翌日から法定申告期限までの間に役員となる者を除く）の取得した株式については，配当還元価額により評価します（評基通188(2)，188―2）（表1を参考）。次頁のその他に該当する場合です。

2 中心的な同族株主

この場合の「中心的な同族株主」とは，課税時期において同族株主の1人並びにその株主の配偶者，直系血族，兄弟姉妹及び1親等の姻族の有する株式の合計数が，その会社の議決権総数の25％以上である場合におけるその株主をいいます。

具体的には〈図1〉の親族表をみながら確認しましょう。 囲み部分が中心的な同族株主に該当します。

【株主の態様による評価方式の区分】

株主の態様					評価方法
同族株主のいる会社	同族株主	取得後の議決権割合5％以上			原則的評価方式
		取得後5％未満の議決権割合	中心的な同族株主がいない場合		
			中心的な同族株主がいる場合	中心的な同族株主	
				役員	
				その他	例外的な評価方法（配当還元方式）
	同族株主以外の株主				
同族株主のいない会社	議決権割合の合計が15％以上となるグループに属する株主	取得後の議決権割合5％以上			原則的評価方式
		取得後5％未満の議決権	中心的な株主がいない場合		
			中心的な株主がいる場合	役員	
				その他	例外的な評価方法（配当還元方式）
	議決権割合の合計が15％未満のグループに属する株主				

（注1）「同族株主」とは，課税時期における株主の1人とその同族関係者（法人税法施行令第4条（同族関係者の範囲）に規定する同族関係者をいいます）の有する株式の合計数が評価会社の議決権総数の30％以上（その会社に50％超の株式を有するグループがある場合においては，その50％超）である場合におけるその株主および同族関係者をいいます。

（注2）「中心的な同族株主」とは，課税時期において，同族株主の1人ならびにその株主の配偶者，直系血族，兄弟姉妹および1親等の姻族（これらの者と特殊の関係のある会社のうち，これらの者の議決権総数が25％以上である会社を含みます）の議決権総数が25％以上となる場合のその株主をいいます。

（注3）「中心的な株主」とは，課税時期において株主の1人およびその同族関係者の議決権総数の合計がその会社の議決権総数の15％以上である株主グループのうち，いずれかのグループに単独でその会社の議決権総数の10％以上の株主を有している株主がいる場合におけるその株主をいいます。

【株主甲からみた中心的な同族株主の判定範囲（ 囲み部分）】

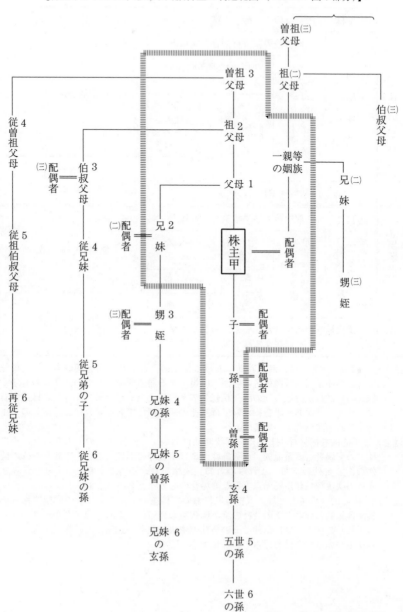

3 役員には平取締役含まず

役員とは，社長，理事長並びに法人税法施行令第71条第1項第1号，第2号及び第4号に掲げる者をいいます（評基通188(2)）。

(注) 法人税法施行令第71条第1項（抜粋）
　　　第1号　代表取締役，代表執行役，代表理事及び清算人
　　　第2号　副社長，専務，常務その他これらに準ずる職制上の地位を有する役員
　　　第4号　取締役（委員会設置会社の取締役に限る。），会計参与及び監査役並びに理事

| Question 26 | 役員退職金制度を用いて，自社株評価を引き下げられるか？ |

> 私は会社を経営していますが，そろそろ息子に代表権を譲り，それとともに会社の株式の一部を贈与しようと考えています。退職金をもらうことにより，自社株の評価を引き下げられると聞きましたが，具体的にどういうことか教えてください。

Answer

1 役員退職金を支給することにより，次のような自社株の評価を引き下げる効果があります。

評 価 方 法	引 き 下 げ 効 果	関連ページ
純資産価額方式	純資産価額の減少	Q28，29，30
類似業種比準価額方式	利 益 の 圧 縮 配 当 の 減 少 純 資 産 の 減 少	Q28，29，30，40

　純資産価額方式とは，課税時点の資産，負債の状況によって評価する方法です。通常，オーナーに対する退職金は多額になります。したがって，退職金を支給することにより資産が大きく減少し，結果としてその支給された分，純資産価額方式による評価額が引き下げられることとなります。

　類似業種比準価額方式とは，利益，配当，純資産の3要素により評価する方法です。退職金を支給することにより，その支給分利益が減少し，純資産の増加を抑えられ，また，それに伴い配当を抑えることができます。したがって，3要素すべてが減少するため，類似業種比準価額方式による評価額が引き下げられることとなります。

2 具 体 例

　A社（資本金等の額1,000万円，発行済株式数200,000株）

支 給 前 B/S （単位：百万円）

資　産　　1,000 （評価額　3,000）	負　債　　700

項　目	上場会社 (類似業種)	Ａ　社 (支給前)
株　　価	1,000円	1,169円
配　　当	10	15
利　　益	300	500
純　資　産	800	1,500

支給前利益：1億円

　上記の前提のもと，退職金1億円を支給し，無配とした場合，以下のような株価の引下げ効果があります。

① 純資産価額方式の場合（1株当たり評価額）

〈支給前〉

$\{(3,000百万円－700百万円)－(3,000百万円－1,000百万円)\times 37\%\}$
$\div 200,000株＝7,800円$

〈支給後〉

$\{(3,000百万円－(退職金)100百万円－700百万円)$
$－(3,000百万円－1,000百万円)\times 37\%\}\div 200,000株＝7,300円$

② 類似業種比準価額方式の場合（1株当たり評価額）

〈支給前〉

$1,000円 \times \left(\dfrac{\dfrac{15}{10}＋\dfrac{500}{300}＋\dfrac{1,500}{800}}{3} \right) \times 0.7 ＝ 1,176円$

〈支給後〉…配当は，7.5円（15円と無配の平均値）とします。

$1,000円 \times \left(\dfrac{\dfrac{7.5}{10}＋\dfrac{0}{300}＋\dfrac{1,000}{800}}{3} \right) \times 0.7 ＝ 462円$

3 役員退職金の適正額

　役員退職金については，税務上の適正な金額の目安は以下の算式で求められます。

［退職時の最終月額報酬×役員在籍年数×功績倍率］

　功績倍率は，通常1～3倍程度とされています。したがって，最終月額報酬200万円，在籍年数25年，功績倍率2倍とすると，1億円（200万円×25年×2倍）が税務上の適正額の目安となります。

　具体的には，ケースにより違ってきますので，実態に即して決めて下さい。

Question 27　中小企業投資育成会社の自社株評価引下げ

中小企業投資育成会社の投資を受けると自社株の評価引下げ効果があるというのは，どういうことですか。

Answer

1 中小企業投資育成会社とは

中小企業投資育成会社とは，「中小企業投資育成会社法」に基づいて設立された中小企業の自己資本充実を図るための唯一の投資機関です。

具体的には，経済産業省の外郭団体として，東京中小企業投資育成株式会社，大阪中小企業投資育成株式会社，名古屋中小企業投資育成株式会社の3社でエリア別の活動を行っています。

これら各社の主な業務は，中小企業の育成促進，健全な成長発展のために中小企業に対し投資（①増資の引受け，②新株予約権付社債の引受け，③新株予約権の引受け）を行うことです。

この投資については，一定の条件があり，次のとおりです（東京中小企業投資育成株式会社のホームページより）。

| 一般投資 | （以下の条件の株式会社） |

資本金3億円以下の株式会社　または　特例法（中小企業流通業務効率化促進法ほか）
↓　　　　　　　　　　　　　　　　　　　↓
　　　　　　　投資対象企業　→

資本金　3億円以下の株式会社
（特例法の規定等により，3億円を超えていても対象となる場合があります）
業　種　風俗営業等を除く全業種

中小企業庁HPより一部抜粋

○中小企業投資育成制度について
中小企業の自己資本充実と，その健全な成長発展を図るための投資等を行うことを目的として，昭和38年11月に中小企業投資育成株式会社法（昭和38年法律第101号）に基づき，投資業務を実施する唯一の政策実施機関として，中小企業投資育成会社（以下，「投資育成会社」という。）が東京，名古屋および大阪に設立されました。
なお，投資育成会社は，投資に際して投資先企業の経営の自主性を尊重する姿勢をとっておりますので，投資先企業にとって最も安心できる外部株主となります。

○支援内容
■投資事業
投資育成会社から以下の投資を受けることができます（投資に際しては，投資育成会社による審査があります。）。
(1) 株式の引受け
(2) 新株予約権の引受け
(3) 新株予約権付社債の引受け
なお，必要に応じて，対象となる企業が保有する自己株式の取得や追加投資を受けることができます。
投資資金は担保が不要な長期安定資金であり，設備投資や研究開発に活用することができます。
また，企業の将来性を評価して投資を行っている投資育成制度を利用することは，単なる資金調達だけでなく，取引先や金融機関等に対する信用力向上が期待できます。

■育成事業
(1) 経営権安定化
長期安定株主として協力し，分散した株主構成の改善など，一層の安定した経営体制作りをお手伝いします。
(2) 事業承継支援
長期安定株主として，次世代の経営者の経営体制も引き続きバックアップし，スムーズな事業承継を支援いたします。また，豊富なメニューで後継者育成等もお手伝いします。

○対象となる企業
資本金の額が3億円以下の株式会社
なお，特例法により，資本金の額が3億円を超えていても対象となる場合があります。
基本的に業種は問いませんが，公序良俗に反する事業や投機的な事業は対象外となります。

○ご利用方法
中小企業投資育成会社に相談・申込みをいただいた後，審査を経て投資の可否が

```
決定されます。
    ご相談
     ⇩
    お申込み受付
     ⇩
    審査（事業審査）
     ⇩
    投資決定
     ⇩
    資金払込み
```

2 自社株の評価引下げ効果とは

　中小企業投資育成会社の資本参加それ自体は，中小企業の育成を目指したもので自社株対策とは別の問題です。

　しかし，増資後の自社株評価はどうなるのでしょう。

　増資引受けの場合，引受価額については通常第三者である者が引き受ける場合の価額である「時価」ではなく，投資育成会社の採用する独自の評価に基づくことになります。

　この引受価額は，原則中小企業庁と国税庁との間で定められた算定方式によります。いわゆる時価との差は生じますが，特段課税はありません。

　評価は次の算式で行われます。

$$株式評価額 = \frac{1株当たり予想純利益 \times 配当性向}{期待利回り}$$

　算式のうち1株当たり予想純利益や期待性向は一定の評価基準に基づいて算定されますが，いずれにしても企業のもつ含み資産等を直接的には勘案しておらず，自社株の相続税評価での配当還元方式に近いものといえます。

　すなわち，例えば50％の増資引受けされた場合，増資後の発行済株式総額は増資前の2倍です。一方，引受価額が額面に近い状況にある場合，純資産価額はほとんど増えないことを考えると，オーナーの自社株の相続税評価額は相当引き下げられていることになります。

（具体例）

① 　現状の資本金　　　1,000万円

② 　引受株式数　　　　70,000株

③ 引 受 価 額　　1株当たり100円
④ 1株当たり相続税評価額　　2,500円

以上の前提条件で，増資前と増資後の株価を比較すると次のようになります。

(単位：千円)

区　　分	増　資　前	増　資　後	差
純資産価額の総額	500,000	500,000	―
増　資　金	―	7,000	7,000
総　資　産　額	500,000	507,000	7,000
発 行 済 株 式 数	200,000株	200,000株	―
新　株　式　数	―	70,000株	70,000株
発 行 済 株 式 総 数	200,000株	270,000株	70,000株
1 株 当 た り 評 価 額	2,500円	1,877円	623円
評価総額（オーナー分）	500,000	375,400	124,600

　増資による新株式は70,000株ですが，引受けは全て投資育成会社となるため，オーナーの持株割合は74％に減少します。

　つまり，26％相当の財産が持株割合の減少を通じて投資育成会社へ移転しているのです。

　さて，この移転をどう考えるかですが，財産とは所有権，使用権，処分権を含んだものです。

　投資育成会社が形式的には一定の持株割合を有することになりますが，支配権を行使しない限り，実質的な財産移転はないに等しいといえます。

　では，中小企業育成会社の支配権の行使はどうなっているのでしょう。

　まず，他の者への売却の可能性ですが，将来の店頭登録や株式公開時が想定されます。その場合には，機関投資家等の持株比率が3分の1以下となるように保有株の売却が行われる取扱いになっています。逆に言えば，持株比率の3分の2（絶対安定議決権）はオーナーに残ることになります。

　次に，議決権の行使（経営参加）については，法律の趣旨からして経営支配を目的としていませんし，経営参加もいたしません。

　このようなことから，中小企業投資育成会社は中小企業にとって協力的安定株主であり，事業承継とそれに伴う相続税負担の軽減に役立っているといえます。

Question 28 従業員持株会の利用

当社は，古くからの従業員及び役員の多くは，当社の株式を保有しています。従業員持株会を作ってみてはと思うのですが，具体的にどのようにすればよいのでしょうか。

Answer

従業員持株会設立に際してのポイント

(1) 対象従業員

原則として全従業員が対象です。もちろん，加入するか否かは本人の自由です。しかし，入社後，間もない人は対象からはずすことも妥当と考えられます。例えば，入社後の勤続年数が半年以上のもの等の制限を設けることは，閉鎖会社においては，合理性があると言えます。

(2) 株　　価

配当還元価額以上であれば問題ありません。ただ，持株会は，人が入れ替わることが当然おきますので，最初入会した人と，後から入会した人とで，差がでてしまうことは，あまり好ましいとはいえません。

株式公開会社のように，株式が市場で流通している場合は別ですが，あくまで，閉鎖会社においては，キャピタルゲインは，発生しないという方が好ましい状況といえます。

以上を考慮すると，1株当たり払込金額500円の株式であれば，その倍程度にしておくことぐらいが目安となると思われます。

株価が高すぎれば，配当利回りが下がりますし，また，逆に安すぎれば，売却（株式の供給）する人が不公平となってしまうからです。

(3) 株式の供給

① 現状の株主からの放出

② 第三者割当増資

(4) 運　　営

　社内で管理しますが，理事長1名，理事2名，監事1名程度をおきます。

　株主名簿上は，従業員持株会（理事長）名義となります。

　したがって，既に従業員で株を持っている人は，全員加入するように指導することが望ましいと思われます。

　持株会に加入したからといって，今までの持分には何ら変更がありません。

(5) 導入方法

　規約等の書式は，実践マニュアル編を参照してください。

　従業員の方へは，預金よりも高い利回りとなることを強調してください。仮に投資額100千円（株式数として100株）に対し，1株50円の配当金では，利回りは5％となるので，市場金利よりも有利となります。また，1株100円ともなれば，利回りは10％となります。

　また，少額(23頁参照)の配当については，確定申告が不要であり，20.315％の源泉所得税を引かれるだけで，他の手間はかかりません（ただし，申告も可）。

　資金の集め方としては，賞与時に一括して集める方が容易でしょう。

　もちろん，将来，株式公開を目指していくという会社であれば，月々天引きし，持株会として，資金をプールし，株式の供給があった際に，拠出していくことになります。

　また，年1回，会員に対し，各自の持分がどのようになっているか報告する必要があります。

(6) 留意点

① 従業員持株会では，会員の方は，投資額に応じた持分を取得しているだけにし，株券を本人に渡すことはしない方がよいでしょう。

② また，退社時には，保有している持分を持株会又は会社が買い取るようにし，株券そのものを渡すことはしない方がよいでしょう。

③ 継続的な配当の支払が必要となります。

Question 29 会長の株式の分散

私はA社の社長をしていますが，会長が全株式を保有しています。また，会長一族はA社にはおりません。

いずれ，会長の株を私が買うかしないと，もし，会長に相続が発生すれば，A社の状況を全く知らない相続人たちが，株主として経営に参加してきてしまいます。

私が，買い取ればよいのですが，株価は高く資金がありません。何かよい方法はありませんか。

Answer

いくつかの方法を組み合わせるのがよいのではないかと思われます。

(1) 株価の引下げ――退職金の支給
(2) 株数の減少――金庫株
(3) 株式の分散所有――従業員持株会及び次期後継者又は後継者の出資した会社

では，それぞれについて，説明します。

1 株価の引下げ

株価が高いという根本原因を究明し，それを引き下げる努力をすることが必要です。

例えば，会長さんに対する退職金の支給がなされていなければ，それを実行することです。

また，純資産価額と類似業種比準価額とでは，一般的には，類似業種比準価額の方が低くなりますが，低くなる方がとれないか検討する必要があります。

2 株数の減少

金庫株の制度の導入により，いままで以上に会社が自己株式として買い付けることが安易になりました。

ただし，この場合，会長の株式売却代金は原則としてみなし配当（一定の算

式によります）として課税されることになります。

場合によっては，取引先等へ売却することで，申告分離課税（原則20％）を適用することも可能です。

3 株式の分散所有

上記対策で，株価を引き下げ，株式数を少なくすることができたとして，さらに，社長個人が直接所有する株数を少なくすることにより，資金を最小限にとどめようとするものです。

(1) 従業員持株会

従業員持株会については，Q28で説明しましたので，参考にしてください。

ただ，会長さんとしては，配当還元価額または配当還元価額プラスアルファということになりますので，納得して頂けるかどうか問題があります。

また，会長さんとしては，全ての株式を処分してしまうことに抵抗があるかもしれません。こうした問題は，時間をかけて対処していくことが必要と思われます。

(2) 次期後継者（現社長か社長の出資する会社）への株式売却

会長から社長が株式を買い取る場合，その価額によっては売買価額が多額になり社長個人としては資金手当てができないのが一般的です。その場合は，社長の出資する会社を新規に設立して，その会社が会長より株式を買い取る方法があります。社長個人としては資金準備は必要ありませんが，会社の方で資金を用意する必要があります。

通常は，現会社の業務の一部を新会社に譲渡等して経営効率を向上させるのとあわせて，新会社で資金を手当てするなどが考えられます。

Question 30 売渡請求による自己株式の取得

退職した従業員A氏が，保有している当社株式1,000株を取引先に譲渡したいと申し出がありました。A氏はかねてより，社長である私に，出資金額の50倍で買い取ってほしいといっていましたが，他の株主の手前もあり相手にしていませんでした。取引先に株式が渡ってしまうと，当社の経理状況がわかってしまい，商売がしづらくなるのではと心配しております。どのように対応すればよいでしょうか。

ちなみに，当社の貸借対照表は，以下のとおりです。

直近期末 貸借対照表 （百万円）

資　産	1,000	負　債	600	
土　地	100	資本金	20	⎫
（時　価	600)	剰余金	480	⎬ 簿価純資産　500
	1,100		1,100	⎭

発行済株式総数　40,000株
37％控除前時価純資産　1,000百万円
1株当たり時価純資産　25,000円

Answer

　株式譲渡制限会社においては，株式譲渡に際して，株主総会（取締役会設置会社は取締役会）の承認が必要になっています。

　したがって，A氏の譲渡承認請求については，認めなければ済みます。

　ただ，承認しない場合には，買受人を指定しなければなりません。買受人がすぐには見当たらない場合，会社自身を買受人として，売渡請求をA氏に対してすることができます。

　売渡請求のスケジュールは，以下のとおりとなっています。

項　　　　目	日　　程
① 譲渡先承認請求	
② 不承認の決定（株主総会、取締役会設置会社は取締役会）、不承認通知（会社法139条）	①から２週間以内
③ 株主総会の特別決議 (注2)（会社を譲渡の相手方に指定した場合）（会社法140条）	
④ 金銭の供託 (注1) （本店所在地を管轄する法務局）	
⑤ 株主への売渡請求（会社買取通知） 供託証明書の交付	①から40日以内
⑥ 株券の供託（株券発行会社の場合）	⑤から１週間以内
⑦ 売買価格の決定	調整がつかない場合、②より20日以内に裁判所に対して売買価格の決定請求

（注１）上記設例でいけば、以下の金額となります。

$$\frac{純資産}{発行済株式総数} \times 譲渡株式数$$

$$\frac{500百万円}{40,000株} \times 1,000 = 12,500千円$$

（注２）取得限度　上記設例では自己株式及び繰延資産の貸借対照表計上額はないものとします。

（分配可能額）

　　剰余金480百万円

したがって、当該1,000株の自己株式の取得は、問題がありません。

以上により、株主総会の特別決議がなされれば、有効となります。

売渡請求による自己株式の取得はいずれ、当該株式を売却することになりますので、法人としても、適正な価格で取得する必要があります。

しかし、売主としては、高い価格、例えば時価純資産でと考えるでしょう。

当事者間で、話合いをし、調整がつくことが望ましいのですが、そうでない場合は、裁判所に対して、売買価格の決定請求をすることになります。

Question 31　売渡請求の株主総会決議

売渡請求による自己株式の取得に際しては、株主総会の特別決議が必要とされていますが、具体的な数字で教えてください。

なお、当社は、株主が分散しているのと、委任状がいつももらえない株主がおります。

　　当社の株主
　　　A　　　10,000株
　　　B　　　10,000株
　　　C　　　5,000株（売渡請求の相手）
　　　D　　　3,000株
　　　E　　　3,000株
　　　F　　　2,000株
　　　G　　　2,000株
　　その他　　5,000株
　　　計　　　40,000株

A、Bは同族株主であり、株主総会の出席については問題ありません。Cは売渡請求の当事者ですが、株主総会には出席する予定になっています。Dから以下は、全くの無関心であり、いつも、委任状すらよこしませんので、仮に、欠席した場合でどうなるか教えてください。

Answer

特別決議とは、発行済株式総数の過半数にあたる株式を有する株主が出席し、その議決権の3分の2以上にあたる多数をもって決議するものです。

❶　定　足　数

また、当該決議に利害関係のある売主であるこの場合は、C氏の株式の数は、定足数には、算入しますが、議決権の数には算入しないことになっています。

設例ではA、B、Cの3名が出席したとすると、定足数は、

$$10,000株 + 10,000株 + 5,000株 = 25,000株$$

となり，これは，40,000株の過半数に達していますので，議事進行に問題はありません。

この場合，C氏の株式数も定足数に算入してかまいません。

2 議　　決

次に，この決議に必要な議決権3分の2の計算ですが，この場合，C氏の株式数5,000株は，分母からも除くことになっていますので，分母は，

$$25,000株 - 5,000株 = 20,000株$$

となります。

この20,000株の3分の2は，13,333.3となり13,334株の賛成が得られれば，この特別決議は成立することになります。

したがって，設例において，同族株主のA及びB氏が賛成すれば，売渡請求による自己株式取得の議案は可決成立することになるわけです。

では，この設例において，C氏が欠席した場合どうなるのかみてみましょう。

まず，定足数ですが，発行済株式総数の過半数の出席が必要となりますが，A及びB氏の株式数は合わせて，20,000株であるため発行済株式総数40,000株の過半数に達しませんので，議案の審議ができないといった状況となってしまいます。

このような結果になりますと，特別決議が得られませんので，当初，C氏が，譲渡しようとした者に，譲渡を承認したことになってしまいます。C氏が意図的に株主総会に欠席したとしても，上記の状況に何ら変わりはありません。

以上，設例においては，微妙な状況にありますので，スムーズに売渡請求の手続を進めていくためには，事前に，A，B以外の者から，委任状を入手しておくことが必要と思われます。また，株主総会の招集手続等を含め適法に行うことが必要となりますので，十分注意する必要があります。

Question 32　特例有限会社における自己持分の取扱い

当社は特例有限会社ですが，自己株式の取得が認められますか。

当社の社員Y氏が死亡し，その相続人であるX氏から，株式の買取りについて話をもちかけられており，どうすべきか苦慮していたところです。

ちなみに，当社の状況は以下のとおりです。

　発行済株式数　20,000株

　Y氏の持株数　4,000株

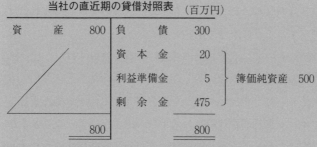

当社の直近期の貸借対照表　（百万円）

資　産	800	負　債	300	
		資 本 金	20	簿価純資産　500
		利益準備金	5	
		剰 余 金	475	
	800		800	

（注）　1　貸借対照表に計上されている繰延資産はありません。
　　　　2　時価と簿価とが同一とします。

Answer

　会社法施行後は有限会社はなくなり，旧有限会社は，「特例有限会社」として存続することになりました。さらに，適用法令であった旧有限会社法も廃止されましたから，「会社法」の適用を受けることになります。したがって，取得手続は会社法が適用となります。

　特例有限会社にあっても，株式会社と同様に自己株式の取得が認められます。

　では，事案を検討しましょう。通常，上場会社のような大規模な会社を除いて，小規模な会社は株主の個性が重要視され，会社を経営するうえで誰が株主か重要な要素です。会社としては，現在の株主構成を維持するために，相続人X氏から会社で株式を買い取る（自己株式）のがよいでしょう。

その自己株式の取得の手続は以下のとおりです。

① 株主総会の特別決議（会社法156条）
　　：決議内容　取得する株式数，交付する金銭等の内容と総額，取得できる期間，特定の者（相続人）から取得する旨
② 取締役（取締役会設置会社の場合は取締役会決議）による決定（会社法157条）
　　：決議内容　取得する株式数，1株当たりの交付する金銭等の内容等，金銭等の総額，株式譲渡しの申込み期日
③ 相続人に通知
　　：②の内容を通知

　自己株式の取得には財源規制があります。その規制を見てみましょう。分配可能額は475百万円であり，取得価額が（475百万円/20,000株）×4,000株＝95百万円であり，分配可能額の範囲内であり，問題はありません。

　相続人にとっての税務を考えてみましょう。通常，自己株式の場合，「みなし配当課税」の対象になります（一般に税額は高額になります）。しかし，相続人からの取得については，みなし配当課税は行われず，その部分は譲渡益課税（一般に税額は低額）が行われるため，相続人にとっては有利と言えます（ただし，相続税額のある人で，相続のあった日の翌日から，相続税申告書の提出期限の翌日以降3年間に譲渡した場合に限ります）。

Question 33 合名・合資会社における自己持分の取扱い

当社は合資会社ですが，当社の社員に相続が発生しました。株式会社や有限会社で認められている自己株式（自己持分）の取得が認められるのでしょうか。

Answer

株式会社で自己株式の取得が原則自由になりましたが，改正前は，資本充実の原則に反すること等から，原則としては禁止しています。

しかし，合資会社や合名会社のように，社員間の個性が極めて重要視される場合，株式会社のように投下資本の回収のためであるとか，相続による事業承継等を株式会社等のように考慮する必要がないものと思われます。

また，合資会社および合名会社にあっては，資本充実の原則が要請されておりませんので，社員の退社制度が認められています。

また出資持分の譲渡について，原則として禁止していながらも，社員の総意があれば認められると解されています。

したがって，あえて，合資会社や合名会社において，自己株式（自己持分）の取得を認める必要性がなかったものと思われます。

また，出資持分の相続についても，それを禁止することもできれば，社員の総意をもって認めることもできます。

つまり，社員の個性が重視されているため，誰が社員として参加するかは，他の社員にとって極めて重大な問題であり，あらゆることに社員の総意が必要となっています。

仮に，出資持分の相続が認められなければ相続人は，出資持分の払戻請求権を有することになります。

この払戻請求権の算定に際して，37％控除前の時価純資産価額を基にした判例が出ています。

不動産が唯一の資産で，その含み益が多い会社にあっては，死活問題といえ

ましょう。

　以前の商法の下では、合名・合資会社から株式会社への組織変更はできませんでしたが、会社法においては可能とされました。事業の継続等将来のことを考えれば、株式会社に組織変更しておくことも必要ではないかとも思われます。

　税法上も、組織変更は原則として課税関係は生じません。

Question 34 配当と株価の関係

配当をすると,自社株の評価が高くなると聞きましたが,配当と株価はどのような関係になりますか。
また,記念配当であっても影響がありますか。

Answer

原則として,配当率が高いほど自社株の評価は高くなります。ただし,記念配当のように将来毎期継続することが予想できない金額は除きますので影響がありません。

1 配当還元方式

$$配当還元価額 = \frac{評価会社の平均配当}{10\%} \times 1株当たりの資本金等の額$$

ただし,平均配当率(直前期末以前2年間の平均)が,5%未満の場合は5%とする。

したがって,平均配当率が高いほど,配当還元価額は高くなります。

2 類似業種比準方式

$$類似業種比準価額 = 類似業種の株価 \times \frac{\frac{評価会社年配当金額}{類似業種年配当金額} + \frac{ⓒ}{C} + \frac{Ⓓ}{D}}{3} \times \begin{matrix} 0.7 \text{(大会社)} \\ 0.6 \text{(中会社)} \\ 0.5 \text{(小会社)} \end{matrix}$$

ただし,ⓒ…評価会社年利益金額　Ⓓ…評価会社純資産価額
　　　　C…類似業種年利益金額　　D…類似業種純資産価額

したがって,評価会社の配当率が高いほど,類似業種比準価額は高くなります。

3 純資産価額方式

$$純資産価額 = \frac{資産の相続税評価額 - 負債の相続税評価額 - 評価差額の37\%}{発行済株式数(自己株式を除く)}$$

剰余金の配当がある場合は,ない場合と比較して負債(未払配当金)が増加

しますので，純資産価額は低くなります。

配当金額の増減によりどのような影響があるか，具体的にみてみましょう。

前提条件
- ① 配当金額　　　1株50円と計算して1株当たり5円
　　　　　　　　　　　（類似業種は2.5円）
- ② 利益金額　　　1株当たり100円（類似業種は50円）
- ③ 純資産金額　　1株当たり250円（類似業種は125円）
- ④ 類似業種株価　350円
- ⑤ 会社区分　　　中会社

現在の類似業種比準価額は

$$350円 \times \left(\frac{2+2+2}{3}\right) \times 0.6 = 420円$$

【配当金額変動による株価シミュレーション】

配当金額 （1株50円に対し）	0円	5円	10円	20円	30円
類似業種比準価額	279円	（現状）420円	558円	840円	1,119円
配当還元価額	25	50	100	200	300

同族会社にあっては，配当政策らしきものもないままに配当したりしなかったりというケースが多いと思われますが，株価等も勘案して配当政策を見直してみてください。

Question 35 現物出資

オーナーのもつ，上場株式や非上場株式を現物出資をして設立した会社の株式の評価は，どのように計算しますか。

Answer

評価会社の株式を純資産価額方式で評価する場合，評価会社の資産のなかに，現物出資等により著しく低い価格で受け入れた株式等があるときは，原則として，その現物出資等のときのその取引相場のない株式等の価額（相続税評価額）とその現物出資等による受入価額（帳簿価額）との差額（現物出資受入差額）に対する法人税等に相当する金額は，純資産価額の計算上控除しません。

評価差額に対する法人税額等に相当する金額を控除することとしているのは，個人が財産を直接所有する場合と，株式という形態を通じて間接的に支配している場合との差を考慮した相続税課税上の斟酌であるので，経済的実態に変化がないにもかかわらず株価が引き下がる不合理を廃除しようとするものです。

したがって，株式評価明細書第5表「1株当たりの純資産価額の計算明細書」において「資産の部」合計の下に「現物出資等受入れ株式の価額の合計額」の欄を設け，評価差額に対する法人税額等相当額の計算において，現物出資受入差額を「帳簿価額による純資産価額」に加算する様式となっています。

ただし，相続税評価額による総資産価額に占める現物出資等受入れ資産の価額の割合が20％以下（課税時期）の場合は，現物出資等受入差額を加算する必要はありません（つまり，通常の評価方法）。

（注）現物出資等とは，現物出資もしくは合併又は株式の交換・移転をいいます。

現物出資とは

会社設立または新株発行にあたり，現金以外の財産，例えば，土地・建物等の不動産・株式などの有価証券，動産，債権，その他無体財産権などをもって出資することを現物出資といいます。

会社設立の場合の現物出資は変態設立事項，定款に出資者，財産，財産の価格，割り当てられる株式の種類および株数を記載しなければなりません。

新株発行の場合の現物出資は，出資者の資格は問わないが，取締役会で必要事項を決議し，取締役会議事録の作成が必要となります。

なお，現物出資した財産を過大評価することにより，その株主や利害関係者の利益の侵害を防ぐために，裁判所の選任した検査役の検査が必要とされています。

ただし，現物出資が市場価格のある有価証券，不動産鑑定士等の評価証明書がある場合や，総額500万円以下の場合などは，検査役の検査について簡略化されています。

Question 36 孫会社のあるケース

当社が株式を所有している会社(子会社)が,子会社(当社からみると孫会社)の株式を所有している場合,当会社の株式評価は,どのように計算しますか。

Answer

子会社のもつ孫会社の株式評価及び親会社のもつ子会社の株式評価にあたっては,相続税評価額と帳簿価額の評価差額に対する法人税額等に相当する金額を控除することはできません。

(設 例)……全て純資産価額方式で評価をする場合

親会社 B/S		子会社 B/S		孫会社 B/S	
現　金 2,000	借入金 5,000	現　金 1,000	借入金 5,000	現　金 3,000	借入金 2,000
土　地 10,000	資本金 5,000	土　地 5,000	資本金 3,000	土　地 7,000	資本金 5,000
子会社株式 2,000	剰余金 4,000	子(孫)会社株式 3,000	剰余金 1,000		剰余金 3,000
14,000	14,000	9,000	9,000	10,000	10,000
オーナー持株割合　50%		オーナー持株割合　50%		オーナー持株割合　40%	
その他持株割合　50%		親会社持株割合　50%		子会社持株割合　60%	
土地の相続税評価額 30,000		土地の相続税評価額 10,000		土地の相続税評価額 15,000	

(手　順)

(1) 孫会社の株式評価

　○　純資産価額　現金3,000＋土地15,000－借入金2,000＝16,000

　○　評価差額の37％

　　　(土地の相続税価額15,000－帳簿価額7,000)×37％＝2,960

　　※　子会社のもつ孫会社の株式評価　　16,000×60％＝9,600

　　　　オーナーのもつ孫会社の株式評価

　　　　　(16,000－2,960)×40％＝5,216

(2) 子会社の株式評価

　○　純資産額

　　　現金1,000＋土地10,000＋子会社株式9,600－借入金5,000＝15,600

　○　評価差額の37％

　　　｛(土地評価10,000＋子会社株評価9,600)－(土地簿価5,000＋子会社簿価3,000)｝×37％＝4,292

　　※　親会社のもつ子会社の株式評価

　　　　　15,600×50％＝7,800

　　　　オーナーのもつ子会社の株式評価

　　　　　(15,600－4,292)×50％＝5,654

(3) 親会社の株式評価

　○　純資産価額

　　　現金2,000＋土地30,000＋子会社株式7,800－借入金5,000＝34,800

　○　評価差額の40％

　　　｛(土地評価30,000＋子会社株式7,800)－(土地簿価10,000＋子会社簿価2,000)｝×37％＝9,546

　　※　オーナーのもつ親会社の株式評価

　　　　　(34,800－9,546)×50％＝12,627

　　　　オーナー評価合計　　5,216＋5,654＋12,627＝23,497

Question 37 自己株を持っているケース

自己株を保有している場合の株式の評価は,どのように計算しますか。

Answer

取引相場のない株式の評価にあたっては,評価会社の株式の議決権割合（議決権総数に占める議決権の割合）に基づいて,特例的評価方式である配当還元方式により株式を評価する株主であるかどうかの判定を行います。

評価会社が自己株式を有する場合には,議決権を有しないことから,その自己株式に係る議決権の数は0として計算した議決権の数をもって評価会社の議決権総数とします。

このうち,純資産価額方式での評価は,次のとおりです。

評価会社の財産及び負債

科　　目	相　続	簿　価	科　　目	相　続	簿　価
	—	—	負　　債	B	B
資　　産	A	C	自 己 株 式		▲D
合　　計	A	C	合　　計	B	B

（算　式）

$$\frac{\begin{pmatrix}資産の相続税\\評価額の合計額\end{pmatrix}-（負債の合計額）-\begin{pmatrix}評価差益の法人税額\\等に相当する金額\end{pmatrix}}{（発行済株式数）-（自己株式数）}$$

$$\frac{A-B-(A-C)\times 37\%}{（発行済株式数）-（自己株式数）}$$

　自己株式は，従来貸借対照表の資産項目で表示されていましたが，現在は純資産の部のマイナス項目として表示されることになっています。
　したがって，資産及び負債の中には自己株式が入っていないのが通常です。万一資産の中に入っている場合は，資産から除外して評価することになります。
　自己株式数を発行済株式数から控除して，1株当たりの純資産価額を算定します。
　また，平成19年1月1日以降においては，類似業種比準価額の算定にあたっても，発行済株式数からも自己株式数を控除することとなります。

Question 38 増資の影響

当社は，3月決算法人で，9月に下記の割当増資を行いました。10月に株主の1人に相続が発生した場合の当社の株式評価は，どのように計算しますか。

Answer

設例の場合，増資によって，株式の評価は，株式数，会社の財産状況に変化が起きますので，所定の計算方法により，株式の評価を計算します。

（設　例）

① 課税時期　　平成29年10月10日
② 直前期末　　平成29年3月31日
　ア　発行済株式数　　　100株
　イ　純資産価額（第5表⑨）　15,000,000円
　ウ　1株当たりの純資産額　　150,000円
　エ　類似業種比準価額　　　80,000円
　オ　Lの割合　　　　　　0.75
　カ　1株当たりの価額　　80,000円×0.75＋150,000円×0.25＝97,500円
③ 増資時期　　平成29年9月30日
　　増資内容　　1：1（1株に対し1株の割当）
　　1株当たりの払込金額　　50,000円
　　増資株数（払込総額）　　100株（5,000,000円）

(計　算)

① 類似業種比準価額の修正

　　　　　比準価額　　新株1株当りの払込金額　1株当りの株式の割当数　　　1株当りの新株式割当数
$$(80,000円 + 50,000円 × 1株) ÷ (1株 + 1株) = 65,000円$$

② 純資産価額の修正

$$\frac{\underset{(直前期末の純資産価額)}{15,000,000円} + \underset{(増資払込総額)}{5,000,000円}}{\underset{(直前期末株数)}{100株} + \underset{(増資発行株数)}{100株}} = 100,000円$$

③ 1株当たりの価額（Lの割合0.75として）

$$65,000円 × 0.75 + 100,000円 × 0.25 = 73,750円$$

④ （検算）増資前10株　　増資10株（払込合計500,000円）

　　　　　　増資後20株所有していると仮定

$$増資前10株 × 97,500円 + 増資払込額500,000円 = 増資後20株 × 73,750円$$

Question 39 借地権

当社は，20年前に他人より建物所有目的で，土地を賃借し現在に至っています。契約時に，権利金等の支払いがないので，貸借対照表上には，借地権の表示はありません。当社の株式評価上，純資産価額の計算にあたって，借地権の取扱いはどのようになりますか。

Answer

　法人が，建物所有目的で土地を賃借する場合，通常は，借地権相当額の権利金を支払うか，支払わない場合は，税務上定める相当の地代を支払うかのいずれかの方法によります。この方法以外により土地を賃借した場合，無償返還の届出の提出がない限り，借地権の認定課税が生じます（権利金授受の慣行のある地域）。

　しかしながら，過去において，権利金の支払いもなく，相当の地代の授受もなく，無償返還の届出も提出されないままに，土地の賃借が行われているケースも少なくありません。この場合，本来であれば，借地権の認定が行われた時点で借地権の認定課税が法人において行われているべきなのですが，それがなされないままに今に至っているようなケースです。

　結論を言えば，認定課税漏れということで結果として賃借人である法人に借地権ありとして取り扱われることになります。

　このように考える背景としては，法人は営利を目的として行動するものであるとの前提のもとで，使用貸借（無償で土地を賃借する）はありえないということがあります。常に賃貸借を行っているはずだとの前提にたち，課税関係が取り扱われるわけです。つまり，相続税評価額の算定にあたっても，課税時期に，その会社のもつ財産は，会社の帳簿に計上されてなくても，当然，評価の対象としなければなりません。

　お尋ねの場合は，資産の部の相続税評価額に，路線価方式または倍率方式により借地権割合を乗じて借地権を評価します。また，帳簿価額には，無償によ

る取得ですから「0」と記入します。なお，この借地権は，「土地保有特定会社」の判定の際の「土地等の価額の合計額」に含まれます。

〈参　考〉

個人が同族会社に土地を貸している場合

右図のように，個人（被相続人）が同族会社に，土地を貸している場合，個人が「相当の地代」（自用地価額の6％）を収受している時，または，「無償返還の届出」（ただし，使用貸借は除く）をしている時は，被相続人の

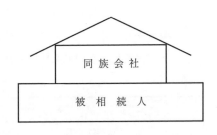

土地については，自用地価額の20％を控除して評価しますが，被相続人が持っていた同族会社の株式評価にあたって，控除した自用地価額の20％相当額を，純資産価額の計算上，資産として計上しなければなりませんので，留意してください。

Question 40 株式の持ち合いのケース

おたがいに株式を持ち合っている会社の株式評価は，どのように計算しますか。

Answer

おたがいに株式を持ち合っている場合は，それぞれの株式の評価の計算において影響があるため，次のような複雑な算式によります。

ただし，上場株式や類似業種比準方式で評価できる場合は，除きます。

(条　件)

会　社　名	A社	B社
発行株式数	AS （株）	BS （株）
A社の持株数		a （株）
B社の持株数	b （株）	
持ち合い株を除いた純資産額 （相手株を除く評価明細書第5表①－③）	¥A （円）	¥B （円）
評価のLの割合	LA	LB
全株を類似業種比準価額で計算した額	TA （円）	TB （円）

(1) 評価方法がともに純資産価額方式

$$\text{A 社 所 有 B 株 の 評 価} = \frac{\dfrac{a}{BS}\left(¥B + \dfrac{b}{AS} \times ¥A\right)}{1 - \dfrac{a}{BS} \times \dfrac{b}{AS}}$$

$$\text{B 社 所 有 A 株 の 評 価} = \frac{\dfrac{b}{AS}\left(¥A + \dfrac{a}{BS} \times ¥B\right)}{1 - \dfrac{a}{BS} \times \dfrac{b}{AS}}$$

(2) 評価方法が，A社が併用方式，B社が純資産価額方式

$$\boxed{\begin{array}{c}\text{A 社 所 有}\\ \text{B株の評価}\end{array}} = \frac{\dfrac{a}{BS}\left[¥B + \dfrac{b}{AS}\{LA \times TA + ¥A(1-LA)\}\right]}{1 - \dfrac{a}{BS} \times \dfrac{b}{AS}(1-LA)}$$

$$\boxed{\begin{array}{c}\text{B 社 所 有}\\ \text{A株の評価}\end{array}} = \frac{\dfrac{b}{AS}\left\{LA \times TA + (1-LA)\left(¥A + \dfrac{a}{BS} \times ¥B\right)\right\}}{1 - \dfrac{a}{BS} \times \dfrac{b}{AS}(1-LA)}$$

(3) 評価方法がともに併用方式

$$\boxed{\begin{array}{c}\text{A 社 所 有}\\ \text{B株の評価}\end{array}} = \frac{\dfrac{a}{BS}\left[LB \times TB + (1-LB)\left[¥B + \dfrac{b}{AS}\{LA \times TA + ¥A(1-LA)\}\right]\right]}{1 - \dfrac{a}{BS} \times \dfrac{b}{AS}(1-LA)(1-LB)}$$

$$\boxed{\begin{array}{c}\text{B 社 所 有}\\ \text{A株の評価}\end{array}} = \frac{\dfrac{b}{AS}\left[LA \times TA + (1-LA)\left[¥A + \dfrac{a}{BS}\{LB \times TB + ¥B(1-LB)\}\right]\right]}{1 - \dfrac{a}{BS} \times \dfrac{b}{AS}(1-LA)(1-LB)}$$

※ 上記の算式で求めた価額を，評価明細書第5表の「資産の部」の「相続税評価額」に記入します。

Question 41　その他の評価方法

株式の評価方法として，相続税法に基づく評価方法（純資産価額方式，類似業種比準方式，配当還元方式）以外にも，いろいろ評価方法があると聞きました。他にどのような方法がありますか。またそれは，どのような場合に使われますか。

Answer

株式の価値を評価すべき場面は，相続や贈与の場合に限りません。株主が，会社に対し買取請求を行う場合，あるいは，合併にあたって合併比率を計算する場合など様々です。どの評価方法が，どの場面に適用されるかは，必ずしも一様ではなく，複数の方法が併用されるケースも多く見られますが，代表的評価方法とその適用が想定されるケースは以下のとおりです。

1　純資産方式

(1) 簿価純資産価額方式

① 評価方法

$$\frac{簿価純資産額}{発行済株式総数}$$

② 適用ケース

・含み損益がない場合の株価の算定

・会社法の規定に基づく譲渡制限株式売渡請求者の供託額の算定

(2) 再調達時価純資産価額方式

① 評価方法

$$\frac{再調達時価純資産額}{発行済株式総数}$$

② 適用ケース
- ・合併比率の算定
- ・企業買収の場合の買取価額の算定など
- ・新株の特に有利な発行価格の判断材料

2 収益方式

(1) 収益還元法

① 評価方法

$$\frac{将来の予想年間税引後利益 \div 資本還元率}{発行済株式総数}$$

② 適用ケース
- ・合併比率の算定
- ・企業買収の場合の買取価額の算定など

(2) DCF（ディスカウント・キャッシュ・フロー）方式

① 評価方法

$$\frac{将来の予想ディスカウント・キャッシュ・フローの合計額}{発行済株式総数}$$

② 適用ケース
- ・合併比率の算定
- ・企業買収の場合の買取価額の算定など

3 配当方式

(1) 予想配当還元法

① 評価方法

$$\frac{将来の年間予想配当 \div 資本還元率}{発行済株式総数}$$

※ 将来の年間予想配当に代えて（予想税引後利益×標準配当性向）が用いられる場合もある。

② 適用ケース
  ・経営権に直接関係しない少数株主からの買取請求の際の買取価額算定など

(2) ゴードンモデル法
① 評価方法

$$\frac{1株当たりの配当金}{資本還元率-投資利益率\times 内部留保率}$$

※ 前出の配当還元法に，企業の内部留保の実態とその内部留保が更に利益を稼得する点を加味した方法

※ 投資利益率として通常は自己資本利益率を用いる

② 適用ケース
  ・経営権に直接関係しない少数株主からの買取請求の際の買取算定など

4 比準方式

類似会社比準方式

① 評価方法

$$類似会社平均株価\times \frac{\frac{A'}{A}+\frac{B'}{B}+\frac{C'}{C}}{3}\times 類似安定度係数$$

A：類似会社平均1株当たりの配当金　　A'：評価会社1株当たりの配当金
B：　　〃　　　　　　　税込純利益　　B'：　　〃　　　　　税込純利益
C：　　〃　　　　　　　純資産価額　　C'：　　〃　　　　　総資産価額

※ 類似安定度係数は，評価会社と類似会社の類似性を評価補正するための係数であり，通常は，㋑自己資本，㋺総資産，㋩取引金額，㊁自己資本比率，㋭企業利潤率について評価し，評価会社の評点と類似会社の評点の平均の比率をそれぞれ求めて，その5つの比率の平均値として計算される。なお，非公開株式の場合には，流通性が制限されるのを反映して，類似業種比準価額方式と同様の30％のディスカウント率を考慮するのが一般的である。

② 適用ケース
・公開会社規模あるいは，近い将来に公開が予定されている会社の株価の算定

Question 42 | 過去に自社株に係る10％の減額特例を適用していた場合の自社株の納税猶予制度

過去に先代経営者より未上場株式の贈与を受けましたが，その際に相続時精算課税制度により贈与を受け，かつ，相続の際に特定事業用資産の減額（以下「10％の減額特例」という。）の規定を適用しようと思い税務署長に届出書を提出しています。今回納税猶予制度が創設されたことにともなって，この10％の減額特例の制度がなくなると聞きましたが，過去の分も適用できないのでしょうか？

また，この贈与を受けた株式について納税猶予制度に切り替えることは可能でしょうか？

Answer

10％の減額特例については経過措置により過去に届出書等を提出した分については要件さえ満たしていれば適用可能となっております。

また，納税猶予の適用については平成22年3月31日までに納税猶予制度の適用を受けるための届出書を後継者である相続人の納税地の所轄税務署長に提出した場合で，納税猶予制度の要件を満たす場合においては，納税猶予制度に切り替えることは可能です。ただし，この規定は10％の減額特例を受けるために相続時精算課税をした際に，一定の届出書を提出している場合に限られますので，届出書を提出していないなどの場合には，10％の減額特例も納税猶予制度も適用することができませんので注意が必要です。

また，相続時精算課税の特例（贈与者の年齢制限を60歳以上に緩和，非課税枠を3,000万円に拡大）も同時に廃止されることになりましたが，この制度を適用して贈与を受けていた後継者である相続人についても，納税猶予制度の要件を満たしていれば平成22年3月31日までに相続税の納税猶予制度の適用を受けるための届出書を提出することにより，適用が可能となります。

〈参　考〉

10％の減額特例制度の概要

　未上場株式等を贈与した場合で，下記要件等を満たすものについては，その贈与のうち発行済株式総数の2/3に達するまでの部分で，かつ，10億円以下の部分については10％の減額を受けることができます。
(1)　相続時精算課税制度を適用していること
(2)　贈与を受けた者が，贈与時から相続税の申告期限まで，その会社の役員であること
(3)　対象会社の発行済株式総数に対する時価が20億円未満の会社であること
(4)　議決権株式であること
(5)　同族関係者の持株比率が50％を超えていること

Question 43 自社株に係る納税猶予制度と小規模宅地等の減額との併用

10%の減額特例については，小規模宅地等の減額との併用は一定の制限が設けられていたようですが，今回創設された自社株に係る納税猶予制度についても同様に小規模宅地等との併用に制限が設けられるのでしょうか？

Answer

旧法においては，10%減額特例と小規模宅地等の特例（事業用宅地等の場合，400 m²までにつき80%減額）との部分併用は可能となっていましたが，今回創設された自社株に係る納税猶予制度についてはその併用の範囲が拡大され，小規模宅地等の特例との完全併用が認められました。

この制度により小規模宅地等と納税猶予をそれぞれ適用できるため，相続人間の調整がしやすくなると思われます。

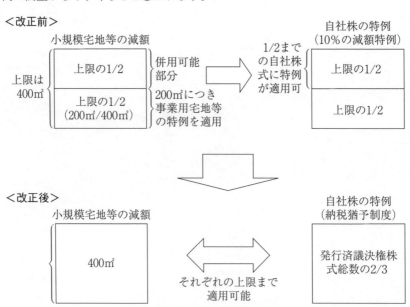

(参考文献)

1　山本　光三編「税務相談事例集」㈶大蔵財務協会
2　税務研究会「週刊　税務通信」
3　中村　勝彦編「株式評価実務必携」㈶納税協会連合会
4　日本公認会計士協会「株式等鑑定評価研修セミナー資料」
5　中西　敏和著「小さな会社の正しい株式実務」中経出版
6　小林健男・竹下重人・吉牟田勲共著「会社設立から更生までの手続と税務処理　四訂版」財経詳報社

実践マニュアル編

発展するニュアブル鎖

実践マニュアル編

合　併

❶ 合併スケジュール（一般的なもの）

項　目	日　付	合　併　会　社	被合併会社
1．合併契約	29.7.20	合併契約書の作成	
2．取締役会	29.7.20	(1) 合併契約書承認 (2) 取締役会議事録の作成	同　左
3．合併契約書の締結	29.8.5	合併契約書の締結	同　左
4．取締役会	29.8.5	合併承認臨時株主総会開催決定 招集通知発送 合併書類事前備置開始	同　左
5．株主総会	29.8.20	(1) 臨時株主総会の開催 (2) 議事録の作成	同　左
6．公正取引委員会届出 （届出が必要な場合）	29.8.21 29.8.21 29.8.31 29.9.7 29.9.11 29.10.7 29.10.10 29.10.24	(1) 届出書作成 (2) 原稿審査 (3) 正式届出 (4) 受理日 (5) 受理書交付 (6) 法定禁止期間終了 (7) 合併期日 (8) 合併完了報告書提出	同　左
7．債権者異議申述公告， 催告，株主公告，通知	29.9.1	債権者異議申述公告，催告 株主公告，通知	同　左 同　左
8．株券提供公告	29.9.1		株券提供公告
9．合併効力発生日	29.10.10	合併の実行 合併書類事後備置開始	同　左
10．合併登記	29.10.24 までに	変更登記	同　左

臨時株主総会議事録

　平成〇〇年〇〇月〇〇日（〇曜日）午後〇〇時より，〇〇〇〇〇〇〇〇〇〇，当会社の本店会議室において臨時株主総会を開催した。

　定刻，代表取締役社長　〇〇〇〇は，議長となり開会を宣言し，本日の出席株主数及びその所有株式数を次のとおり報告した。

議決権を有する株主数	〇名
議決権を有する株式の総数	〇〇株
本日の出席株主数（委任状による者を含む）	〇名
その所有する議決権のある株式数	〇〇株

　以上のとおり，定足数に足る株主が出席したので，本日の議案は適法に審議できる旨を説明し，ただちに議案の審議に入った。

第一号議案　　〇〇〇〇株式会社との合併契約書承認の件

　議長は，当会社と〇〇〇〇株式会社との間でかねて交渉が進められてきた合併について，別紙契約書に記載のとおり，両者代表間において合併契約が成立した旨を報告し，合併の目的，趣旨等の説明の後，合併契約書の承認を求めたところ，満場異議なく承認可決した。

　以上をもって議事の全部を終了したので，議長は午後〇時，閉会を宣した。

　以上議事の経過の要領と議決の結果を明らかにするため，本議事録を作成し議長及び出席取締役は，次に記名押印する。

　平成〇〇年〇〇月〇〇日

　　　　　　　　　株式会社　〇〇〇〇〇〇〇〇〇〇　臨時株主総会
　　　　　　　　　議長　代表取締役　〇〇〇〇㊞
　　　　　　　　　　　　取　締　役　〇〇〇〇㊞
　　　　　　　　　　　　取　締　役　〇〇〇〇㊞
　　　　　　　　　　　　取　締　役　〇〇〇〇㊞
　　　　　　　　　　　　取　締　役　〇〇〇〇㊞

平成○○年○○月○○日

債権者各位

○○○○○○○○○○○○
株式会社　○○○○○○○○
代表取締役　○　○　○　○

債権者異議申述の催告書

　拝啓，時下益々ご清栄の段慶賀申し上げます。
　さて，当会社は，平成○○年○○月○○日開催の臨時株主総会において，○○○○○○○○○○○○○　○○○○株式会社と合併して権利義務の一切を承継し，解散することを決議いたしました。
　つきましては，この合併に対しご異議がございましたら，平成○○年○○月○○日までにその旨をお申し出下されたく，会社法の規定により催告申し上げます。

　この合併に異議のない場合はお手数ながら同封の"合併承諾書"にご記名ご捺印のうえ，当社宛ご返送下さいますようお願い申し上げます。
　なお，お申し出のないときは，ご異議のないものとして処理させていただきますのでご了承下さい。

敬　具

合併承諾書

　平成〇〇年〇〇月〇〇日に開催された〇〇〇〇株式会社（〇〇〇〇〇〇〇〇〇〇〇〇）および株式会社〇〇〇〇〇〇〇〇〇（〇〇〇〇〇〇〇〇〇〇〇〇〇）の各臨時株主総会の決議により，二者が合併することに対し，当方は別段の異議はありませんのでこの旨解答します。

　　平成〇〇年〇〇月〇〇日

　　　　　　　　　　　　　　　　　債権者
　　　　　　　　　　　　　　　　　　ご住所　〇〇〇〇〇〇〇〇〇〇〇〇

　　　　　　　　　　　　　　　　　　ご氏名　〇　〇　〇　〇　㊞

　　株式会社　〇〇〇〇〇〇〇〇〇
　　代表取締役　〇　〇　〇　〇　殿

実践マニュアル編

解散・清算

1 解散・清算手続概要

	法人の内部処理	登記関係	税務関係
Ⅰ．解散決議	株式会社 解　散　決　議 ＜株主総会＞ 株主総会議事録 ・解散決議 ・清算人選任 財産目録，貸借対照表，承認総会 解散時のものを作成する 清算人が招集，過半数の承認 債権者に対する公告催告書	法務局 会社解散 清算人登記 決議より2週間以内 ・議事録 ・清算人印鑑証明書 ・定款 ・清算人就任承諾書 ・委任状	法人の異動届 すみやかに解散月日，清算人，住所，氏名 　以後の届出・申告は清算人 法人の確定申告 解散より，2か月以内
Ⅱ．清算事務	株主総会 官報公告より，2か月経過後 　その間，下記の処理をします 　　　現　務　の　結　了 　　　債　務　の　取　立 　　　債　務　の　弁　済 　　　残余財産の確定 残余財産の分配	清算結了の登記 添付書類 ・株主総会議事録 ・清算事務報告書 ・委任状 　司法書士	清算確定申告書 B/S 解散時貸借対照表（税務署のみ） ・残余財産確定時 　B/S 貸借対照表 ・解散〜確定時 　P/L 清算計算書 法人の異動届

取締役会議事録

　〇〇年〇〇月〇〇日午〇〇〇時〇〇分当会社の本店において，取締役〇〇名出席（総取締役数〇〇名）のもとに，取締役会を開催し，下記議案につき可決確定のうえ，午〇〇〇時〇〇分散会した。

1．臨時株主総会開催について

　代表取締役　〇〇〇〇は，議長となり，下記事項について議場に諮ったところ，全員の賛意をうけ承認可決した。

記

当会社臨時株主総会の開催
　1．日時　　平成〇〇年〇〇月〇〇日　午前〇〇時
　2．場所　　当会社　本社会議室
　3．議題　　第1号議案　　当会社解散の件
　　　　　　　第2号議案　　清算人選任の件

　尚，清算人については，取締役会としては，〇〇〇〇氏を候補者とすること。

　上記の決議を明確にするため，この議事録を作り，出席取締役の全員がこれに記名押印する。

　　〇〇年〇〇月〇〇日

（商　号）
　　　　出席取締役　〇　〇　〇　〇　㊞

　　　　　　同　　　〇　〇　〇　〇　㊞

臨時株主総会議事録

　平成〇〇年〇〇月〇〇日午前〇〇時〇〇分から，〇〇〇〇〇〇　株式会社　〇〇〇〇において臨時株主総会を開催した。

　　　　　議決権のある株主総数　　　　　　　　〇〇名
　　　　　議決権のある発行済株式総数　　　　　〇〇株
　　　　　本日出席株主数（委任状による者を含む）　〇〇名
　　　　　この議決権のある持株数　　　　　　　〇〇株

　代表取締役　〇〇〇〇は議長席につき，株主総会は適法に成立したので開会する旨を宣し，直ちに議事に入った。

　　　　　　　　　第1号議案　当会社解散の件
　議長は，当会社の解散せざるをえなくなった事情について，詳細に説明した。
　議長が，その承認を求めたところ，満場異議なくこれを承認した。
　　　　　　　　　第2号議案　清算人選任の件
　議長は，清算人として，次の者を選任したい旨の承認を求めたところ，満場異議なくこれを承認し，被選任者は，その就任を承諾した。
　　　　　　　　　清算人　　〇　〇　〇　〇
　議長は，以上をもって本日の議事を終了した旨を述べ，午前〇〇時〇〇分閉会した。
　以上の決議を明確にするため，この議事録を作り，議長および出席取締役の全員がこれに記名押印する。

　　平成〇〇年〇〇月〇〇日

　（商号）　株式会社　〇〇〇〇　臨時株主総会

　　　　　議長　　代表取締役　〇　〇　〇　〇　㊞
　　　　　　　　　取　締　役　〇　〇　〇　〇　㊞
　　　　　　　　　取　締　役　〇　〇　〇　〇　㊞
　　　　　　　　　取　締　役　〇　〇　〇　〇　㊞
　　　　　　　　　取　締　役　〇　〇　〇　〇　㊞

臨時株主総会議事録

平成○○年○○月○○日当会社の本店において臨時株主総会を開催した。

  議決権のある株主総数   ○○名
  議決権のある発行済株式総数   ○○株
  出席株主数(委任状による者を含む) ○○名
  この議決権のある持株数   ○○株

以上のとおり,株主の出席があったので,清算人○○○○は,議長席につき,株主総会は適法に成立したので開会を宣し,直ちに議事に入った。

   議案 清算結了の報告並びに承認の件

議長は,当会社の清算結了に至るまでの経過を詳細に報告し,別紙清算事務報告書を朗読し,その承認を求めたところ,満場異議なくこれを承認した。

議場は,以上をもって本日の議事を終了した旨を述べ閉会した。

以上の決議を明確にするため,この議事録を作成し,議長並びに出席清算人がこれに記名押印する。

平成○○年○○月○○日

(商号)○○○○株式会社臨時株主総会

  議 長
  出席清算人 ○ ○ ○ ○ ㊞

清算事務報告書

清算人として,清算事務について下記のとおり報告します。

1. 平成〇〇年〇〇月〇〇日,会社財産の現況を調査のうえ,財産目録及び貸借対照表を作成し,平成〇〇年〇〇月〇〇日開催の株主総会においてこの承認を受けました。
2. 清算人は,平成〇〇年〇〇月〇〇日現務の結了,諸債権の取立て諸債務の支払のすべてを完了し,後記貸借対照表のとおり,残余財産を換価することができました。
3. よって,清算人は,同日各株主に対して,その所有株式数に応じて,次のとおり分配しました。

　　　　　残余財産換価額　　　　　〇〇万円
　　　　　発行済株式総数　　　　　〇〇株
　　　　　株 主 分 配 額　1株につき金　〇〇円

上記のとおり報告します。

　平成〇〇年〇〇月〇〇日

　　　清算人　〇　〇　〇　〇　㊞

　　　株式会社〇〇最終貸借対照表(平成〇〇年〇〇月〇〇日現在)

資産の部		負債の部	
科目	金額	科目	金額
現金	円		
		合計	円
		純資産の部	
		資本金	円
		損失金 △	円
		合計	円
合計	円	合計	円

実践マニュアル編

売買・贈与

取締役会議事録

平成○○年○○月○○日午○○時○○分本店会議室において，取締役会を開催した。

　　　　　　　　　取締役総数　　　○○名
　　　　　　　　　出席取締役　　　○○名

上記のとおり定足数に足る取締役の出席があったので本議会は適法に成立した。

よって取締役○○○○は議長席につき，開会を宣した。

　　　　　　第一号議案　○○○○株式取得に関する件

　議長は，下記譲渡人から下記の通り株式を譲渡したい旨の承認の請求があった為，その議決をはかったところ，一同これを承認した。

(譲渡人)
　住　　所　　　　　　　　氏　　名　　　　　株　式　数

(譲受人)
　住　　所　　　　　　　　氏　　名　　　　　株　式　数

以上により本日の議事を終り，議長は午○○時○○分閉会を宣し，散会した。

　前記決議を明確にするため本議事録を作成し，議長及び出席取締役これに記名押印する。

　　平成○○年○○月○○日

　　　(商　号)
　　　　　　　　　　　　　　　　　　取締役会
　　　　　　　出席取締役　○　○　○　○　㊞
　　　　　　　　　　同　　○　○　○　○　㊞
　　　　　　　　　　同　　○　○　○　○　㊞

株式売買契約書

　売主〇〇〇〇を甲とし，買主〇〇〇〇を乙として甲乙両当事者は次のとおり株式売買契約を締結した。

　第一条　甲は乙に対して下記株式を下記の約定で売り渡すことを約し，乙はこれを承諾した。

記

1. 〇〇〇〇〇〇〇株式　〇〇株
2. 売　渡　日　平成〇〇年〇〇月〇〇日
3. 売買価額　1株につき　　〇〇円
　　　　　　合　　計　〇〇〇〇円

以上の契約を証するため本契約書を作成し，甲乙両者署名押印する。

　平成〇〇年〇〇月〇〇日

　　売主（甲）　〇　〇　〇　〇　㊞

　　買主（乙）　〇　〇　〇　〇　㊞

株式贈与契約書

贈与者○○○○を甲とし，受贈者○○○○を乙として甲乙両当事者は次のとおり株式贈与契約を締結した。

第一条　甲は乙に対して下記株式を贈与することを約し，乙はこれを承諾した。

記

1．○○○○○○○株式　○○株

以上の契約を証するため本契約書を作成し，甲乙両者署名押印する。

平成○○年○○月○○日

贈与者（甲）　○　○　○　○　㊞

受贈者（乙）　○　○　○　○　㊞

実践マニュアル編

自己株式の取得

1 株主総会議事録

臨時株主総会議事録

平成○○年○○月○○日午前○○時○○分，○○○○○○○○○○○○当社会議室において第○○回臨時株主総会を開催した。

　　　　株主総数　　　　　　　○○名
　　　　発行済株式総数　　　　○○株
　　　　出席株主数　　　　　　○○名（委任状による者を含む）
　　　　この持株総数　　　　　○○株

　上記のとおり出席があったので，定刻代表取締役○○○○は議長席に着いて，開会を宣し下記議案を討議した。

第1号議案　自己株式取得承認の件
　議長は，下記の方法により当社株式を下記内容により取得したい旨諮ったところ，総会は満場一致これを承認可決した。
　1．取得株式の種類　　　　　　　　　普通株式
　2．取得株式の総数　　　　　　　　　○○株
　3．取得株式の取得価格の総額　　　　○○百万円（上限とする）
　4．取得の相手方　　　　　　　　　　○○○○
　5．株式を取得することができる期間　平成○年○月○日より平成○年○月○日まで
尚，○○○○は特別の利害関係があるため上記決議には参加していない。

　以上をもって議事の全部を終了したので，議長は午前○○時○○分閉会を宣した。

　以上の決議の結果を明らかにするため，この議事録を作成し，議長及び出席取締役は，次に記名押印する。

　　平成○○年○○月○○日

　　　　○○○○株式会社　第○○回臨時株主総会

　　　　　　　　　　　議長　代表取締役社長　○　○　○　○　㊞

　　　　　　　　　　　　　　代　表　取　締　役　○　○　○　○　㊞

　　　　　　　　　　　　　　取　　　　締　　　　役　○　○　○　○　㊞

　　　　　　　　　　　　　　取　　　　締　　　　役　○　○　○　○　㊞

　　　　　　　　　　　　　　取　　　　締　　　　役　○　○　○　○　㊞

　　　　　　　　　　　　　　取　　　　締　　　　役　○　○　○　○　㊞

　　　　　　　　　　　　　　取　　　　締　　　　役　○　○　○　○　㊞

実践マニュアル編

従業員持株会設立

1 概　　　要

(1) 株式の供給

① 現状の株式保有従業員等からの放出によります。
② 持株会発足後は退会者の持分を持株会に売却します。

(2) 株　　価

配当還元価額以上で，経済状況等を考慮の上決定します。

なお，持株会発足後は当初の引受価額を退会者からの買取価額とします。つまり，キャピタルゲイン，またはロスは発生しないこととします。

(3) 対象従業員

勤続年数3年以上等の制限を設けるとともに，役職等により申込上限を設定します。

(4) 管　　理

臨時拠出のみとしますので，社内で管理します。

理事長1名，理事2名，監事1名

(5) 持株会入会のメリット

　通常の運用利回りよりも高くなります。ただし，業績による変動があります。
　100株取得した人ですと，投資額100千円（1株千円とした場合）に対し，2割配当をもらうと10千円の配当金となり，利回りは10％となります。

2 スケジュール・様式

11月下旬	基本プランの設定
12月初旬	発起人メンバー設定
12月中旬	発起人開催[注1]
12月下旬	募　　集[注2]
1月中旬	臨時拠出（株買取）[注3]

(注1)　発起人会で従業員持株会の理事長を選任しますが，通常，役員は入れません。理事長が代表して株主としての権利行使をしますので信頼のできる人を選んで下さい。
(注2)　従業員の方へのPRが必要となります。
　　　　この場合，キャピタルゲインではなく，あくまで配当利回りが高いことを期待させるようにして下さい。
(注3)　株の売買に際しては，取締役会の承認が必要となります。
(注4)　年1回は会員に対し残高の報告をします。

従業員持株会規約

第1章　総　　則

（会の名称）
第1条　この会は，○○○○○○株式会社従業員持株会（以下「本会」という）という。

（会の性格）
第2条　本会は，民法第667条第1項にもとづく組合として組織する。
　② 　第6条の拠出金，第8条の配当金及び第12条第1項の新株式払込金をもって本会への出資とする。

（会の目的）
第3条　本会は，会員が少額資金を継続的に拠出することにより○○○○○○株式会社株式（以下「株式」という）の取得を容易ならしめ，財産形成の一助とすることを目的とする。

第2章　会　　員

（会員の範囲）
第4条　会員は，○○○○○○株式会社（以下「会社」という）の従業員に限る。

（入会，退会）
第5条　前条の従業員は，理事長に申し出て毎年4月及び10月に限りこの会に入会し，またいつでも退会することができる。ただし，原則として一度退会したものは再入会できない。
　② 　会員が前条の資格を喪失したときは，退会しなければならない。

第3章　運　　営

（拠 出 金）
第6条　会員は，年2回の賞与支給日（以下「拠出日」という）に本会への出資として拠出を行う。

（株式の購入）
第7条　第6条及び奨励金から，必要経費を差引いた後の金額をもって，そのつど一括して株式を購入する。

（配当金の拠出）
第8条　会員は，本会の受領した株式に対する配当金を，本会への出資として拠出することができるものとし，この場合一括して株式を購入する。

（持分の算出）
第9条　本会は，第7条により購入した株式については，当該購入に要した各会員の拠出金及び前回繰越金に応じた株数を持分として算出し，また翌月の株式購入資金に繰り入れる金額（以下「持越金」という）についても株式に準じて持分を算出し，会員別持分明細表に登録する。

②　前条により購入した株式及び繰越金は，権利確定日現在の登録された各会員の持分株数に応じた株数，繰越金を算出し，当該会員の持分として会員別持分明細表に登録する。

（現株組入）
第10条　会員は，本会が特に定める時に限り，各会員が既に所有する株式を当該会員の持分として，組入れることができる。
　　　この場合，組入れられた株式は，会員別持分明細表に登録する。

（株式の名義）
第11条　第7条，第8条により購入した株式及び前条により組入れられた株式は，理事長名義に書換える。

（増資払込）
第12条　前条にかかわる株式に有償新株式が割当てられたとき本会は，権利確定日現在の登録された各会員の持分株数に応じた株数を算出し，払込金相当額を各会員から徴収する。

②　前項の新株式については，当該会員の持分として会員別持分明細表に登録する。

③　無償交付株式については，権利確定日現在の登録された各会員の持分株数に応じた株数を算出し，当該会員の持分として会員別持分明細表に登録する。

（理事長への信託）
第13条　会員は，登録された持分を管理の目的をもって，理事長に信託する。

（権利の譲渡，算入）
第14条　会員は，前条による信託にかかわる権利を他に譲渡し，または担保に供することはできない。

（株券の途中引出）
第15条　会員は，当該会員の登録された持分株数が100株以上になったときは，100株を単位とする株券の交付を受けることができる。

（退会時の持分返還）

第16条　会員が本会を退会したときは，当該会員の登録された持分相当の株式及び繰越金を返還する。ただし，株式持分のうち，100株を単位とする持分は株券で，1株以上，100株未満の持分は市場売却のうえ現金で，また1株未満の持分については，100株未満株式の売却価額で換算のうえ現金で交付する。

　②　退会者が退会時において，その権利を有しながら交付を受けていない配当金及び無償交付株式については，本会の受領後当該退会者に交付する。

　③　退会者が退会時において，有償新株式引受権を有する場合には，払込金相当額を拠出し，新株式発行後それに相当する持分の交付を受ける。

　④　無償交付株式及び有償新株式の交付の方法は，第1項ただし書きに準ずる。

第4章　機　　関

（役　　員）

第17条　本会には，次の役員をおく。

　　　　理事長　　1　名
　　　　理　事　　若干名
　　　　監　事　　1　名

（役員の職務）

第18条　前条の職務は，次の通りとする。

　　　　理事長　　本会を代表し，本会の業務を執行する。
　　　　理　事　　理事会に出席して重要事項を審議する。
　　　　監　事　　本会の財産状況を監査する。

（役員の選任）

第19条　役員の選任は，次の通り行う。

　　　　理事長　　理事の互選による。
　　　　理　事　　会員の互選により，会員の中から選出する。
　　　　監　事　　理事長が，理事会の同意を得て会員の中から指名する。

（役員の公告）

第20条　前条により役員が選任されたとき本会は，会員に公告する。

　②　公告の日以後2週間以内において，過半数の会員の署名をもって当該役員の選任につき異議の申し立てが行われたときは，当該役員は辞任する。

（役員の任期）

第21条　役員の任期は2年とし，重任を妨げない。ただし，任期満了後といえども，後

任者が選任されるまでは，その職務を執行する。
　②　補充選任された役員の任期は，前任者の残存任期とする。
（理　事　会）
第22条　理事長は毎年10月に定例理事会を招集する。また，必要ある場合臨時に理事会を招集する。
　②　理事会は，理事の過半数の出席によって成立し，その過半数の賛成を得て議決する。
（理事会の決議事項）
第23条　次の事項は，理事会がこれを決議する。
　　１．本会の計算に関する事項
　　２．この規約の改訂の発議
　　３．本会の運営に必要な諸規定の制定及び改廃
　　４．その他会務運営に関する重要事項
（規約の改訂）
第24条　この規約を改訂するときは，理事会が発議して会員に公告し，改訂の発効日は公告の日以後15日目とする。ただし，公告の日以後２週間以内において，３分の１を超える会員が書面をもって異議の申し立てを行ったときは，この改訂は成立しない。
（議決権の行使）
第25条　本会が保有する株式の株主総会における議決権は，理事長が行使する。ただし会員はその持分に相当する株式の議決権の行使について，理事長に対し各株主総会ごとに別の指示を与えることができる。
（運　　営）
第26条　本会の運営についての細目は，別に定める〇〇〇〇〇〇株式会社従業員持株会運営細則による。
（会計年度）
第27条　本会の会計年度は，９月１日から翌年８月31日までとする。
（公　　告）
第28条　本会の公告は，「掲示板」に掲載して行う。
（事　務　局）
第29条　本会の会務を処理するために，会社総務部内に事務局を設ける。

付　　則

　この規約は，平成〇年〇月〇日から施行する。
　ただし，株式の公開以前に於いては，次の通りとする。
(1)　第15条はこれを施行しない。
(2)　第16条第1項を次の通り読みかえる。
第16条　会員が本会を退会したときは，当該会員の登録された持分相当の株式及び繰越金を返還する。ただし，株式については本会の理事会が予め定めた価格で買い取り現金で交付する。

平成〇〇年〇〇月〇〇日
　〇　〇　〇　〇持株会

設立発起人会議事録

　　　　　　　　　　　　　　　　　発起人　〇　〇　〇　〇　㊞
　　　　　　　　　　　　　　　　　　　　　〇　〇　〇　〇　㊞
　　　　　　　　　　　　　　　　　　　　　〇　〇　〇　〇　㊞
　　　　　　　　　　　　　　　　　　　　　〇　〇　〇　〇　㊞
　　　　　　　　　　　　　　　　　　　　　〇　〇　〇　〇　㊞

本日，我々〇〇〇〇持株会設立発起人は，発起人会を開催し，下記の通り決議した。

記

1．別紙の如き〇〇〇〇持株会規約及び同運営細則を作成し，同会を結成した。

2．今後本会を運営するため，次の通り役員を選んで委託し，夫々は本会に入会のうえその就任を承諾した。

　　　　　　　　　　　　　　　　　理事長　〇　〇　〇　〇
　　　　　　　　　　　　　　　　　理　事　〇　〇　〇　〇
　　　　　　　　　　　　　　　　　理　事　〇　〇　〇　〇
　　　　　　　　　　　　　　　　　理　事　〇　〇　〇　〇

覚　書

○○○○株式会社（以下甲という）と○○○○持株会（以下乙という）は，下記の項目を互いに遵守することを約し，ここにこの覚書を取り交わす。

記

1. 甲及び乙は，互いに協力して乙の目的である甲従業員の財産形成の為に努力し，それ以外の目的に本会を利用し，又は利用させる事はない。

2. 前項に定める以外のことについては，互いに○○○○持株会規約及び同運営細則を遵守する。

3. 当事者の一方もしくは，双方の事情の変動により，この覚書が著しく不適正となった場合は，双方協議の上これを変更する。

4. 当事者の何れか一方がこの覚書に違反した場合，他方は，文書による通知によってこの覚書を破棄する事ができる。

以　上

平成○○年○○月○○日

　　　　住所
甲　　　○○○○○○○○○○株式会社
　　　　取締役社長　○　○　○　○　㊞

　　　　住所
乙　　　○○○○○○○○○○持　株　会
　　　　理　事　長　○　○　○　○　㊞

従業員持株会入会の御案内

従業員各位　殿

　この度，当社では，従業員持株会を発足する事となりました。
　従業員持株会は，当社の株主の一員となることによって，会社の業績により配当を受領することができます。
　従いまして，皆様方の努力が，配当という形により受益するチャンスを生むという事になります。
　尚，退職時には千円で買い取りますので投資リスクはないと言って良いでしょう。
　又，1株千円（額面の2倍）で取得した場合，2割配当であれば利回りは10％となります。

　これを機に，皆様方全員が当会に入会される事を希望します。

平成〇〇年〇〇月〇〇日

　　　　　　　　〇〇〇〇株式会社

　　　　　　　　代表取締役

　　　　　　　　従業員持株会理事長

著者紹介

〈監修〉
辻・本郷 税理士法人 理事長　徳田孝司
昭和53年, 長崎大学経済学部卒業。
昭和55年, 監査法人朝日会計社 (現あずさ監査法人) に入社。
平成14年4月, 辻・本郷 税理士法人設立, 副理事長に就任し, 平成28年1月より現職。
著書に「スラスラと会社の数字が読める本」(共著, 成美堂出版),「いくぜ株式公開「IPO速解本」」(共著, エヌピー通信社),「精選100節税相談シート集」(共著, 銀行研修社) 他多数。

〈編著〉
辻・本郷 税理士法人
平成14年4月設立。東京新宿に本部を置き, 日本国内に57支部, 海外に7つの現地法人を持つ国内最大規模を誇る税理士法人。
医療, 税務コンサルティング, 相続, 事業承継, M&A, 企業再生, 公益法人, 移転価格, 国際税務など各税務分野別に専門特化したプロ集団として, 弁護士, 不動産鑑定士, 司法書士との連携により, 顧客の立場にたったワンストップサービスとあらゆるニーズに応える総合力をもって業務展開している。
〒160-0022　東京都新宿区新宿4-1-6　JR新宿ミライナタワー28階
　　　　　　電話　03-5323-3301 (代)　FAX　03-5323-3302
　　　　　　URL　http://www.ht-tax.or.jp/

辻・本郷 グループ
●辻・本郷 税理士法人　●CSアカウンティング株式会社
●辻・本郷 ビジネスコンサルティング株式会社
●辻・本郷 ITコンサルティング株式会社
●Hongo Connect & Consulting 株式会社 (HCC)
●本郷メディカルソリューションズ株式会社　●TH弁護士法人
●辻・本郷 社会保険労務士法人
●アルファステップ株式会社　●一般社団法人 辻・本郷 財産管理機構

辻・本郷 税理士法人を中核とした企業グループ。
関連グループスタッフ総勢1100名, 顧問先10000社を超える豊富な経験と実績, プロフェッショナルとしての総合力を活かし, 時代のニーズに沿った様々な分野において, 最高水準のサービスを提供している。

木村信夫	宮村百合子	武藤泰豊	二ノ宮伸幸	松浦真義
前田智美	黒仁田健	田村ひろ美	島田亮子	山口拓也
伊藤健司	萱原雅史	黒須友也	渡辺悠貴	薗田優子

〈全国支部一覧〉

札幌支部【北海道】
〒060-0002　北海道札幌市中央区北2条西4-1　北海道ビル7階
TEL：011-272-1031／FAX：011-272-1032

青森支部【青森県】
〒030-0861　青森県青森市長島2-13-1　AQUA青森スクエアビル4階
TEL：017-777-8581／FAX：017-721-6781

八戸支部【青森県】
〒031-0072　青森県八戸市城下4-25-5
TEL：0178-45-1131／FAX：0178-45-5160

秋田支部【秋田県】
〒010-0954　秋田県秋田市山王沼田町6-34
TEL：018-862-3019／FAX：018-862-3944

久慈支部【岩手県】
〒028-0064　岩手県久慈市八日町2-8 中野ビル2階
TEL：0194-53-1185／FAX：0194-53-1330

盛岡支部【岩手県】
〒020-0021　岩手県盛岡市中央通2-11-18　明治中央通ビル5階
TEL：019-604-6868／FAX：019-604-6866

遠野支部【岩手県】
〒028-0541　岩手県遠野市松崎町白岩16地割31-8
TEL：0198-63-1313／FAX：0198-63-1317

一関支部【岩手県】
〒021-0892　岩手県一関市東地主町60番地
TEL：0191-21-1186／FAX：0191-26-1665

仙台支部【宮城県】
〒980-0021　宮城県仙台市青葉区中央3-2-1　青葉通プラザ2階
TEL：022-263-7741／FAX：022-263-7742

福島支部【福島県】
〒960-8114　福島県福島市松浪町4-23　同仁社ビル4階
TEL：024-534-7789／FAX：024-534-7793

郡山支部【福島県】
〒963-8002　福島県郡山市駅前 1-15-4　明治安田生命郡山ビル 5 階
TEL：024-927-0881／FAX：024-927-0882

新潟支部【新潟県】
〒950-0087　新潟県新潟市中央区東大通 2-3-28　パーク新潟東大通ビル 5 階
TEL：025-255-5022／FAX：025-248-9177

上越支部【新潟県】
〒943-0892　新潟県上越市寺町 3-8-8
TEL：025-524-3239／FAX：025-524-3187

水戸支部【茨城県】
〒310-0903　茨城県水戸市堀町 1163-7
TEL：029-252-7775／FAX：029-254-7094

館林支部【群馬県】
〒374-0024　群馬県館林市本町 2-5-48　マルゼンビル 6 階
TEL：0276-76-2011／FAX：0276-76-2012

深谷支部【埼玉県】
〒366-0052　埼玉県深谷市上柴町西 4-17-3
TEL：048-571-4619／FAX：048-571-8158

大宮支部【埼玉県】
〒330-0854　埼玉県さいたま市大宮区桜木町 1-7-5　ソニックシティビル 18 階
TEL：048-650-5211／FAX：048-650-5212

越谷支部【埼玉県】
〒343-0808　埼玉県越谷市赤山本町 2-11　プランドール雅Ⅱ　202 号
TEL：048-960-1751／FAX：048-960-1752

川口東支部【埼玉県】
〒332-0012　埼玉県川口市本町 4-1-8　川口センタービル 6 階
TEL：048-227-1260／FAX：048-227-1261

柏支部【千葉県】
〒277-0023　千葉県柏市中央 1-1-1　ちばぎん柏ビル 4 階
TEL：047-165-8801／FAX：047-165-8802

船橋支部【千葉県】
〒273-0005　千葉県船橋市本町 4-40-23　SADOYA SOUTHERN TERRACE 6 階
TEL：047-460-0107／FAX：047-460-0108

松戸支部【千葉県】
〒271-0092　千葉県松戸市松戸 1292-1　シティハイツ松戸 205 号
TEL：047-331-7781／FAX：047-331-7786

西新井支部【東京都　足立区】
〒123-0842　東京都足立区栗原 3-10-19-307
TEL：03-3848-3767／FAX：03-3848-3791

東京丸の内支部【東京都　千代田区】
〒100-0005 東京都千代田区丸の内 1-9-1　丸の内中央ビル 10 階
TEL：03-6212-2832／FAX：03-6212-2833

東京中央支部【東京都　千代田区】
〒100-0005　東京都千代田区丸の内 2-2-3　丸の内仲通りビル 7 階
TEL：03-6212-5801／FAX：03-6212-5802

代々木支部【東京都　渋谷区】
〒151-0053　東京都渋谷区代々木 1-36-4　全理連ビル 2 階
TEL：03-3379-4111（代表）

新宿アルタ支部【東京都　新宿区】
〒160-0022　東京都新宿区新宿 3-32-10　松井ビル 8 階
TEL：03-5919-2680／FAX：03-5919-2670

渋谷支部【東京都　渋谷区】
〒150-0002　東京都渋谷区渋谷 2-15-1　渋谷クロスタワー 13 階
TEL：03-6418-6761／FAX：03-6418-6762

品川支部【東京都　港区】
〒108-0074　東京都港区高輪 3-26-33　京急第 10 ビル 3 階
TEL：03-5791-5731／FAX：03-5791-5732

神田支部【東京都　千代田区】
〒101-0047　東京都千代田区内神田 3-20-3　小鍛冶ビル 8 階
TEL：03-5289-0818／FAX：03-5289-0819

吉祥寺支部【東京都　武蔵野市】
〒180-0004　東京都武蔵野市吉祥寺本町 1-14-5　吉祥寺本町ビル 7 階
TEL：0422-28-5515／FAX：0422-28-5516

東大和支部【東京都　東大和市】
〒207-0031　東京都東大和市奈良橋 5-775
TEL：042-565-1564／FAX：042-563-0189

立川支部【東京都　立川市】
〒190-0012　東京都立川市曙町 2-38-5　立川ビジネスセンタービル 10 階
TEL：042-548-1841／FAX：042-548-1842

町田支部【東京都　町田市】
〒194-0021　東京都町田市中町 1-1-16　東京建物町田ビル 9 階
TEL：042-710-6920／FAX：042-710-6921

横浜支部【神奈川県】
〒220-0004　神奈川県横浜市西区北幸 1-11-11　NMF 横浜西口ビル 4 階
TEL：045-328-1557／FAX：045-328-1558

大和支部【神奈川県】
〒242-0017　神奈川県大和市大和東 3-8-16
TEL：046-262-8332／FAX：046-262-5650

湘南支部【神奈川県】
〒251-0055　神奈川県藤沢市南藤沢 4-3　日本生命南藤沢ビル 4 階
TEL：0466-55-0012／FAX：0466-55-0032

小田原支部【神奈川県】
〒250-0011　神奈川県小田原市栄町 1-8-1　Y&Y ビル 6 階
TEL：0465-40-2100／FAX：0465-40-2101

甲府支部【山梨県】
〒400-0046　山梨県甲府市下石田 2-5-9
TEL：055-228-5722／FAX：055-228-5723

甲府中央支部【山梨県】
〒400-0845　山梨県甲府市上今井町 684-6
TEL：055-241-7522／FAX：055-241-7578

伊東支部【静岡県】
〒414-0002　静岡県伊東市湯川 1-3-3　上條ビル 5 階
TEL：0557-37-6706／FAX：0557-37-8988

豊橋支部【静岡県】
〒440-0086　愛知県豊橋市下地町字長池 13 番地
TEL：0532-54-3000／FAX：0532-54-3002

名古屋支部【愛知県】
〒460-0008　愛知県名古屋市中区栄 4-2-29　名古屋広小路プレイス 5 階
TEL：052-269-0712／FAX：052-269-0713

四日市支部【三重県】
〒510-0822　三重県四日市市芝田 1-3-23
TEL：059-352-7622／FAX：059-351-2988

京都支部【京都府】
〒600-8009　京都府京都市下京区四条通室町東入函谷鉾町 79 番地
　　　　　　ヤサカ四条烏丸ビル 6 階
TEL：075-255-2538／FAX：075-255-2539

豊中支部【大阪府】
〒560-0021　大阪府豊中市本町 1-1-1　豊中阪急ビル 6 階
TEL：06-4865-3340／FAX：06-4865-3341

大阪支部【大阪府】
〒541-0045　大阪府大阪市中央区道修町 4-6-5　淀屋橋サウスビル 6 階
TEL：06-6227-0011／FAX：06-6227-0063

堺支部【大阪府】
〒590-0985　大阪府堺市堺区戎島町 3-22-1　南海堺駅ビル 412 号
TEL：072-224-1006／FAX：072-224-1007

神戸支部【兵庫県】
〒651-0087　兵庫県神戸市中央区御幸通 6-1-10　オリックス神戸三宮ビル 10 階
TEL：078-261-0101／FAX：078-261-0120

岡山支部【岡山県】
〒700-0815　岡山県岡山市北区野田屋町 1-1-15　岡山桃太郎大通りビル 7 階
TEL：086-226-8555／FAX：086-226-8556

広島支部【広島県】
〒730-0051　広島県広島市中区大手町 2-11-2　グランドビル大手町 9 階
TEL：082-553-8220／FAX：082-553-8221

松山支部【愛媛県】
〒790-0011　愛媛県松山市千舟町 6-5-10
TEL：089-945-3560／FAX：089-945-3385

北九州支部【福岡県】
〒802-0003　福岡県北九州市小倉北区米町 1-2-26　日幸北九州ビル 4 階
TEL：093-512-5760／FAX：093-512-5761

福岡支部【福岡県】
〒810-0001　福岡県福岡市中央区天神 1-3-38　天神 121 ビル 8 階
TEL：092-715-6901／FAX：092-715-6902

大分支部【大分県】
〒870-0035　大分県大分市中央町 1-1-3　朝日生命大分ビル 4 階
TEL：097-532-2748／FAX：097-538-7006

延岡支部【宮崎県】
〒882-0803　宮崎県延岡市大貫町 5-1740-2
TEL：0982-22-3570／FAX：0982-31-2789

沖縄支部【沖縄県】
〒900-0029　沖縄県那覇市旭 1-9　カフーナ旭橋 B 街区ビル 1 階
TEL：098-941-3230／FAX：098-941-3231

著者との契約により検印省略

平成 8 年 1 月20日	初	版	発 行
平成11年 1 月10日	改 訂 版		発 行
平成13年 3 月 1 日	三 訂 版		発 行
平成14年 4 月 1 日	四 訂 版		発 行
平成15年 6 月 1 日	五 訂 版		発 行
平成16年12月 1 日	六 訂 版		発 行
平成20年 1 月20日	七 訂 版		発 行
平成21年10月10日	八 訂 版		発 行
平成27年 3 月20日	九 訂 版		発 行
平成29年11月 1 日	十 訂 版		発 行

オーナーのための
自社株の税務＆実務
―売買・保有・評価―
〔十訂版〕

編　　者	辻・本郷　税理士法人
発 行 者	大　坪　克　行
製 版 所	美研プリンティング株式会社
印 刷 所	税経印刷株式会社
製 本 所	株式会社三森製本所

発 行 所	東京都新宿区下落合 2 丁目 5 番13号	株式会社 税務経理協会

郵便番号　161-0033　振替　00190-2-187408　電話 (03) 3953-3301 (大 代 表)
　　　　　　　　　　FAX (03) 3565-3391　　　 (03) 3953-3325 (営業代表)
URL　http://www.zeikei.co.jp/
乱丁・落丁の場合はお取替えいたします。

Ⓒ 辻・本郷 税理士法人 2017　　　　Printed in Japan

本書の無断複写は著作権法上での例外を除き禁じられています。複写される場合は，そのつど事前に，(社)出版者著作権管理機構(電話03-3513-6969，FAX 03-3513-6979，e-mail：info@jcopy.or.jp) の許諾を得てください。

JCOPY ＜(社)出版者著作権管理機構　委託出版物＞

ISBN 978-4-419-06487-7　C3032